LE PILOTAGE
DU *changement*

UNE APPROCHE STRATÉGIQUE ET PRATIQUE

PRESSES DE L'UNIVERSITÉ DU QUÉBEC
2875, boul. Laurier, Sainte-Foy (Québec) G1V 2M3
Téléphone : (418) 657-4399 • Télécopieur : (418) 657-2096
Courriel : secretariat@puq.uquebec.ca • Catalogue sur Internet : www.puq.uquebec.ca

Distribution :

CANADA et autres pays

DISTRIBUTION DE LIVRES UNIVERS S.E.N.C.
845, rue Marie-Victorin, Saint-Nicolas (Québec) G7A 3S8
Téléphone : (418) 831-7474 / 1-800-859-7474 • Télécopieur : (418) 831-4021

FRANCE

DIFFUSION DE L'ÉDITION QUÉBÉCOISE
30, rue Gay-Lussac, 75005 Paris, France
Téléphone : 33 1 43 54 49 02
Télécopieur : 33 1 43 54 39 15

SUISSE

GM DIFFUSION SA
Rue d'Etraz 2, CH-1027 Lonay, Suisse
Téléphone : 021 803 26 26
Télécopieur : 021 803 26 29

LE PILOTAGE DU *changement*

UNE APPROCHE STRATÉGIQUE ET PRATIQUE

PIERRE COLLERETTE
ROBERT SCHNEIDER

2000

Presses de l'Université du Québec
2875, boul. Laurier, Sainte-Foy (Québec) G1V 2M3

Données de catalogage avant publication (Canada)

Collerette, Pierre, 1951-

    Le pilotage du changement

    ISBN 2-7605-0830-7

1. Changement organisationnel, 2. Gestion d'entreprise.
I. Schneider, Robert, 1947- . II. Titre.

HD58.8.C64 1996   658.4'06   C96-940156-6

Mise en pages : INFO 1000 MOTS INC.

Couverture : RICHARD HODGSON

1 2 3 4 5 6 7 8 9 PUQ 2000 9 8 7 6 5 4 **3** 2 1

Publié par Les Presses de l'Université du Québec
avec la permission de la Commission de la Fonction Publique du Canada
et le ministère des Travaux publics et Services gouvernementaux Canada
Adaptation par les Presses de l'Université du Québec, 1996

Dépôt légal – 3ᵉ trimestre 1996
Bibliothèque nationale du Québec / Bibliothèque nationale du Canada
Imprimé au Canada

TABLE DES MATIÈRES

ÉTAPE 1
PRÉLIMINAIRES

ÉTAPE 2
L'ANALYSE STRATÉGIQUE DE L'ORGANISATION

ÉTAPE 3
LA DISPOSITION AU CHANGEMENT

ÉTAPE 4
LA PRÉPARATION DU CHANGEMENT

ÉTAPE 5
LA GESTION DU CHANGEMENT

Prologue

La conjoncture des organisations

Jamais, dans leur histoire récente, les organisations n'ont été soumises à des pressions aussi fortes et aussi complexes que celles qui s'exercent dans les années 1990 et qui, de toute évidence, continueront de s'exercer pendant encore un certain nombre d'années.

On pose souvent la problématique actuelle en termes économiques : les coûts de production doivent être comprimés afin de maintenir sa position concurrentielle et de s'adapter à un pouvoir d'achat qui est en régression constante.

Les enjeux dépassent toutefois très largement la seule réalité économique. Dans la conjoncture actuelle, tout, absolument tout, est remis en question : la nature des biens et des services qui sont produits, les attentes et la fidélité des consommateurs, les structures d'organisation du travail, les méthodes de production, les modes de commercialisation et de distribution, les rapports entre l'organisation et son environnement, etc. Bref, c'est non seulement la réalité économique des organisations qui est remise en cause, mais la nature de leurs activités, leur utilité et même, dans certains cas, leur légitimité.

En outre, non seulement les pressions sont diversifiées, mais elles s'exercent dans un contexte marqué par une concurrence de plus en plus vive, par des lois de plus en plus contraignantes et par des consommateurs qui sont à la fois mieux informés et plus critiques par rapport aux institutions.

Ces pressions en outre reflètent souvent des tendances conflictuelles. Alors que certaines invitent les gestionnaires à s'orienter dans une direction (par exemple la rationalisation des coûts), d'autres les pressent au contraire d'agir dans une direction, sinon opposée, du moins difficilement conciliable (par exemple l'accroissement ou la diversification des services).

Ce contexte général crée une conjoncture très difficile pour les gestionnaires. D'autant qu'on leur demande en outre de manœuvrer dans cette *zone de turbulences*, tout en maintenant un climat de travail satisfaisant parmi des troupes inquiètes. Pareille situation peut toutefois fournir aux audacieux des occasions uniques de relever des défis et d'innover

Les organisations n'ont pas le choix de s'adapter ou non à la conjoncture. Les hauts dirigeants comme les gestionnaires de tous les niveaux ont l'obligation de mettre en œuvre les changements nécessaires. Ceux qui tardent à le faire exposent leur organisation à des crises encore plus graves. Si le rôle des hauts dirigeants consiste à déterminer les orientations et à prendre les décisions qui s'imposent pour que les changements se réalisent, les gestionnaires des autres niveaux ont, pour leur part, la responsabilité de sensibiliser leur entourage à la conjoncture nouvelle et de prendre les initiatives en matière de gestion qui permettront de transposer les changements nécessaires dans les pratiques quotidiennes.

Le «comment» est encore mal connu et, pour provoquer, mettre en œuvre, orienter les changements nécessaires, les dirigeants ont souvent le réflexe de reproduire les habitudes du passé et de s'appuyer sur une logique linéaire. Dans plusieurs cas, la complexité et l'instabilité de la situation rendent cette approche peu efficace. Il faut alors recourir à des façons de faire qui correspondent à la complexité de la situation.

Nombreux sont les gestionnaires aux prises avec cette situation qui déplorent l'absence de points de repère pour pouvoir traverser la zone de turbulences. Un gestionnaire exprimait ainsi le malaise qui caractérise souvent leur situation: «*Je sais à peu près d'où nous venons, je ne suis pas certain de l'endroit précis où nous sommes rendus et je n'ai pas la moindre idée de notre destination. Mais on me demande de piloter le navire avec assurance, souplesse et dynamisme... et on me reproche mon manque de vision...* »

Pour pouvoir tracer une carte indiquant les principaux points de repère, il faudrait comprendre la nature des forces en présence et leur interaction. On commence à y parvenir à la macro-échelle, mais la situation est beaucoup moins claire à la micro-échelle.

À la macro-échelle, on s'entend généralement pour dire que l'Occident connaît une mutation profonde, marquée à la fois par une ouverture des frontières commerciales, un essoufflement des finances publiques, des transformations majeures dans le profil social, le passage d'une économie centrée sur le « faire » à une économie centrée sur le « savoir » et par un important déplacement des sources de richesse.

Les organisations font face au défi de s'engager dans ce virage économique, tout en supportant les inévitables difficultés qu'engendre une telle transformation pour la société. Tout cela, encore une fois, avec des ressources limitées.

À la micro-échelle, c'est-à-dire à l'échelle des organisations prises individuellement, il est à peu près impossible de déterminer la voie précise qu'il faut suivre : d'une part parce que le jeu des forces est trop complexe et, d'autre part, parce que les tourbillons de la mutation ont pour effet de modifier complètement la géographie du réel.

Les gestionnaires doivent en conséquence se rabattre sur des modèles et des approches d'urgence. Tout comme le pilote en pareilles circonstances, le gestionnaire doit se fixer des buts à court terme, vérifier constamment l'état des différents sous-systèmes de son équipement, scruter de façon continue l'évolution de son environnement et corriger continuellement sa trajectoire : dévier, remonter, stabiliser, contourner, descendre, stabiliser à nouveau, etc. En somme, il doit se livrer à une série de micro-analyses, de microdécisions et de micro-changements destinés à assurer une adaptation continue.

Le changement est devenu une façon d'être, et tout porte à croire qu'il le demeurera encore pendant plusieurs années.

Ce guide de gestion du changement a été conçu à l'intention des gestionnaires qui doivent faire face au tourbillon du changement, mais aussi à l'intention des analystes, des consultants et des formateurs chargés de leur venir en aide. Il cherche à enrichir l'éventail des réponses disponibles, en leur fournissant des outils pour éclairer leurs stratégies et leur action aux différentes étapes de la mutation en cours.

Pierre Collerette   Robert Schneider

*Il y a ceux qui voient les choses telles
qu'elles sont et se demandent pourquoi,
il y a ceux qui imaginent les choses
telles qu'elles pourraient être
et se disent... pourquoi pas?*

George Bernard Shaw

INTRODUCTION

Le présent guide est destiné **au gestionnaire** à la recherche de moyens pour préparer et gérer adéquatement des changements. Il comporte une série de grilles d'analyse et d'outils de décision qui l'aideront à procéder avec rigueur et lucidité.

Six grands objectifs y sont poursuivis :

* fournir des informations permettant de comprendre et de prévoir les réactions du personnel face aux pressions du changement ;

* mettre en lumière les exigences qu'impose au gestionnaire tout projet de changement dans une organisation ;

* fournir des outils d'analyse et de prise de décision pouvant l'aider aux diverses étapes de l'introduction d'un changement ;

* permettre de prendre du recul par rapport à une situation pour en avoir une vue plus large et plus nuancée ;

* permettre d'examiner une gamme de choix possibles ainsi que leurs conséquences prévisibles ;

* fournir à l'utilisateur un outil où noter ses réflexions, ses analyses, ses plans et ses orientations.

Le guide s'intéresse autant **aux dimensions organisationnelles** qui doivent faire l'objet d'un changement qu'aux modalités de **la gestion de ce changement**. Il permet donc de réfléchir sur l'adaptation de l'organisation face à son environnement et de déterminer les approches appropriées pour introduire les changements désirés.

À différents endroits, des fiches de travail sont proposées. L'utilisateur pourra s'en faire des copies s'il veut les réutiliser, ou encore, employer les formulaires regroupés à la fin du volume.

Le guide est structuré de manière à pouvoir être utilisé aux différentes étapes de la mise en œuvre d'un changement. Il appartient au gestionnaire de choisir les personnes qu'il veut associer à chaque étape de son projet pour exécuter les diverses tâches.

Tableau A   LES ÉTAPES D'UN SCÉNARIO DE CHANGEMENT

Étape 1 : L'analyse préliminaire de la situation « *Par où commencer ?* »	Module 1	L'analyse préliminaire
Étape 2 : L'analyse stratégique de l'organisation « *Quoi changer et pourquoi ?* »	Module 2 Module 3 Module 4	L'analyse de l'environnement externe L'analyse des caractéristiques internes Le choix d'une stratégie maîtresse
Étape 3 : Le bilan de la disposition au changement « *Sur quoi et auprès de qui faut-il agir pour que le changement se produise ?* »	Module 5 Module 6 Module 7	Les enjeux du changement chez l'individu Les leviers et les obstacles L'analyse des éventuelles résistances
Étape 4 : La préparation du changement « *Comment orchestrer les mesures ?* »	Module 8 Module 9 Module 10	Les acteurs Le choix d'une approche de gestion Le plan d'action
Étape 5 : La gestion du changement « *Quel est le rôle du gestionnaire ?* »	Module 11 Module 12 Module 13 Module 14	La gestion de la transition Le monitorage du changement L'évaluation des résultats L'intervention en contexte de crise
Appendice	Module 15	Recueil d'outils Réflexions

Chaque module traite d'une étape ou d'un aspect particulier, et il n'est pas nécessaire d'avoir fait les modules précédents pour accéder à un module particulier. L'utilisateur peut donc aller directement au module qui correspond à l'état de sa situation.

Dans le guide, le terme « organisation » est défini comme suit :

♦ unité de travail regroupant un certain nombre de personnes, dirigée par un ou plusieurs gestionnaires et ayant des objectifs précis à atteindre. L'unité peut être de petite ou de grande taille. Le terme *organisation* s'applique donc autant à l'organisation tout entière qu'à une section, une direction, un service.

Les outils proposés ont été conçus avec une vision dynamique des organisations, qui y sont abordées comme des systèmes influencés autant par leur environnement que par leurs caractéristiques internes. Pour demeurer adaptées, les organisations doivent donc être en processus d'ajustement continu avec les pressions internes et externes. C'est pourquoi, dans le guide, on attire l'attention sur *le contexte global* et *les liens* entre les diverses composantes de l'organisation.

Pour élaborer un scénario de changement, il faut analyser de nombreuses informations et faire intervenir plusieurs acteurs. L'idéal serait de les traiter simultanément. Malheureusement, le support papier oblige à aborder le traitement des informations en séquence. On gardera donc à l'esprit qu'il faut régulièrement faire des aller-retour pour enrichir, ajuster ou compléter les analyses déjà réalisées ou les décisions déjà prises.

La préparation, l'introduction et la gestion du changement constituent une démarche dynamique qui s'inscrit dans une réalité dynamique.

Dans la réalité, on est souvent obligé de composer simultanément avec plusieurs opérations de changement. Il s'agit alors en fait d'une démarche comportant plusieurs volets. On devra en pareil cas adopter une démarche qui tienne compte de la macro-échelle pour orienter l'effort général de changement, tout en étant attentif à chacun des volets, en autant, bien sûr, qu'ils soient significatifs.

Les approches et outils présentés dans le guide s'appuient sur les postulats suivants :

♦ Il est difficile d'amener les gens à changer, surtout quand l'initiative ne vient pas d'eux.

♦ L'être humain dispose de mécanismes nombreux pour échapper aux changements dans son environnement, mais il a néanmoins la capacité de s'adapter.

- Si on ne réussit pas à faire en sorte que les destinataires du changement soient des «partenaires», ils risquent de devenir des adversaires ou des poids morts...

- Les changements ne sont pas nécessairement tous bons, utiles, efficaces ou opportuns...

Préalables
À une opération de changement

Les grands enjeux
d'une opération de changement

En général, plus le changement porte sur des aspects profondément enracinés dans la culture de l'organisation ou plus il touche d'aspects de la vie des destinataires, plus les difficultés sont nombreuses. Parmi les conditions à respecter pour réussir une opération de changement, on peut en énumérer quatre, qui les résument toutes :

> Que le changement soit adapté au contexte et efficace,
>
> bien accepté des destinataires,
>
> bien implanté dans l'organisation,
>
> et à des coûts raisonnables.

Si on peut répondre par l'affirmative aux quatre questions suivantes, les chances de succès sont élevées :

◆ Les modifications à introduire ont-elles prouvé leur efficacité dans un milieu comparable au vôtre ?

◆ À ce stade-ci, ceux qui devront vivre le changement l'acceptent-ils ?

◆ Des mécanismes de gestion et de suivi du changement ont-ils été prévus ?

◆ Les gains escomptés sont-ils nettement supérieurs aux coûts engendrés par le changement ?

L'introduction d'un changement implique des rapports d'influence. Un des principaux défis pour le gestionnaire consiste *à constituer et à conserver une masse critique de supporteurs tout au long de l'opération de changement*. Sans cette masse critique, il faut s'attendre à ce que sa crédibilité et sa légitimité soient mises à rude épreuve. Mais c'est parfois la seule avenue possible si on juge nécessaire d'introduire le changement...

QUELQUES ÉCUEILS

Un bon nombre d'écueils guettent les gestionnaires qui veulent introduire un changement ou à qui on confie la tâche de le faire.

Écueils	*Risques*
Entreprendre une opération à partir d'informations peu précises ou d'une impression...	On manquera vite d'arguments pour convaincre les destinataires et on y perdra en crédibilité et en légitimité.
Introduire un changement avant d'avoir une idée claire du résultat que l'on veut atteindre.	Il sera difficile pour les destinataires de savoir quoi faire concrètement, et ils deviendront très dépendants.
Entreprendre une opération de changement avant d'avoir créé une certaine réceptivité chez les destinataires.	On dépensera son énergie à surmonter les obstacles plutôt qu'à corriger les dysfonctions.
Présumer qu'il existe « une bonne façon » d'introduire un changement et y recourir de façon systématique.	L'approche ne sera peut-être pas adaptée à la situation. Il faut savoir distinguer ce que l'on aime faire de ce que l'on « doit » faire.

Écueils	Risques
Espérer voir des résultats concluants à court terme.	En général on sera déçu parce qu'à court terme le changement entraîne souvent du désordre, et ce n'est qu'après un certain temps que les conséquences réelles apparaissent.
Confier l'implantation à d'autres personnes et passer à autre chose.	Elles feront sans doute de leur mieux, mais auront souvent la tentation de passer à autre chose, elles aussi, si elles n'ont pas un encadrement soutenu.
Faire confiance aux gens pour que d'eux-mêmes ils adoptent le changement et s'efforcent de s'y adapter.	Les gens optent habituellement pour la formule la plus économique, qui consiste souvent à s'échapper ou à faire semblant...
Compter sur le temps pour que les difficultés s'atténuent.	Avec le temps, les forces d'inertie pourraient bien l'emporter.

Qui associer à l'opération de changement?

Le choix d'une approche efficace dépend des caractéristiques de chaque situation. Dans certains cas, les approches directives sont mieux adaptées, alors que dans d'autres, ce sont les approches participatives. Autant une approche peut se révéler efficace si elle est utilisée dans des circonstances pour lesquelles elle est appropriée, autant elle peut être inefficace et même dommageable dans des situations où elle n'est pas adaptée. Pour répondre à la question «Qui associer[1] à l'opération de changement et quand le faire?», on trouve au début de chaque étape un tableau fournissant des points de repère précis. Le tableau B à la page 8 donne un aperçu de la liste des critères à utiliser.

---

1. Nous avons évité de parler de « faire participer » pour plutôt parler d'associer des acteurs. Nous voulons ainsi éviter les débats idéologiques sur les mérites de la participation dans les organisations et plutôt attirer l'attention sur l'utilité de bénéficier de la contribution des gens, les modalités restant à définir.

Tableau B   CRITÈRES POUR DÉTERMINER QUI ASSOCIER À L'OPÉRATION DE CHANGEMENT

Critères	*Pôles*	*Approche optimale*
Le gestionnaire dispose-t-il des informations nécessaires sur la situation pour prendre une décision éclairée quant aux choix à privilégier ?	Oui[2]	– Le gestionnaire peut agir seul.
	Non	– Associer des gens qui vivent la situation à changer[3]. – Associer des clients. – Associer des pairs de l'organisation. – Associer des partenaires de l'organisation.
Un tel changement peut-il avoir des incidences significatives sur la qualité des services, des politiques ou des pratiques ?	Non	– Le gestionnaire peut agir seul.
	Oui	– Associer des experts (internes comme externes). – Associer des clients. – Associer des pairs de l'organisation. – Associer des partenaires de l'organisation.
La situation à modifier est-elle bien structurée, clairement formulée ?	Oui	– Le gestionnaire peut agir seul.
	Non	– Associer des gens qui vivent cette situation problématique. – Associer des clients. – Associer des pairs de l'organisation. – Associer des partenaires de l'organisation.
La légitimité (autorité) et la crédibilité (leadership) du gestionnaire sont-elles élevées ?	Oui	– Le gestionnaire peut agir seul.
	Non	– Associer des gens qui vivent cette situation problématique. – Associer des clients. – Associer des pairs de l'organisation. – Associer des partenaires de l'organisation.
La collaboration du personnel, des clients, des partenaires ou des pairs est-elle nécessaire pour assurer une implantation efficace ?	Non	– Le gestionnaire peut agir seul.
	Oui	– Associer les gens qui devront s'adapter aux nouvelles pratiques.
Le soutien du supérieur hiérarchique est-il nécessaire pour procéder à l'introduction du changement ?	Non	– Le gestionnaire peut agir seul.
	Oui	– Tenir le supérieur informé et l'associer.

2. La décision d'agir seul constitue un choix extrême ; les situations où l'on peut vraiment agir seul sont en effet rares. Il faut voir le « oui » et le « non » comme les pôles d'un continuum entre lesquels il y a des degrés. Le choix des approches doit donc être gradué en fonction de ces degrés.

3. On trouve au module 15 des suggestions d'outils qui peuvent être utilisés.

ÉTAPE 1

PRÉLIMINAIRES

Par où commencer?

MODULE 1

L'ANALYSE PRÉLIMINAIRE

Par où commencer?

CE MODULE TRAITE DES QUESTIONS SUIVANTES:

Quelle est la situation à modifier?

◆

Comment se présente le contexte général?

◆

Est-il pertinent et opportun d'agir sur cette situation?

Que veut-on changer? Est-ce pertinent? **Avant de consacrer des énergies à préparer une opération de changement, il faut préciser les points que l'on souhaite modifier, améliorer ou corriger.** Il faut également s'assurer de l'opportunité «en ce moment» d'agir sur la situation. On pourra ainsi prendre des décisions éclairées quant aux mesures à mettre en œuvre.

1.1 QUI ASSOCIER À L'ANALYSE PRÉLIMINAIRE?

Il peut s'avérer utile d'associer d'autres personnes à votre analyse préliminaire de la situation. Le tableau B de la page 8 fournit des indications pour déterminer les acteurs qu'il serait utile d'associer à votre réflexion.

Est-il préférable que les gens soient associés officiellement ou de façon informelle?

◆ Faire participer les gens officiellement peut être utile sur le plan symbolique; cela présente cependant le désavantage de susciter de l'autocensure chez les individus qui ne veulent pas se prononcer en public, de sorte que la qualité de leur apport peut en souffrir.

◆ Faire participer les gens de **façon informelle** a l'avantage de mettre à contribution leurs idées, en limitant pour eux le risque de s'exposer à la critique; en contrepartie, cela ne permet pas d'apporter la caution publique dont on peut avoir besoin pour appuyer les idées proposées.

De façon générale:

◆ on favorise une **participation informelle** pour les activités et discussions visant à enrichir le *contenu* de l'analyse;

◆ on favorise une **participation officielle** pour les activités et discussions visant à accroître *l'acceptation* de l'analyse.

1.2 L'OPPORTUNITÉ D'AGIR EN CE MOMENT

Avant de consacrer des énergies à entreprendre et gérer une opération de changement, il vaut la peine d'examiner si le moment est opportun par rapport à l'ensemble des exigences auxquelles est confrontée l'organisation. Il faut se rappeler que l'introduction d'un changement important dans un milieu rend ce dernier plus fragile et demande à tous beaucoup d'énergie et de temps. **Dans un certain nombre de situations, vous n'aurez probablement pas le choix d'agir ou de ne pas agir, car la nécessité d'introduire le changement sera dictée par des impératifs incontournables (politique, urgence, mutation, opportunité). Néanmoins, même alors, il demeure utile d'examiner les facteurs en présence afin d'avoir une perception claire et réaliste des réactions possibles.**

Les indicateurs des tableaux 1.1 (ci-dessous) et 1.2 (page 14) permettent de déterminer l'importance relative du projet de changement à un moment donné et ils peuvent aider à décider s'il vaut la peine d'aller de l'avant. Ces indicateurs découlent de deux facteurs clés : la vulnérabilité de l'organisation et le contexte, défini en fonction des possibilités et des contraintes.

Tableau 1.1 INDICATEURS POUR DÉTERMINER LA VULNÉRABILITÉ (V) DE L'ORGANISATION

► Encerclez la lettre associée à l'énoncé qui décrit le mieux la situation.

V1 La situation que vous souhaitez changer pose-t-elle des problèmes à la clientèle ? (ou en posera-t-elle dans un avenir prévisible ?)
    a) beaucoup,
    b) un certain nombre,
    c) peu ou pas.

V2 La situation que vous souhaitez changer pose-t-elle des problèmes de fonctionnement au personnel concerné ? (ou en posera-t-elle dans un avenir prévisible ?)
    a) beaucoup,
    b) un certain nombre,
    c) peu ou pas.

V3 La situation que vous souhaitez changer pose-t-elle des problèmes à vos partenaires ou à vos pairs ? (ou en posera-t-elle dans un avenir prévisible ?)
    a) beaucoup,
    b) un certain nombre,
    c) peu ou pas.

V4 La situation que vous souhaitez changer pose-t-elle des problèmes à vos supérieurs hiérarchiques ? (ou en posera-t-elle dans un avenir prévisible ?)
    a) beaucoup,
    b) un certain nombre,
    c) peu ou pas.

V5 Qu'arriverait-il dans les 12 prochains mois, si le changement n'était pas introduit dès maintenant ?
    a) la situation pourrait se dégrader passablement,
    b) la situation pourrait se dégrader un peu,
    c) la situation resterait inchangée.

► Indiquez le nombre de   a) _____   b) _____   c) _____
et reportez le résultat dans le tableau 1.3, page 15.

Tableau 1.2 INDICATEURS POUR DÉTERMINER LE CONTEXTE : CONTRAINTES (C) ET POSSIBILITÉS (P)

▶ Encerclez la lettre associée à l'énoncé qui décrit le mieux la situation.

C1 Votre organisation est-elle aux prises avec un autre problème ou une situation qui accapare l'énergie du personnel ?
- a) Non, ce n'est pas le cas.
- b) Oui, mais cela demande peu d'énergie.
- c) Oui, et cela demande beaucoup d'énergie.

C2 Le temps et les énergies qui seraient consacrés à ce dossier pourraient-ils compromettre d'autres dossiers classés prioritaires ?
- a) Non.
- b) Oui, dans une certaine mesure.
- c) Oui, et significativement.

C3 Disposez-vous du temps nécessaire pour assurer la gestion et le suivi de ce dossier ?
- a) Oui, de beaucoup de temps.
- b) Oui, de juste assez de temps.
- c) De peu ou pas assez de temps.

P1 Le changement que vous souhaitez (ou devez) introduire coïncide-t-il avec les orientations explicites de votre organisation ?
- a) Oui, tout à fait.
- b) Oui, dans une certaine mesure.
- c) Relativement peu ou pas du tout.

P2 La situation financière de votre service ou de votre organisation favorise-t-elle l'introduction d'un tel changement ?
- a) Oui, tout à fait.
- b) Oui, dans une certaine mesure.
- c) Relativement peu ou pas du tout.

P3 Existe-t-il, à votre connaissance, des solutions de rechange plus efficaces à la situation actuelle ?
- a) Oui, de toute évidence.
- b) Probablement.
- c) C'est peu probable.

▶ Indiquez le nombre de   a) _____   b) _____   c) _____
et reportez le résultat dans le tableau 1.3, page 15.

Si vous n'avez pas le loisir de décider vous-même de donner suite au projet de changement ou si les circonstances ne vous laissent pas le choix, en dépit de conditions défavorables, il faut malgré tout prévoir le genre de stratégie qu'il faudra utiliser, d'autant que les objectifs à court terme seront plus réalistes. D'ailleurs, *si vous remplissez un mandat* qui vous a été confié par un supérieur et si, après l'analyse, les perspectives de succès s'avèrent faibles, vous devriez partager votre analyse avec votre supérieur hiérarchique afin de voir s'il est toujours opportun d'aller de l'avant. Dans l'affirmative, vous saurez l'un et l'autre qu'il ne faut pas sous-estimer l'importance des difficultés à venir.

Tableau 1.3   L'ANALYSE DU POTENTIEL DE CHANGEMENT

▶ Reportez le nombre de a), de b) et de c) encerclés dans les tableaux 1.1 (page 13) et 1.2 (page 14).

Facteurs	*Scores obtenus aux indicateurs*		
	a)	*b)*	*c)*
Vulnérabilité de l'organisation (résultats du tableau 1.1)			
	Vulnérabilité élevée	Vulnérabilité modérée	Vulnérabilité faible
Contexte (contraintes et possibilités) (résultats du tableau 1.2)			
	Contexte favorable	Contexte incertain	Contexte défavorable
Potentiel de changement (*faites le total des cases supérieures*)			
	Potentiel de changement élevé	Potentiel de changement moyen	Potentiel de changement faible

Encerclez le qualificatif qui correspond à la tendance dominante pour la Vulnérabilité, pour le Contexte et pour le Potentiel de changement de la situation.

Vous avez maintenant un aperçu des tendances qui se dessinent. Bien que l'analyse soit fondée sur un nombre limité d'indicateurs, ceux-ci couvrent les facteurs habituellement les plus déterminants pour le succès d'un projet de changement.

Pour poursuivre votre réflexion sur la pertinence de vous engager dans l'opération de changement ou sur les réactions à prévoir si vous allez de l'avant, vous pouvez utiliser la matrice qui suit au tableau 1.4 de la page 16. Elle présente les diverses combinaisons possibles et les enjeux principaux pour chaque combinaison.

D'autres facteurs peuvent aussi influencer votre décision de poursuivre ou non le type d'approche que vous comptez utiliser, mais ne négligez pas les tendances qui se dégagent de cette analyse.

TABLEAU 1.4   GRILLE POUR ÉVALUER L'OPPORTUNITÉ D'AGIR EN CE MOMENT

	Vulnérabilité		
Contexte	*Élevée*	*Modérée*	*Faible*
Favorable	Il est nécessaire et opportun d'agir maintenant.	L'objet du changement pourrait « être déclassé » si d'autre priorités apparaissaient.	L'effort de changement risque de s'essouffler rapidement.
Incertain	Il est nécessaire d'agir maintenant, mais on devrait aussi travailler à améliorer le contexte.	Il est possible d'agir, mais il faut être prudent, car le risque de banalisation est élevé.	À cause de la situation, la probabilité de succès est faible en ce moment.
Défavorable	Bien qu'il semble nécessaire d'agir, le contexte constituera un obstacle important.	À cause des contraintes de la situation, la probabilité de succès est faible en ce moment.	Dans le contexte actuel, le risque est élevé en agissant maintenant.

Si vous décidez de mettre en œuvre le projet de changement et qu'en cours de route vous observez des ratés, revenez à ce tableau pour refaire la lecture de la situation.

1.3   LA SITUATION À CHANGER

Les motifs pour introduire un changement dans une organisation sont variés et ce sont eux qui influencent les stratégies à adopter. Il peut s'avérer utile dès maintenant de mettre en lumière ces motifs de façon à placer le projet de changement dans sa véritable perspective. Sans couvrir toute la gamme des choix possibles, les quatre énoncés suivants résument les principales raisons qui justifient l'introduction d'un changement dans une organisation:

♦ La situation actuelle est relativement satisfaisante, mais vous souhaitez rendre encore plus performants certains aspects de l'organisation; on parle d'*une situation à améliorer.*

- ◆ La situation actuelle est relativement satisfaisante, mais vous entrevoyez des difficultés que vous voulez prévenir ; on parle d'*une situation vulnérable.*

- ◆ Vous percevez un problème ou un malaise dans le fonctionnement actuel de l'organisation et vous souhaitez y remédier ; on parle alors d'*une situation insatisfaisante.*

- ◆ Un supérieur vous a chargé d'introduire un changement dans votre organisation ; on parle alors d'*un changement imposé*[1].

A.   Description de la situation actuelle

Il vous faut d'abord préciser en quoi la situation actuelle doit être améliorée, modifiée ou corrigée. Il peut s'agir de points faibles, de possibilités nouvelles, de contraintes auxquelles s'adapter ou de dysfonctions à éliminer. Votre formulation doit être descriptive et traiter de la situation telle qu'elle se présente en ce moment et telle qu'elle risque d'évoluer si aucune mesure n'est prise.

Tableau 1.5   DESCRIPTION DE LA SITUATION ACTUELLE

▶ Explicitez ce qui doit être amélioré, modifié ou corrigé dans la situation actuelle.

---

1. Il peut, bien sûr, s'agir indifféremment d'une situation à améliorer ou d'une situation vulnérable ou insatisfaisante, mais ce qui vous amène à travailler à la changer, c'est la décision d'un supérieur, ce qui n'empêche pas que vous puissiez être d'accord avec cette décision.

B. Quels faits ou quelles données pouvez-vous relever
    pour appuyer la description que vous avez faite?

C. Le personnel a-t-il la même perception de cette situation?

☐ Oui, en majorité.   → Passez à la section D.

☐ Oui, pour une large
   minorité.   → Lisez le commentaire qui suit.

☐ Non, pour la majorité.   → Lisez le commentaire qui suit.

☐ Je ne sais pas.   → Vous devriez vérifier;
                                     le commentaire qui suit
                                     peut néanmoins vous être utile.

**Plus le personnel percevra la situation actuelle de la même
façon que vous, plus il vous sera facile de l'intéresser au changement que vous désirez ou que vous devez introduire.** Si ce n'est pas
le cas présentement, vous auriez avantage à attirer son attention sur
les caractéristiques (possibilités, contraintes, vulnérabilités, lacunes) de
la situation actuelle avant même de lui faire part des changements
que vous envisagez. Il en sera question plus en détail au module 5,
néanmoins peut-être pourriez-vous commencer dès maintenant à sensibiliser les membres de votre personnel, car s'ils ne comprennent pas
votre analyse, il leur sera sans doute difficile d'adhérer à votre projet...

D. Votre supérieur a-t-il la même perception que vous de la situation ?

☐ Oui, en grande partie. → Passez à la section E.

☐ En partie. → Lisez le commentaire qui suit.

☐ Non. → Lisez le commentaire qui suit.

☐ Je ne sais pas. → Vous devriez peut-être vérifier ; le commentaire qui suit peut néanmoins être utile.

À diverses étapes durant l'introduction du changement vous êtes susceptible d'avoir besoin de l'approbation, du soutien et même de la contribution de votre supérieur. Il serait téméraire de vous engager plus avant dans la démarche sans vous être entendu avec lui au préalable sur votre analyse de la situation actuelle et sur les avenues à privilégier ou à éviter. En cas de mésentente, vous ne devez pas oublier que vous prendrez un risque en allant quand même de l'avant.

E. Vos pairs, vos partenaires et vos clients ont-ils la même perception que vous de la situation ?

☐ Oui, en grande partie. → Passez à la section F.

☐ En partie. → Lisez le commentaire qui suit.

☐ Non. → Lisez le commentaire qui suit.

☐ Je ne sais pas. → Vous devriez peut-être vérifier ; le commentaire qui suit peut néanmoins être utile.

Il n'est pas certain que vous ayez besoin de leur soutien pour réussir votre projet. Toutefois, si les changements que vous envisagez risquent de les toucher (eux ou leur service), il y a de fortes chances qu'ils réagissent. Si c'est le cas, peut-être **serait-il bon de les sensibiliser à vos préoccupations et contraintes, de façon à bénéficier de leur collaboration et de leur compréhension le moment venu.**

F. Le projet de changement vous a-t-il été confié par un supérieur ?

☐ Non. → Passez à la section 1.4.

☐ Oui. → Le commentaire qui suit peut vous être utile.

Bien que vous n'ayez pas vous-même pris l'initiative du changement, il est tout aussi important d'avoir une vision claire de ce qui est visé et du rôle des acteurs. Lorsqu'on **se voit confier une responsabilité qu'on n'a pas sollicitée, il n'est pas rare d'éprouver de l'impuissance et d'aller de l'avant sans trop se soucier des conditions nécessaires pour réussir.** Il est pourtant tout aussi important dans un tel cas de maximiser ses chances de réussite.

Pour clarifier la situation à modifier et préciser la conjoncture, il vous faudra probablement avoir des échanges avec la personne qui vous a confié le mandat ou tout au moins consulter la documentation disponible. Vous devriez alors recueillir des informations vous permettant d'expliquer pourquoi la situation actuelle justifie un changement.

Pour mobiliser vos énergies et maintenir votre engagement dans le projet, il importe que vous soyez capable d'en partager et même d'en défendre les principaux objectifs. Dans le cas contraire, la tâche sera astreignante et vous créerez peut-être vous-même les conditions d'un éventuel échec. Il vous faut donc essayer de concilier soit vos perceptions, soit vos motivations par rapport au changement envisagé. Si vous n'y arrivez pas, vous ne réussirez probablement pas à vous mobiliser. Mais qui sait, en étant méthodique peut-être arriverez-vous néanmoins à des résultats satisfaisants.

1.4 LA SITUATION SOUHAITÉE

Vous devez maintenant préciser le résultat visé par ce projet de changement. Il est important ***d'être précis quant au résultat espéré***. Il faut que la situation souhaitée soit exposée de façon descriptive et concrète. Cela permettra de visualiser l'effet escompté et facilitera la compréhension pour ceux avec qui vous aurez à en discuter. Parfois, la situation souhaitée est une vision de ce que devrait devenir l'organisation pour être adaptée aux tendances qui se dessinent. Il est alors plus difficile d'être précis et concret, mais on doit néanmoins faire l'effort nécessaire.

Tableau 1.6   DESCRIPTION DE LA SITUATION SOUHAITÉE

▶ Décrivez à quoi ressemblerait la situation si le changement était implanté avec succès.

Si votre formulation est imprécise ou abstraite, on commencera déjà à ne pas très bien vous comprendre et on sera de moins en moins réceptif.

Il arrive souvent ici que l'on confonde « le résultat recherché » avec les moyens. Si votre formulation traite des choses que votre organisation fera autrement (en plus, en moins, avec d'autres clients, avec d'autres méthodes, etc.), vous êtes sans doute sur la bonne voie. Si vous traitez des étapes à franchir ou des moyens à utiliser pour traverser la période de changement, vous devriez tout de suite revoir votre texte pour traiter plutôt du **résultat** que vous aimeriez observer *lorsque le changement sera implanté.*

1.5   À QUEL MODULE PASSER ?

Cette analyse préliminaire a permis de préciser sommairement l'objet du changement et d'apprécier la conjoncture générale par rapport à cet objet. Nous vous encourageons à pousser plus loin l'examen de l'organisation en faisant les trois modules de l'étape 2 (« L'analyse stratégique de l'organisation »). Dans certains cas, cet examen permet de réviser le choix des objets du changement pour en sélectionner de plus névralgiques ; dans d'autres cas, l'examen permet d'avoir une meilleure perspective d'ensemble et de mieux doser les énergies à consacrer à l'opération de changement.

Utilisez les paramètres qui suivent pour déterminer si vous devriez remplir les modules de l'étape 2 ou passer à l'une des autres étapes.

▶ *Passez à l'étape 2, «L'analyse stratégique de l'organisation», si:*

☐ Vous ne voyez pas de problème particulier dans l'organisation, mais vous souhaitez en faire l'examen pour disposer d'informations stratégiques sur son adaptation au contexte actuel ou pour déterminer les aspects qui pourraient être améliorés.

☐ Vous désirez remettre en question le paradigme sur lequel repose le fonctionnement de l'organisation pour vérifier s'il est toujours adapté aux circonstances.

☐ Vous voyez un problème ou un malaise dans l'organisation et vous n'avez pas encore amorcé de mesures significatives. Ce problème ou ce malaise est plutôt diffus ou a d'importantes répercussions sur le fonctionnement de l'organisation.

☐ Vous voyez un problème ou un malaise dans l'organisation, mais les différents groupes divergent d'opinion sur son analyse.

☐ Vous vous attaquez à un projet de changement majeur, dont le diagnostic ou le plan d'action ont déjà été établis, mais vous souhaitez clarifier le positionnement stratégique de l'organisation afin d'accroître la qualité de votre lecture de la situation.

▶ *Passez à l'étape 3, «La disposition au changement», si:*

☐ Vous voyez un problème ou un malaise dans l'organisation et vous n'avez pas encore amorcé de mesures significatives. Ce problème ou ce malaise vous paraît assez bien circonscrit ou a des répercussions limitées sur le fonctionnement.

☐ On vous a confié la tâche d'implanter un changement dans l'unité que vous dirigez. La nature du changement est déterminée, mais vous disposez d'une marge de manœuvre sur la façon de l'implanter.

▶ *Passez à l'étape 4, «La préparation du changement», si:*

☐ Vous voyez un problème dans l'organisation, vous l'avez assez bien défini, vous avez peut-être même un plan d'action, mais vous n'avez pas encore pris de mesures significatives.

▶ Passez à *l'étape 5, «La gestion du changement», si:*

☐ On vous a confié la tâche d'introduire un changement dans l'organisation que vous dirigez. La nature du changement est déterminée, de même que la façon de procéder, mais vous souhaitez fournir à l'organisation un soutien approprié.

☐ On vous a confié la tâche d'introduire un changement dans l'organisation que vous dirigez et vous êtes sur le point de vous y mettre.

☐ Vous avez cerné un problème dans l'organisation, vous avez dressé un plan d'action que vous avez déjà commencé à introduire récemment.

☐ Vous arrivez à la fin de vos efforts en vue d'introduire un changement.

L'ANALYSE STRATÉGIQUE DE L'ORGANISATION

Quoi changer et pourquoi?

MODULE 2

L'ANALYSE DE L'ENVIRONNEMENT EXTERNE

*L'organisation est-elle adaptée
à son environnement?*

CE MODULE TRAITE DES QUESTIONS SUIVANTES:

Quelles forces dans l'environnement exercent une influence
déterminante sur l'organisation?

◆

Quelle est la qualité des rapports entre l'organisation
et l'ensemble de ces forces externes?

Bien que plusieurs éléments traités dans ce module fassent partie de la réalité courante des organisations, la méthodologie proposée, quant à elle, est originale et peut de prime abord paraître difficile à appliquer. En suivant de façon attentive les étapes décrites, l'utilisateur sera en mesure de produire une carte éclairée des rapports entre une organisation et les différentes forces de l'environnement.

2.1 L'ENVIRONNEMENT EXTERNE

L'environnement externe comprend l'ensemble des **facteurs externes**[1] qui occupent une place significative dans l'évolution et dans la dynamique de l'organisation, facteurs dont on doit tenir compte lorsqu'on examine la conjoncture de l'organisation.

Étant donné que chaque organisation, chaque entreprise, fonctionne dans un contexte particulier, il est impossible de présenter une carte universelle des différents facteurs qui composent cet environnement, d'autant que les situations évoluent et, partant, ces facteurs également. **En somme, chaque organisation a un environnement qui lui est propre.**

Il est néanmoins possible de dégager une caractéristique de base qui s'applique à l'ensemble des environnements: l'existence de différents niveaux. L'environnement d'une organisation donnée compte trois niveaux distincts qui regroupent chacun des facteurs différents et ont une fonction particulière. Il s'agit du *niveau immédiat*, du *niveau intermédiaire* et du *niveau des tendances globales*.

Le niveau immédiat

Le niveau immédiat comprend l'ensemble des facteurs externes avec lesquels l'organisation est en interaction constante et continue. Ces facteurs sont en quelque sorte aux frontières immédiates de l'organisation: les clientèles, les fournisseurs, les groupes partenaires ou concurrents, les organisations syndicales, les bailleurs de fonds, etc.

Deux particularités caractérisent ce premier niveau externe. Il est composé de facteurs qui influent «quotidiennement» sur la dynamique de l'organisation; ils sont donc très présents et très visibles. Il existe en outre un certain degré de réciprocité dans les rapports d'influence entre l'organisation et les facteurs de ce premier groupe: ces facteurs exercent, bien sûr, une influence déterminante sur la dynamique de l'organisation, mais celle-ci, à son tour, exerce une certaine influence sur eux.

---

1. Il faut entendre ici la notion de facteurs au sens large. Il peut s'agir du marché, du contexte économique, de la concurrence, des groupes de pression, des médias, de la réglementation, des phénomènes sociaux, etc.

Le niveau intermédiaire

Le niveau intermédiaire pour sa part comprend l'ensemble des facteurs avec lesquels l'organisation est en interaction occasionnelle, bien qu'ils exercent une pression déterminante sur son évolution et son fonctionnement. Ces facteurs ont généralement une fonction régulatoire sur l'organisation : l'ensemble des lois et des règlements, les groupes de pression, les associations professionnelles, les conventions et organisations internationales, etc.

Outre le fait qu'ils sont visibles mais plus distants, ces facteurs sont aussi caractérisés par le fait que l'organisation, à elle seule, peut difficilement influer sur eux. La pression exercée par ces facteurs est incontournable, à moins que l'organisation ne parvienne à les contrer en créant une coalition avec d'autres organisations du même type.

Le niveau des tendances globales

Le niveau des tendances globales, enfin, est composé de l'ensemble des facteurs qui, bien qu'étant très distants de l'organisation, contribuent néanmoins à déterminer son orientation et son fonctionnement. Beaucoup moins visible que les deux précédents, ce niveau est composé de facteurs ou de forces sur lesquels l'organisation est incapable d'influer : elle ne peut que se soumettre à leurs pressions. Il s'agit de la conjoncture économique, des tendances mondiales, de l'évolution démographique, etc. C'est le niveau des tendances «lourdes».

En résumé, l'environnement d'une organisation comprend l'ensemble des facteurs susceptibles d'exercer une influence significative sur son évolution et sa dynamique.

La relation entre une organisation et son environnement peut s'exprimer sous la forme d'un continuum comportant six positions ou configurations de base. Ce continuum figure au tableau 2.1 de la page 30.

L'analyse stratégique consiste, dans un premier temps, à dresser la carte des facteurs ou des forces en présence et, dans un deuxième temps, à évaluer la qualité de la relation entre l'organisation et l'ensemble de ces facteurs.

La démarche proposée dans le module permet de dresser cette carte et de déterminer la configuration actuelle de l'organisation. Elle comporte deux étapes :

♦ une première qui consiste à dresser la liste des facteurs qui occupent une place significative dans la conjoncture de l'organisation;

◆ une seconde qui permet d'évaluer la qualité de la relation entre l'organisation et chacun de ces facteurs, en vue de dégager la configuration de base qui correspond à la situation de l'organisation.

Tableau 2.1 **LES SIX CONFIGURATIONS DE BASE**

Sympathie marquée :	Conditions externes très favorables ; plusieurs alliances et opportunités, peu ou pas de menaces prévues. L'organisation peut compter sur le soutien de l'externe dans la promotion de ses intérêts.
Sympathie modérée :	Conditions externes plutôt favorables malgré la présence de sources (potentielles ou réelles) de menace. Le soutien de l'environnement externe n'est pas acquis ; présence d'autres fournisseurs de services.
Polarisation :	Pressions ou conditions conflictuelles et d'égale importance au sein de l'environnement externe. L'organisation est sollicitée simultanément dans des voies qui s'opposent.
Hostilité modérée :	Conditions externes plutôt défavorables malgré la présence d'un certain nombre d'actifs précieux pour l'organisation. Tendance entropique. Bien que n'étant pas mobilisés, les acteurs externes ne poseront aucune action susceptible d'aider l'organisation ; état de lutte passive contre les intérêts de l'organisation.
Hostilité marquée :	Conditions externes très défavorables ; non seulement aucune source susceptible d'assurer le développement ni même la survie de l'organisation, mais état de crise où les acteurs externes sont « mobilisés », en lutte.
Indifférence :	L'organisation a été complètement « évacuée » ou marginalisée par les acteurs externes qui font désormais appel à d'autres fournisseurs.

2.2 ÉTAPE 1 : LE CHOIX DES FACTEURS SIGNIFICATIFS

La première opération de l'analyse de l'environnement externe consiste à déterminer quels sont les facteurs externes qui jouent un rôle significatif dans la dynamique de l'organisation. Les facteurs, en d'autres termes, dont il faut tenir compte lorsqu'on veut dresser la carte des influences auxquelles l'organisation est soumise.

Malgré qu'elle soit peu commune dans la tradition bureaucratique, cette opération est capitale puisqu'elle sert de fondement dans la détermination des cibles stratégiques.

Qu'est-ce qu'un facteur significatif?

C'est un facteur qui non seulement est présent dans l'environnement de l'organisation, mais qui est également susceptible d'exercer une influence déterminante soit sur le **contenu**, soit sur le **volume**, soit sur la **distribution** de la demande.

Compte tenu de la diversité des organisations et de l'évolution de leur contexte, il est impossible de concevoir une liste générale et universelle des facteurs significatifs. Chaque organisation a un environnement qui lui est propre et, en outre, la composition d'un environnement donné peut varier dans le temps.

Les tableaux et figures suivants décrivent, sous forme d'exemples, la composition de l'environnement d'une organisation. Il est possible et même vraisemblable que certains facteurs ne soient pas opportuns dans le cas d'une organisation donnée : il s'agira alors tout simplement de les ignorer. Il se peut également qu'un facteur significatif pour une organisation donnée n'y soit pas présenté : il s'agira alors tout simplement de l'ajouter. Il est possible enfin que la composition des niveaux présentés ne soit pas adaptée à la réalité particulière d'une organisation : il s'agira alors tout simplement de déplacer les facteurs au milieu approprié. Le lecteur est invité à consulter attentivement ces tableaux avant d'exécuter la tâche qui est décrite par la suite.

Figure 2.1   L'ENVIRONNEMENT EXTERNE : LE NIVEAU IMMÉDIAT

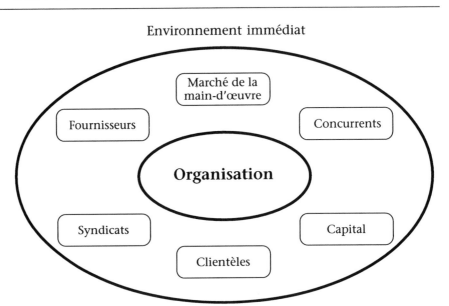

▶ Nous présentons ici la composition typique du premier niveau et les particularités des différents facteurs qui la composent. Au tableau 2.2 de la page 38, vous devrez retenir les facteurs les plus significatifs pour votre organisation et préciser la nature de leur influence.

Facteurs liés aux clientèles de l'organisation :

◆   composition des clientèles,

◆   concentration, dispersion des clientèles de l'organisation,

◆   évolution des tendances dans le comportement des clientèles,

◆   image de l'organisation auprès des clientèles,

◆   convergence/divergence des pressions exercées par les clientèles,

◆   écart entre les pressions exercées par la clientèle (demande) et la gamme des services de l'organisation (offre).

Facteurs liés aux concurrents de l'organisation :

◆   nature et composition des concurrents de l'organisation,

◆   nature et impact de la stratégie des concurrents,

- ◆ place qu'occupent les concurrents dans le marché,

- ◆ tendances prévues dans l'évolution de la concurrence,

- ◆ niveau de différenciation par rapport aux concurrents.

Facteurs liés aux fournisseurs de l'organisation :

- ◆ nature et composition des fournisseurs de l'organisation,

- ◆ qualité, coût et disponibilité des biens/services offerts par les fournisseurs,

- ◆ contrôle exercé par l'organisation sur ses fournisseurs.

Facteurs liés aux capitaux :

- ◆ suffisance des capitaux nécessaires au fonctionnement de l'organisation,

- ◆ sécurité de l'organisation quant à son niveau de financement,

- ◆ coût et disponibilité de nouvelles sources de financement,

- ◆ nature des compressions financières qui sont prévues à court et à moyen terme.

Facteurs liés aux organisations syndicales :

- ◆ nature et composition des organisations syndicales,

- ◆ écart entre les pressions exercées par les organisations syndicales et les positions de l'organisation,

- ◆ « poids » des organisations syndicales.

Facteurs liés au marché de la main-d'œuvre :

- ◆ disponibilité de la main-d'œuvre nécessaire au fonctionnement de l'organisation,

- ◆ qualité et coût de l'expertise disponible sur le marché,

- ◆ image de l'organisation sur le marché de la main-d'œuvre.

Figure 2.2   L'ENVIRONNEMENT EXTERNE : LE NIVEAU INTERMÉDIAIRE

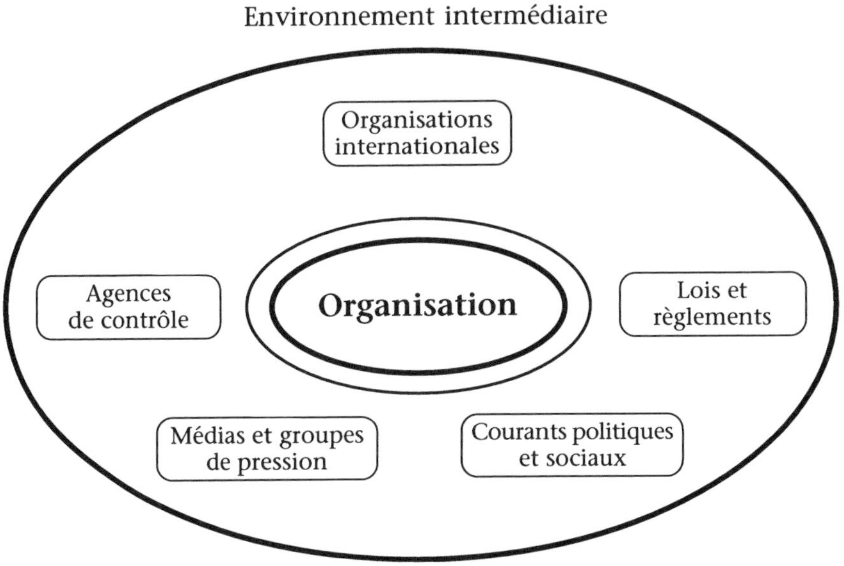

Environnement intermédiaire

▶ Nous présentons ici la composition typique du deuxième niveau et les particularités des différents facteurs qui le composent. Au tableau 2.2 de la page 38, vous devrez retenir les facteurs les plus significatifs pour votre organisation et préciser la nature de leur influence.

Facteurs liés aux organisations internationales :

◆ pressions exercées par les organisations de conventions internationales,

◆ obligations découlant de la participation à des organisations internationales,

◆ image de l'organisation à l'échelle internationale.

Facteurs liés aux agences de contrôle :

◆ nature des pressions exercées par les agences de contrôle : santé et sécurité au travail, environnement, régies publiques, revenu et taxation, travail, droit de pratique, capitaux, etc.

Facteurs liés aux lois et aux réglementations :

♦ obligations statutaires de l'organisation,

♦ contraintes imposées à l'organisation par la réglementation intérieure,

♦ contraintes associées aux conventions collectives.

Facteurs liés aux médias et aux groupes de pression :

♦ nature et composition des groupes de pression,

♦ convergence/divergence des pressions exercées par les groupes de pression,

♦ distance entre les positions de l'organisation et celles préconisées par les groupes de pression,

♦ «poids» des groupes de pression,

♦ image de l'organisation auprès des médias.

Facteurs liés aux courants politiques et sociaux :

♦ droits et devoirs des entreprises,

♦ perceptions publiques face aux pratiques courantes des organisations.

Figure 2.3 L'ENVIRONNEMENT EXTERNE : LE NIVEAU DES TENDANCES GLOBALES

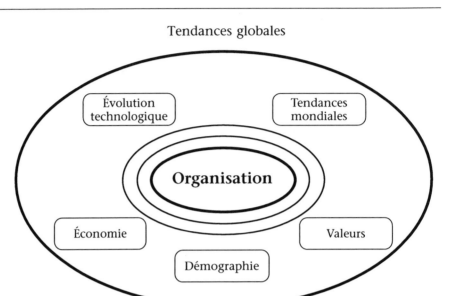

Tendances globales

Évolution technologique

Tendances mondiales

Organisation

Économie

Valeurs

Démographie

▶ Nous présentons ici la composition typique du troisième niveau et les particularités des différents facteurs qui le composent. Au tableau 2.2 de la page 38, vous devrez retenir les facteurs les plus significatifs et préciser la nature de leur influence.

Facteurs liés à la situation économique :

- ◆ dépression, récession, reprise, prospérité,
- ◆ tendances inflationnistes-déflationnistes,
- ◆ disponibilité et coût du capital,
- ◆ force relative du taux de change,
- ◆ politiques fiscales,
- ◆ état de la dette publique.

Facteurs liés à la situation démographique :

- évolution de la composition de la population,
- évolution des caractéristiques de la population (taille, pyramide des âges, richesse, scolarité, etc.),
- évolution de la dispersion de la population sur le territoire.

Facteurs liés aux valeurs :

- émergence de nouvelles valeurs (protection des droits, environnement, situation des groupes minoritaires, etc.),
- convergence/divergence entre les valeurs sociales et celles préconisées par l'organisation,
- valeurs de la société en ce qui concerne l'équité, la distribution de la richesse, la sécurité sociale, etc.

Facteurs liés aux tendances mondiales :

- principales tendances dans les entreprises privées/publiques qui ont des activités similaires à celles de l'organisation à l'échelle mondiale,
- principales tendances chez les individus à l'échelle mondiale.

Facteurs liés à la technologie :

- évolution de la technologie dans le domaine de l'organisation,
- coûts de la technologie,
- accessibilité de la technologie.

Tableau 2.2   LES FACTEURS SIGNIFICATIFS ET LEUR EFFET SUR L'ORGANISATION

▶ Dans la liste de facteurs qui précède, choisissez ceux qui sont significatifs
  pour votre organisation. Ne retenez que ceux qui, selon vous, exercent une influence
  directe et déterminante soit sur le contenu, soit sur le volume, soit sur la distribution
  de la demande de services, et expliquez en quelques mots leur effet.

Significatif		Facteurs	Description des effets sur l'organisation
		Niveau immédiat	
Oui	Non	Clientèles	
		Marché de la main-d'œuvre	
		Fournisseurs	
		Concurrents	
		Syndicats	
		Capitaux	
		Niveau intermédiaire	
Oui	Non	Organisations internationales	
		Médias / groupes de pression	
		Lois et règlements	
		Agences de contrôle	
		Courants politiques et sociaux	
		Niveau des tendances globales	
Oui	Non	Évolution technologique	
		Tendances mondiales	
		Valeurs sociales	
		Économie	
		Évolution démographique	

2.3 ÉTAPE 2: L'ÉVALUATION DE LA RELATION ENTRE L'ORGANISATION ET SON ENVIRONNEMENT EXTERNE

Maintenant que la «carte» externe de l'organisation est établie, il faut évaluer le type de relation que cette dernière entretient avec les différents facteurs qui composent cette carte.

Rappelons que les rapports entre une organisation et son environnement peuvent s'exprimer sous la forme du continuum suivant:

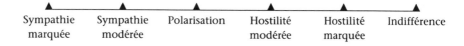

| Sympathie marquée | Sympathie modérée | Polarisation | Hostilité modérée | Hostilité marquée | Indifférence |

Au cours de cette deuxième étape, on évaluera chacun des facteurs retenus au tableau 2.2 de la page 38, selon qu'ils agissent comme des forces *positives* ou, au contraire, comme des forces *négatives* dans les rapports entre l'organisation et son environnement.

◆ Une force est jugée «positive» lorsqu'elle comporte des éléments (actuels ou à venir) qui vont dans le sens des intérêts de l'organisation.

◆ Une force est jugée «négative» lorsqu'elle comporte des éléments (actuels ou à venir) qui vont dans le sens contraire des intérêts de l'organisation.

▶ Nous avons prévu deux méthodes pour réaliser cette évaluation:

◆ Une **méthode simplifiée**, qui consiste tout simplement à compléter un tableau sommaire. Bien qu'elle soit largement intuitive, cette méthode est habituellement suffisante pour les organisations qui ont un environnement simple, ou celles qui évaluent régulièrement l'état de leurs rapports avec leur environnement.

◆ Une **méthode élaborée**, qui invite l'utilisateur à produire une analyse relativement détaillée de tous les facteurs qui sont en jeu.

Tableau 2.3   ÉVALUATION DE L'ENVIRONNEMENT EXTERNE : MÉTHODE SIMPLIFIÉE

▶ Attribuez la cote 1 à un facteur qui exerce une pression très négative
sur l'organisation et la cote 6 à un facteur dont l'influence est très positive.
Tracez ensuite une ligne verticale entre les scores obtenus.

Niveau immédiat	*Négative*		⇐*Influence*⇒			*Positive*
Clientèles	1	2	3	4	5	6
Marché de la main-d'œuvre	1	2	3	4	5	6
Fournisseurs	1	2	3	4	5	6
Concurrents	1	2	3	4	5	6
Syndicats	1	2	3	4	5	6
Capitaux	1	2	3	4	5	6
	1	2	3	4	5	6
Niveau intermédiaire						
Organisations internationales	1	2	3	4	5	6
Médias / groupes de pression	1	2	3	4	5	6
Lois et règlements	1	2	3	4	5	6
Agences de contrôle	1	2	3	4	5	6
Courants politiques et sociaux	1	2	3	4	5	6
	1	2	3	4	5	6
Niveau des tendances générales						
Évolution technologique	1	2	3	4	5	6
Tendances mondiales	1	2	3	4	5	6
Valeurs sociales	1	2	3	4	5	6
Économie	1	2	3	4	5	6
Évolution démographique	1	2	3	4	5	6
	1	2	3	4	5	6
Tendance centrale	**1**	**2**	**3**	**4**	**5**	**6**

▶ Transcrivez le résultat au tableau 4.1 du module 4, page 63.

2.3.1   La méthode simplifiée

La méthode simplifiée consiste à évaluer chacun des facteurs retenus au tableau 2.2, page 38. Au moyen de la grille du tableau 2.3, page 40, il s'agit de déterminer sommairement l'influence que chaque facteur exerce sur l'organisation.

▶ Si la ligne tracée tend vers le score...

1 : votre organisation est en position d'***indifférence***,

2 : votre organisation est en position d'***hostilité marquée***,

3 : votre organisation est en position d'***hostilité modérée***,

4 : votre organisation est en position de ***polarisation***,

5 : votre organisation est en position de ***sympathie modérée***,

6 : votre organisation est en position de ***sympathie marquée***.

Vous trouverez dans le module 4 les stratégies qui s'appliquent pour chacune de ces configurations.

2.3.2   La méthode élaborée

La méthode élaborée, rappelons-le, est indiquée soit dans les cas d'un environnement complexe, soit dans les cas où l'on dispose d'informations limitées sur la nature des rapports entre l'organisation et son environnement externe. Cette méthode comporte trois opérations.

▶ **Opération 1**

À partir de la liste établie au tableau 2.2, page 38, déterminez si les facteurs retenus constituent des facteurs positifs ou des facteurs négatifs par rapport à la situation de l'organisation. Reportez ensuite les résultats de votre évaluation dans la colonne appropriée du tableau 2.6, page 44.

Exemple : Imaginons le cas d'une succursale bancaire. L'absence de concurrents au sein de son marché primaire constitue un facteur positif ; on l'inscrira dans la colonne « Facteurs positifs » du tableau 2.6, page 44.

Il est possible qu'un même facteur comporte à la fois des éléments positifs et des éléments négatifs; il s'agit alors d'un **facteur mixte**. Pour cet exercice, nous considérerons qu'il s'agit en réalité de deux facteurs: un premier composé des éléments positifs, et un second composé des éléments négatifs.

Exemple: Poursuivons avec l'exemple de la succursale bancaire et imaginons la situation suivante. De façon générale, la clientèle composée des particuliers est très satisfaite, sauf que la clientèle composée des entreprises déplore la qualité des services. On inscrira clientèles (secteur particulier) dans la colonne «Facteurs positifs» et clientèles (secteur commercial) dans la colonne «Facteur négatifs» du tableau 2.6, page 44.

▶ **Opération 2**

Une fois cette opération terminée, vous devez déterminer le poids de ces facteurs, c'est-à-dire l'intensité de la pression qu'ils exercent sur l'organisation. Pour ce faire, vous aurez recours à l'échelle présentée au tableau 2.7 de la page 45. Une fois les résultats établis, vous les inscrivez *sous la colonne P* du même tableau.

▶ **Opération 3**

Finalement, additionnez l'ensemble des scores obtenus pour le groupe des facteurs positifs ainsi que pour celui des facteurs négatifs et procédez à l'opération mathématique suivante:

$$\frac{\text{Total des forces positives}}{\text{Total des forces positives + Total des forces négatives}} \times 100 = \underline{\qquad}.$$

Plus le rapport obtenu est élevé, plus la position de l'organisation s'approche du pôle de la *sympathie marquée*; au contraire, plus il est faible, plus elle s'approche du pôle de l'*indifférence*. Les intervalles présentées au tableau 2.4 de la page 43 permettent de déterminer la configuration de l'organisation.

Tableau 2.4 ÉCHELLE DE LA CONFIGURATION EXTERNE DE L'ORGANISATION

100 %	à	85 %	→	Sympathie marquée
84 %	à	65 %	→	Sympathie modérée
64 %	à	45 %	→	Polarisation
44 %	à	25 %	→	Hostilité modérée
24 %	à	10 %	→	Hostilité marquée
9 %	à	0 %	→	Indifférence

Tableau 2.5 EXEMPLE D'APPLICATION DE LA MÉTHODE ÉLABORÉE : UNE SUCCURSALE BANCAIRE

Facteurs positifs		*Facteurs négatifs*	
Description	*P*	*Description*	*P*
Perception généralement positive des clients (individus) par rapport aux services et aux produits de la succursale.	5	Perception généralement négative des clients (commerciaux) par rapport aux services et aux produits de la succursale.	5
Intention ferme du siège social de préserver et même de renforcer le rôle de la succursale.	5	Pressions exercées par le siège social afin de réduire les coûts de fonctionnement de la succursale.	5
Évolution des valeurs sociales du quartier conforme aux orientations et stratégies de la succursale.	1	Récession économique importante prévue à la suite de la fermeture d'une usine dans le quartier.	5
Émergence d'une technologie permettant de réduire significativement le coût des activités.	3	Hausse des taux d'intérêt pour les prêts hypothécaires.	3
Absence de concurrence dans le marché primaire de la succursale.	5	Coûts élevés des services offerts par les fournisseurs.	4
Total des facteurs positifs (FP) :	**19**	**Total des facteurs négatifs (FN) :**	**22**

Configuration : Facteurs positifs (19) / {Facteurs positifs (19) + Facteurs négatifs (22)}

▶ **46,3 % → à la frontière entre la polarisation et l'hostilité modérée.**

Tableau 2.6   ÉVALUATION DE L'ENVIRONNEMENT EXTERNE: MÉTHODE ÉLABORÉE

Facteurs positifs		Facteurs négatifs	
Description sommaire	P^2	Description sommaire	P
Total des facteurs positifs:		**Total des facteurs négatifs:**	

Total des facteurs positifs = _____ .

Total des facteurs négatifs = _____ .

Total des facteurs positifs / Total de tous les facteurs = _____ .

À partir des indicateurs du tableau 2.4, page 43, déterminez la configuration de l'organisation.

Configuration externe de l'organisation: _____ .

▶ **Transcrivez le résultat au tableau 4.1 du module 4, page 63.**

2. Voir le tableau 2.7 de la page 45 pour estimer le poids de chaque facteur.

TABLEAU 2.7 ÉVALUATION DU POIDS DES FACTEURS

Poids	Description sommaire
1	Bien qu'il se fasse sentir dans l'organisation, l'effet de ce facteur est mineur. Il importe d'en surveiller l'évolution, mais le fait d'agir sur lui de façon précise n'aura aucune incidence déterminante (positive ou négative) sur la situation de l'organisation.
2	Au total, l'effet de ce facteur est généralement mineur bien qu'il comporte certains éléments qui jouent ou qui sont appelés à jouer un rôle déterminant dans le contexte de l'organisation. En plus d'en surveiller l'évolution, il importe donc d'agir en tenant compte de ce facteur si on veut profiter des opportunités qu'il offre ou atténuer les risques qu'il comporte.
3	Ce facteur exerce une pression modérée sur l'organisation et il commande par conséquent une action adaptée et précise ; à défaut, l'organisation s'expose à des conséquences négatives importantes à moyen terme.
4	Ce facteur exerce une pression (positive ou négative) importante sur l'organisation et il exige par conséquent une action elle-même importante. À défaut d'une action précise et adaptée, l'évolution (et même la survie) de l'organisation sera affectée de façon importante à court et à moyen terme.
5	Ce facteur exerce une pression extrêmement forte. À moins d'une action précise, rapide, adaptée et en profondeur, l'évolution de l'organisation sera compromise de façon importante à très court terme.

▶ En vue de faciliter l'analyse ultérieure, assurez-vous d'avoir reporté les résultats sur le continuum de l'environnement externe au tableau 4.1 du module 4, page 63.

L'analyse de l'environnement externe étant terminée, il reste maintenant à déterminer la stratégie maîtresse ; c'est l'objet du module 4. Avant d'y parvenir, il faudra toutefois effectuer l'analyse des caractéristiques internes de l'organisation de façon à pouvoir déterminer les « actifs » et les « passifs » sur lesquels elle pourra compter, c'est l'objet du module 3.

MODULE 3

L'ANALYSE
DES CARACTÉRISTIQUES INTERNES

La capacité de réponse est-elle adéquate?

CE MODULE TRAITE DES QUESTIONS SUIVANTES:

Dans quel état les ressources de l'organisation sont-elles?

◆

Quelle est la capacité de réponse actuelle de l'organisation?

L'utilisateur est maintenant invité à poursuivre l'examen de son organisation pour établir sa capacité de réponse, à partir cette fois de considérations internes.

L'analogie du prologue comparait la pratique contemporaine de la gestion au travail d'un pilote dans une zone de turbulences. Nous avions alors proposé qu'un pilote qui se trouve, en pareille situation, doit être particulièrement habile autant pour «décoder» les signaux de son environnement que pour jauger les ressources et les capacités de son équipage de même que celles de son appareil. En d'autres termes, il doit pouvoir analyser la «*capacité de réponse*» de son organisation.

La capacité de réponse d'une organisation face aux pressions de son environnement peut s'exprimer sous la forme d'un continuum comportant cinq positions ou configurations de base. On trouve ce continuum au tableau 3.1 ci-dessous.

La méthodologie présentée dans ce module s'apparente à celle du module précédent et comporte également deux étapes :

- ◆ une première qui consiste à dresser la liste des caractéristiques internes occupant une place significative dans la conjoncture de l'organisation ;

- ◆ une seconde qui consiste à évaluer la qualité de ces caractéristiques et à dégager la configuration interne correspondant à la situation de l'organisation.

C'est en conjuguant les résultats de l'analyse externe et de l'analyse interne que vous choisirez, dans le module 4, une stratégie maîtresse.

Tableau 3.1 **LA CAPACITÉ DE RÉPONSE D'UNE ORGANISATION :**
CINQ POSITIONS DE BASE

Élevée :	Non seulement l'organisation dispose des ressources nécessaires pour s'adapter aux pressions de son environnement, mais ce sont en outre des ressources appropriées et de qualité.
Adéquate :	Bien qu'elle dispose de ressources intéressantes, l'organisation est en « déficit » soit parce que ses ressources ne sont pas suffisantes, soit parce qu'elles ne sont pas appropriées ou que leur qualité laisse à désirer.
Passable :	Les « actifs » et les « passifs » de l'organisation sont d'égale importance et tendent à se neutraliser.
Limitée :	C'est au prix d'efforts et de compromis incessants que l'organisation parvient à mobiliser les ressources insuffisantes dont elle dispose.
Faible :	Les ressources de l'organisation sont dans un tel état qu'elles ont pour effet de dégrader son fonctionnement et même de compromettre sa survie.

3.1 LA MORPHOLOGIE D'UNE ORGANISATION

Qu'entend-on au juste par « caractéristiques internes » ? C'est l'ensemble des sous-systèmes qui composent la morphologie d'une organisation. Dans ce guide, nous avons retenu onze sous-systèmes, qui sont présentés à la figure 3.1, page 49.

Bien qu'ils puissent prendre des formes différentes, ces sous-systèmes se retrouvent généralement au sein de l'ensemble des organisations.

La première étape de l'analyse interne consiste à déterminer quelles sont les caractéristiques qui exercent une influence significative dans la dynamique de l'organisation, c'est-à-dire celles dont il faut tenir compte lorsqu'on cherche à dresser l'état de santé d'une organisation. Par la suite, il faudra évaluer la qualité de ces éléments.

Figure 3.1 **MORPHOLOGIE D'UNE ORGANISATION**

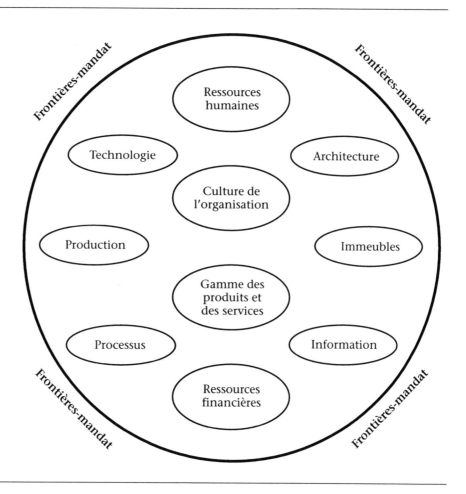

3.2 ÉTAPE 1: LE CHOIX DES SOUS-SYSTÈMES SIGNIFICATIFS[1]

La première étape consiste à choisir les sous-systèmes qui sont significatifs pour votre organisation. Qu'est-ce qu'un sous-système significatif? *C'est un élément de l'organisation qui est susceptible d'exercer une influence directe sur la capacité de réponse, que ce soit au niveau du contenu, du volume ou de la diversité de la réponse.*

Les tableaux suivants proposent, sous forme d'exemples, une liste de sous-systèmes pouvant composer la morphologie interne typique d'une entreprise privée ou publique. Il se peut que certains éléments ne soient pas adaptés à la situation d'une organisation donnée; il s'agira alors tout simplement de l'ignorer. Il est possible également que des éléments significatifs pour une organisation ne figurent pas dans la liste; il s'agira alors de les ajouter dans les cases prévues à cet effet.

L'utilisateur est invité à consulter attentivement ces tableaux avant de passer aux tâches qui seront présentées par la suite.

▶ Nous présentons ici les particularités des divers sous-systèmes. Au tableau 3.2 de la page 53, vous devrez déterminer quels sont les plus importants pour votre organisation et préciser l'influence qu'ils exercent.

Facteurs liés à la gamme des produits et des services:

♦ diversité des produits et services de l'organisation,

♦ qualité des produits et services,

♦ concordance entre la nature des produits/services et les besoins de la clientèle,

♦ caractère distinctif des produits et des services par rapport à ceux des «concurrents»,

♦ prix des produits et services.

Facteurs liés à la culture de l'organisation:

♦ conception des relations avec la clientèle,

♦ tendance à l'excellence/médiocrité,

♦ importance accordée au contenu par rapport aux processus organisationnels,

---

1. Pour l'utilisateur qui a fait le module 2, la démarche et les consignes sont analogues.

- style de prise de décision,

- style de résolution des problèmes,

- style de communication,

- degré d'autonomie accordé au personnel,

- climat de travail.

Facteurs liés aux ressources humaines :

- degré de qualification de la main-d'œuvre,

- expérience et productivité de la main-d'œuvre,

- coût de la main-d'œuvre,

- mobilisation des ressources humaines,

- nature des catégories d'emploi.

Facteurs liés aux ressources financières :

- budgets disponibles,

- ampleur des compressions budgétaires prévues,

- capacité de l'organisation à générer d'autres sources de revenu,

- marge de manœuvre financière.

Facteurs liés à la production :

- capacité de satisfaire la demande de services,

- coûts unitaires de production,

- qualité des méthodes de fonctionnement (planification opération-nelle, contrôle de la qualité, etc.),

- qualité et disponibilité des matières premières.

Facteurs liés à l'information :

- nature et qualité de l'information dont on dispose sur les caracté-ristiques de l'environnement,

- nature et qualité de l'information dont on dispose sur le fonction-nement de l'organisation,

- qualité de la gestion de l'information.

Facteurs liés à l'architecture de l'organisation :

- nature et pertinence du niveau de centralisation/décentralisation,
- nature et pertinence des mécanismes de coordination,
- qualité des relations entre les diverses composantes de l'organisation diverses,
- nature et pertinence du niveau de régionalisation,
- nature et qualité des services de soutien.

Facteurs liés aux processus de l'organisation :

- nature et qualité des processus de planification,
- nature et qualité des processus de cueillette et de transmission de l'information,
- nature et qualité des processus de contrôle,
- nature et qualité des processus de supervision et d'encadrement,
- nature et qualité des processus d'information,
- nature et qualité des processus de formation.

Facteurs liés à la technologie de l'organisation :

- qualité de la technologie disponible au sein de l'organisation,
- nature et qualité des mesures conçues pour protéger la technologie de l'organisation.

Facteurs liés aux immeubles de l'organisation :

- nature et adaptation des ressources immobilières de l'organisation,
- occupation des ressources immobilières de l'organisation,
- nature et qualité des mesures conçues pour protéger les ressources immobilières de l'organisation.

Facteurs liés aux frontières de l'organisation :

- la clarté du mandat,
- l'adaptation du mandat à la réalité actuelle,

- l'adhésion du mandat,

- nature et qualité des mesures de marketing,

- nature et qualité des mesures de vigie (monitorage, contrôle, analyse des tendances externes),

- perméabilité de l'organisation aux pressions externes.

Tableau 3.2 LES SOUS-SYSTÈMES SIGNIFICATIFS ET LEUR ÉVALUATION

▶ Dans la liste de sous-systèmes qui précède, choisissez ceux qui sont significatifs pour votre organisation. Ne retenez que ceux qui, selon vous, exercent une influence directe soit sur le contenu, soit sur le volume, soit sur la diversité de la capacité de réponse de l'organisation. Expliquez votre évaluation en quelques mots.

Significatif		*Sous-systèmes*	*Évaluation sommaire*
Oui	Non	Gamme des produits et services	
		Culture de l'organisation	
		Ressources humaines	
		Ressources financières	
		Production	
		Information	
		Architecture	
		Processus	
		Technologie	
		Immeubles	
		Frontières – mandat	
		Autre :	
		Autre :	
		Autre :	

3.3 ÉTAPE 2: L'ÉVALUATION DE LA CAPACITÉ DE RÉPONSE DE L'ORGANISATION

La «carte interne» de l'organisation étant dressée, la prochaine étape consiste à évaluer la qualité de ses différentes composantes de façon à pouvoir déterminer par la suite sa capacité de réponse.

Rappelons que la capacité de réponse d'une organisation peut s'exprimer sous la forme d'un continuum où figurent cinq configurations de base:

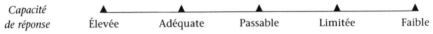

Capacité de réponse   Élevée   Adéquate   Passable   Limitée   Faible

Au cours de l'opération qui suit, vous évaluerez tous les sous-systèmes retenus, selon qu'ils agissent comme des forces *positives* ou *négatives* par rapport à la capacité de réponse de l'organisation. Un sous-système est jugé «positif» lorsqu'il contribue à la capacité de réponse de l'organisation. Au contraire, il est jugé «négatif» lorsqu'il limite ou restreint sa capacité de réponse.

▶ Nous avons prévu deux méthodes pour réaliser cette opération:

   ◆ Une *méthode simplifiée*, qui consiste à compléter un tableau sommaire. Bien qu'elle soit largement intuitive, cette méthode est habituellement adéquate pour les organisations dont l'environnement interne est simple, ou celles qui évaluent régulièrement l'état de leur fonctionnement.

   ◆ Une *méthode élaborée*, qui invite l'utilisateur à produire une analyse relativement détaillée de tous les facteurs en jeu.

3.3.1 La méthode simplifiée d'évaluation des sous-systèmes

La méthode simplifiée consiste à évaluer chacune des caractéristiques retenues au tableau 3.2, page 53. Au moyen de la grille du tableau 3.3, page 55, il s'agit d'évaluer sommairement l'influence que chaque caractéristique exerce sur la capacité de réponse de l'organisation.

▶ Si la ligne tracée tend vers le score...

   1: la capacité de réponse de votre organisation est faible,

   2: la capacité de réponse de votre organisation est limitée,

   3: la capacité de réponse de votre organisation est passable,

4 : la capacité de réponse de votre organisation est adéquate,

5 : la capacité de réponse de votre organisation est élevée.

Vous trouverez dans le module 4 les stratégies qui s'appliquent pour chacune de ces configurations.

Tableau 3.3   ÉVALUATION DES CARACTÉRISTIQUES INTERNES : MÉTHODE SIMPLIFIÉE

▶ Attribuez la cote 1 à un sous-système qui exerce une pression très négative sur la capacité de réponse de l'organisation et la cote 5 à un sous-système dont l'influence est très positive. Tracez ensuite une ligne entre les différents scores obtenus.

Niveau immédiat	*Négative*		⇐*Influence*⇒		*Positive*
Gamme produits / services	1	2	3	4	5
Culture de l'organisation	1	2	3	4	5
Ressources humaines	1	2	3	4	5
Ressources financières	1	2	3	4	5
Production	1	2	3	4	5
Information	1	2	3	4	5
Architecture	1	2	3	4	5
Processus	1	2	3	4	5
Technologie	1	2	3	4	5
Immeubles	1	2	3	4	5
Frontières-mandat	1	2	3	4	5
Autre :	1	2	3	4	5
Autre :	1	2	3	4	5
Autre :	1	2	3	4	5
Autre :	1	2	3	4	5
Tendance centrale	1	2	3	4	5

▶ Transcrivez le score au tableau 4.1 du module 4, page 63.

3.3.2   La méthode élaborée d'évaluation des caractéristiques internes

La méthode élaborée est indiquée dans les cas où l'organisation doit composer avec un environnement interne complexe, ou encore dans les cas où elle dispose d'informations limitées sur l'état de ses caractéristiques internes.

▶ **Opération 1**

À partir de la liste que vous avez établie au tableau 3.2, page 53, déterminez si les caractéristiques retenues constituent des forces positives ou des forces négatives et reportez les résultats de votre évaluation dans la colonne appropriée du tableau 3.6, page 58.

Exemple : Imaginons qu'on ait retenu la technologie comme une des caractéristiques significatives et que cette dernière contribue non seulement à réduire les coûts, mais aussi à favoriser une décentralisation des services ; on inscrira TECHNOLOGIE dans la colonne « Caractéristiques positives » du tableau 3.6, page 58.

Il est possible qu'une même caractéristique comporte des aspects positifs et négatifs ; il s'agit alors d'une **caractéristique mixte**. Pour les fins de cet exercice, nous considérerons qu'il s'agit de deux caractéristiques distinctes : une première composée des aspects positifs et une seconde composée des aspects négatifs.

Exemple : Poursuivons avec l'exemple de la technologie. Imaginons que la technologie actuelle de l'organisation contribue à réduire les coûts, mais qu'elle favorise une forte centralisation au détriment des services offerts en région. On inscrira alors TECHNOLOGIE (réduction des coûts) dans la colonne « Caractéristiques positives » et TECHNOLOGIE (centralisation) dans la colonne « Caractéristiques négatives » du tableau 3.6, page 58.

▶ **Opération 2**

Une fois cette opération terminée, vous devez déterminer le poids de ces caractéristiques, c'est-à-dire l'intensité de la pression qu'elles exercent sur la capacité de réponse de l'organisation. Pour ce faire, vous aurez recours à l'échelle présentée au tableau 3.7, page 59. Une fois les résultats établis, vous les inscrivez *dans la colonne P.*

▶ **Opération 3**

Finalement, additionnez l'ensemble des scores obtenus pour le groupe des caractéristiques positives ainsi que pour le groupe des caractéristiques négatives et procédez à l'opération mathématique suivante :

$$\frac{\text{Total des caractéristiques positives}}{\text{Total des caractéristiques positives} + \text{Total des caractéristiques négatives}} \times 100 = \underline{\hspace{2cm}} .$$

Plus le rapport obtenu sera élevé, plus la *capacité de réponse* de l'organisation sera élevée ; au contraire, plus il sera bas, plus la capacité de réponse sera faible. Le tableau 3.4 présente les intervalles propres à chaque configuration.

Tableau 3.4 ÉCHELLE DE LA CAPACITÉ DE RÉPONSE DE L'ORGANISATION

100%	à	85%	→	Capacité de réponse élevée
84%	à	65%	→	Capacité de réponse adéquate
64%	à	36%	→	Capacité de réponse passable
35%	à	16%	→	Capacité de réponse limitée
15%	à	0%	→	Capacité de réponse faible

Tableau 3.5 EXEMPLE D'APPLICATION DE LA MÉTHODE ÉLABORÉE

Caractéristiques positives		*Caractéristiques négatives*	
Description	*P*	*Description*	*P*
Architecture : la décentralisation du pouvoir est bien établie au sein de l'organisation.	5	Architecture : la coordination intersectorielle pose des problèmes importants.	5
L'organisation produit des services de qualité.	3	La gamme des produits est trop petite ; on a tendance à trop standardiser.	4
Les coûts unitaires de production sont très faibles.	3	L'organisation a du mal à répondre à la demande en période de pointe.	4
L'organisation peut compter sur le soutien d'un personnel hautement spécialisé et très motivé.	5	Les ressources financières sont très limitées ; la marge de manœuvre est presque nulle.	5
De façon générale, les processus liés à la planification opérationnelle sont bien adaptés.	4	Les processus liés au positionnement stratégique de l'organisation sont déficients.	4
L'organisation est bien située.	2	Les immeubles de l'organisation sont désuets et inappropriés.	4
Total des caractéristiques positives :	22	Total des caractéristiques négatives :	26

Total des caractéristiques positives :	22.
Total des caractéristiques négatives :	26.
Total des caractéristiques positives / Total de toutes les caractéristiques = 45,8%.	

▶ **Configuration interne de l'organisation :** *Capacité de réponse passable.*

Tableau 3.6   ÉVALUATION DES CARACTÉRISTIQUES INTERNES : MÉTHODE ÉLABORÉE

Caractéristiques positives		*Caractéristiques négatives*	
Description	P^2	*Description*	P
Total des caractéristiques positives :		**Total des caractéristiques négatives :**	

Total des caractéristiques positives : _____ .

Total des caractéristiques négatives : _____ .

Total des caractéristiques positives / Total de toutes les caractéristiques : _____ .

À partir des repères du tableau 3.4, page 57, établissez la configuration interne de l'organisation.

Capacité de réponse de l'organisation : _____ .

▶ **Transcrivez le résultat au tableau 4.1 du module 4, page 63.**

2. Voir le tableau 3.7 de la page 59 pour estimer le poids de chaque caractéristique.

Tableau 3.7 ÉVALUATION DU POIDS DES CARACTÉRISTIQUES INTERNES

Poids	Description sommaire
1	Bien que cette caractéristique soit présente dans l'organisation, son effet est mineur. Il importe de surveiller son évolution, mais le fait d'agir sur elle de façon précise n'aura aucune incidence (positive ou négative) sur la capacité de réponse de l'organisation.
2	Au total, l'effet de cette caractéristique est généralement mineur, bien qu'elle comporte certains éléments qui jouent ou qui sont appelés à jouer un rôle déterminant dans la capacité de réponse de l'organisation. En plus de surveiller l'évolution de cette caractéristique, il importe d'agir en tenant compte de ces éléments si on veut profiter du potentiel qu'ils présentent ou atténuer les effets négatifs qu'ils comportent.
3	Cette caractéristique exerce une pression significative sur l'organisation et elle commande, par conséquent, une action adaptée et précise. Négliger la présence de cette caractéristique peut entraîner à moyen terme des conséquences négatives importantes dans la capacité de réponse.
4	Cette caractéristique exerce une pression (positive ou négative) importante sur l'organisation et elle exige par conséquent une attention immédiate et une action importante. À défaut d'une action précise et adaptée, l'évolution (et même la survie) de l'organisation sera affectée de façon importante à court et à moyen terme.
5	Cette caractéristique exerce une pression majeure sur l'organisation. À moins d'une action précise, rapide, adaptée et en profondeur (soit pour la maintenir, soit pour la corriger), la capacité de réponse et par conséquent l'évolution de l'organisation seront freinées ou compromises de façon importante à très court terme.

En vue de faciliter l'analyse ultérieure, assurez-vous d'avoir reporté les résultats de votre analyse sur le continuum de la capacité de réponse du tableau 4.1 du module 4, page 63.

Maintenant que les cartes externe et interne de l'organisation sont terminées, vous êtes en mesure d'aborder la conception des stratégies : c'est l'objet du module 4.

MODULE 4

LE CHOIX DE LA STRATÉGIE MAÎTRESSE

*Quelle est l'orientation
optimale pour l'organisation?*

CE MODULE TRAITE DES QUESTIONS SUIVANTES:

Quelle est la position globale de l'organisation?

◆

Quelle devrait être sa stratégie globale?

◆

Quels devraient être les objets de changement?

Si nous reprenons l'analogie du pilote, utilisée dans le prologue, nous en sommes maintenant à l'étape de la décision, c'est-à-dire l'étape où il faut choisir la nature des actions qui s'imposent dans les circonstances.

Les modules 2 et 3 portaient sur l'analyse des caractéristiques externes et internes de l'organisation. Le présent module porte sur le choix d'une stratégie maîtresse. On y présente une démarche qui conjugue les deux niveaux d'analyse précédents et qui permet de dégager une stratégie globale adaptée à la situation particulière de l'organisation.

L'analyse de l'environnement externe faite précédemment (module 2) servira à déterminer la stratégie de base, parmi les six stratégies suivantes :

◆ *la vigie,*

◆ *le développement,*

◆ *l'optimisation,*

◆ *la rupture,*

◆ *la contraction,*

◆ *la sortie.*

L'analyse des caractéristiques internes (module 3) servira à déterminer les objets qui devront être «changés» pour que la position de l'organisation puisse s'améliorer ou être protégée.

Pour en arriver à formuler une stratégie maîtresse qui soit adaptée à la situation, il faut d'abord établir la «position globale» de l'organisation. C'est pourquoi la méthodologie décrite dans ce module comporte deux volets : un premier consistant à dégager la «position globale» de l'organisation et un second traitant de la stratégie proprement dite.

4.1 ÉTAPE 1 : LA POSITION GLOBALE DE L'ORGANISATION

La première étape consiste à établir l'image globale de l'organisation. En combinant les deux analyses précédentes (l'environnement externe et les caractéristiques internes), on peut dégager une évaluation intégrée de la «position globale» de l'organisation.

L'observation des organisations révèle qu'il existe trois grandes zones caractéristiques de la position des organisations :

◆ une *zone d'équilibre,* qui caractérise les organisations qui sont bien positionnées par rapport à leur environnement externe et dont l'évolution semble protégée ;

◆ une *zone de tension,* qui caractérise la situation des organisations ayant du mal à s'adapter aux caractéristiques de leur milieu et dont la survie pourrait être compromise rapidement, à moins qu'elles n'adoptent une série de mesures correctrices;

◆ une *zone de crise,* qui caractérise la situation des organisations ayant de graves difficultés d'adaptation et dont l'intégrité, et même la survie, sont sérieusement menacées.

Ces différentes zones sont représentées graphiquement au tableau 4.1. On remarque qu'elles sont placées sur une matrice qui a été obtenue en croisant l'axe des configurations externes et celui des configurations internes.

TABLEAU 4.1 LA POSITION GLOBALE D'UNE ORGANISATION[1]

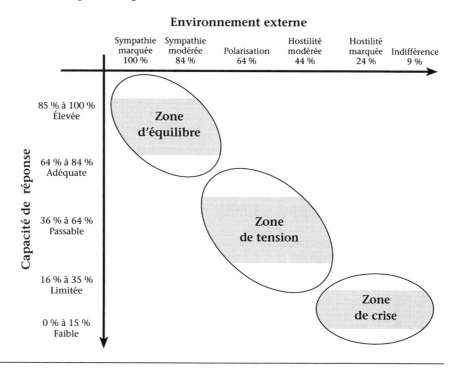

Les trois grandes positions

1. Les zones indiquées dans la matrice couvrent les positions les plus probables et les plus fréquentes. D'autres positions sont théoriquement possibles, mais rarement rencontrées; de plus, lorsqu'elles exist- ent, elles tendent habituellement à évoluer vers l'une des trois zones.

À cette étape-ci, vous devriez avoir déjà reporté au tableau 4.1 de la page 63 les résultats des analyses faites aux modules 2 et 3. **Si c'est le cas**, tracez une ligne droite pour chacune des deux configurations de votre organisation et localisez le point d'intersection. **Si ce n'est pas le cas**, inscrivez les résultats avant de poursuivre l'examen de la position globale.

Pour illustrer cette opération, reprenons l'analyse fictive déjà présentée aux modules 2 et 3. On se souviendra que les scores suivants avaient été obtenus :

◆ Par rapport à l'environnement externe :

– Forces positives = 19

– Forces négatives = 22

– Configuration = 46,3 %

$$\frac{FP\ (19)}{FP\ (19)\ +\ FN\ (22)} \times 100$$

→ *à la frontière entre la polarisation et l'hostilité modérée.*

◆ Par rapport aux caractéristiques internes :

– Caractéristiques positives = 22

– Caractéristiques négatives = 26

– Configuration = 45,8 %

$$\frac{CP\ (22)}{CP\ (22)\ +\ CN\ (26)} \times 100$$

→ *capacité de réponse passable.*

En reportant ces scores sur la matrice, on obtient la position illustrée au tableau 4.2 de la page 65.

Cette organisation se trouve dans une zone de tension relativement importante et on peut déjà prévoir que les mesures de redressement seront importantes. Étant donné, en outre, que le point d'intersection entre les deux axes se situe au centre du graphique, il faudra agir rapidement et les ressources à la disposition de l'organisation seront limitées.

TABLEAU 4.2   EXEMPLE DE LA POSITION GLOBALE D'UNE ORGANISATION

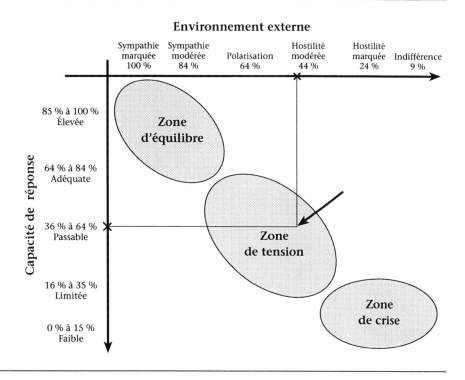

4.2   ÉTAPE 2: LE CHOIX D'UNE STRATÉGIE MAÎTRESSE

Cette deuxième étape permet de choisir la stratégie qui est indiquée pour améliorer ou protéger la position de l'organisation: *c'est la partie centrale de l'analyse stratégique.*

De façon générale, la stratégie appropriée pour une organisation devrait respecter les principes suivants:

◆ Plus la position tendra vers la *zone d'équilibre,* plus la stratégie cherchera à protéger ou à développer les acquis de l'organisation. Le cas échéant, elle pourra comporter un certain nombre d'éléments visant à corriger ou à atténuer les «irritants».

◆ Plus la position tendra vers la *zone de tension,* plus la stratégie s'apparentera à une opération structurée de «résolution des problèmes», conçue en vue d'améliorer la position interne et externe de l'organisation.

◆ Plus la position de l'organisation tendra vers la ***zone de crise***, plus la stratégie prendra la forme d'une «chirurgie» qui cherche à repositionner complètement ses rapports avec l'externe et, par conséquent, ses modes de fonctionnement internes.

On doit d'abord utiliser les paramètres du tableau 4.3 pour *choisir* la stratégie la mieux adaptée. Étant donné que la relation avec l'environnement est essentielle pour déterminer la qualité d'une organisation, la démarche proposée s'appuie sur les résultats de l'analyse obtenus à ce niveau.

Le tableau 4.3 présente les six stratégies de base auxquelles une organisation peut avoir recours dans ses rapports avec l'environnement externe. En plus de reposer sur des dynamiques tout à fait propres, chacune de ces stratégies correspond à une configuration externe qui lui est particulière.

Tableau 4.3   LES SIX STRATÉGIES DE BASE DANS LES RELATIONS AVEC L'ENVIRONNEMENT

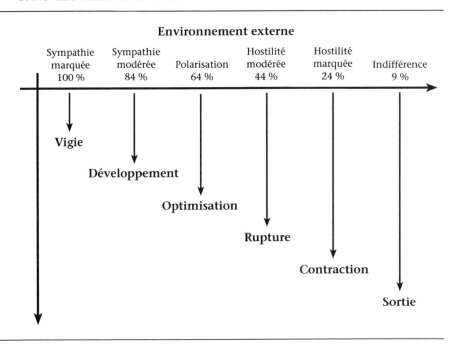

Le tableau 4.4 de la page 67 fournit une description de chacune des stratégies de base. Ces stratégies sont définies de façon sommaire dans le tableau suivant.

Tableau 4.4 DESCRIPTION DES SIX STRATÉGIES DE BASE

Vigie :	Cette stratégie consiste essentiellement à protéger la situation actuelle. L'organisation est parvenue à établir un rapport d'équilibre entre « l'offre et la demande » : elle doit chercher à maintenir cet équilibre en protégeant et, le cas échéant, en développant les facteurs internes qui y contribuent le plus. Elle doit également répertorier de façon particulièrement attentive les nouveaux phénomènes (internes ou externes) susceptibles d'affecter sa position et faire le nécessaire pour s'y ajuster.
Développement :	Malgré la présence de certains « irritants » dont elle doit se préoccuper, l'organisation verra à développer davantage sa capacité de réponse, en agissant soit sur la gamme des services, soit sur leur volume, soit sur leur distribution. C'est un contexte particulièrement favorable au développement à la concertation et aux alliances.
Optimisation :	Une stratégie plutôt défensive, où l'on cherche à corriger les principales lacunes du fonctionnement : une stratégie, en somme, qui consiste à « faire mieux » ou à « faire plus » ce qu'on fait déjà. C'est un contexte particulièrement favorable à l'adoption de programmes visant à accroître la qualité et/ou à réduire les coûts, mais peu favorable à l'expansion et au développement.
Rupture :	La « formule » que l'organisation a mise en place au cours des années n'est plus adaptée ; on doit la revoir complètement. Cette révision doit passer par un repositionnement majeur par rapport à l'environnement et, par conséquent, par une restructuration également majeure du fonctionnement interne. En somme, c'est un changement de paradigme que l'organisation doit envisager.
Contraction :	L'organisation n'a d'autre choix que de recourir à une compression importante de ses services, en abandonnant tout ce qu'il n'est plus possible d'optimiser. La stratégie consiste à réduire considérablement la taille de l'organisation, en ne maintenant que les services jugés essentiels et adaptés.
Sortie :	L'organisation n'a plus le choix : la formule qu'elle utilise n'est plus adaptée et il n'existe aucun espoir raisonnable d'améliorer la situation. Elle doit ou se retirer, ou fusionner avec une autre organisation.

Chacune des six stratégies crée des dynamiques particulières. Elles se distinguent entre autres sous les trois rapports suivants :

◆ **Plus la stratégie tend vers le pôle de la contraction ou de la sortie, plus elle est en discontinuité par rapport à la situation actuelle et, par conséquent, plus elle est radicale.** On peut, bien sûr, chercher à atténuer les répercussions, mais la stratégie demeure incisive et provoque une perturbation importante, autant à l'externe qu'à l'interne. On peut gérer ces stratégies de façon ouverte et civilisée, mais il est impossible de les gérer de façon «douce». C'est ce qui explique le déchirement que connaissent les administrateurs (notamment des organismes publics) en pareille situation.

◆ **Plus la stratégie tend vers le pôle de la vigie, plus l'organisation dispose de temps pour agir**: elle peut généralement étaler son plan d'action sur plusieurs mois. À l'inverse, plus elle tend vers le pôle de la rupture, plus les délais impartis sont serrés: l'horizon s'exprime plus souvent en semaines plutôt qu'en mois. Une stratégie de contraction, en d'autres termes, est non seulement radicale en soi, mais elle doit également être appliquée de façon urgente; à défaut d'une action immédiate, c'est la survie de l'organisation qui est en cause.

◆ **Les sources de pression externe tendront aussi à se déplacer selon que l'on se trouvera à un pôle du continuum plutôt qu'à un autre.** En situation de sympathie, les sources de pression proviendront généralement des clientèles, et la résistance sera le plus souvent exprimée par les agences de contrôle. À l'inverse, ce sont les agences de contrôle qui exerceront la pression en situation de crise et les clientèles qui exerceront la résistance. Compte tenu des enjeux, la divergence idéologique sera toutefois beaucoup plus intense dans ce deuxième scénario. Peu importe le scénario cependant, une organisation qui demeure passive dans cette dynamique, risque de se faire «avaler» par le jeu des inévitables coalitions qui se créeront dans un cas comme dans l'autre.

4.3   LA FORMULATION DE LA STRATÉGIE MAÎTRESSE

4.3.1 La stratégie maîtresse par rapport à l'externe

À partir des résultats des analyses précédentes, il s'agit maintenant d'établir une esquisse de la stratégie qui est adaptée à la situation particulière de votre organisation. Vous pouvez utiliser le tableau 4.6 de la page 70 pour le faire. Le tableau 4.5 de la page 69, pour sa part, décrit un exemple inspiré par la situation fictive présentée dans le module 2[2].

---

2. Exemple présenté au module 2, page 27.

Tableau 4.5   EXEMPLE D'UNE STRATÉGIE MAÎTRESSE PAR RAPPORT À L'EXTERNE

	Description sommaire
Configuration de base	Polarisation.
Stratégie de base	Optimisation.
Principaux facteurs positifs sur lesquels l'organisation peut compter	– Perception positive des clientèles (individus). – Absence de concurrence dans le marché primaire. – Soutien du siège social.
Principaux facteurs négatifs auxquels l'organisation doit faire face	– Perception négative des clientèles (commercial). – Impact sur la succursale de la récession prévue dans le quartier. – Compression des coûts de fonctionnement. – Coûts des fournisseurs.
Principaux éléments de la stratégie	– Investir afin de protéger et de fidéliser la clientèle des individus. – Développer de façon prioritaire une série de mesures afin d'améliorer la qualité et la gamme des services auprès de la clientèle commerciale. – Resserrer les politiques de crédit. – En collaboration avec le personnel de la succursale, procéder à un examen détaillé des coûts de fonctionnement, développer différents scénarios de rationalisation et soumettre l'approche retenue auprès du siège social.

Tableau 4.6 **ESQUISSE DE LA STRATÉGIE MAÎTRESSE PAR RAPPORT À L'EXTERNE**

	Description sommaire
Configuration de base	☐ Sympathie marquée ☐ Hostilité modérée ☐ Sympathie modérée ☐ Hostilité marquée ☐ Polarisation ☐ Indifférence
Stratégie de base choisie	☐ Vigie ☐ Rupture ☐ Développement ☐ Contraction ☐ Optimisation ☐ Sortie
Principaux facteurs positifs sur lesquels l'organisation peut compter dans le cadre de sa stratégie	*Inscrivez les facteurs positifs retenus lors de l'analyse de l'environnement externe (module 2) et pour lesquels le score est supérieur ou égal à 3.*
Principaux facteurs négatifs auxquels l'organisation doit s'intéresser dans le cadre de sa stratégie	*Inscrivez les facteurs négatifs retenus lors de l'analyse de l'environnement externe (module 2) et pour lesquels le score est supérieur ou égal à 3.*
Principaux aspects de la stratégie	*Pour chaque facteur positif retenu, indiquez au moins une mesure visant à le protéger (ou à le renforcer). Pour chaque facteur négatif retenu, indiquez au moins une mesure visant à l'atténuer (ou à le corriger).*

4.3.2 La stratégie maîtresse par rapport à l'interne

Une fois la stratégie externe établie, il reste à déterminer quels sont les objets sur lesquels devront porter les actions de changement. Alors que la stratégie externe nous informe sur le *«quoi faire»*, le plan d'action nous informe sur le *«comment faire»*.

Afin d'établir les objets de changement, on aura recours à une méthodologie similaire à celle de l'exercice précédent, sauf que cette fois on utilisera les résultats de l'analyse interne établie dans le module 3.

Il s'agit donc de déterminer les objets sur lesquels il faut agir à l'interne dans le but de réaliser la stratégie externe qui est envisagée. Ces objets correspondent généralement aux caractéristiques internes, positives ou négatives, auxquelles on a attribué un score supérieur ou égal à 3 lors de l'évaluation. Il suffit de les repérer et de définir une série d'actions susceptibles de protéger, de développer ou de corriger chacune de ces caractéristiques.

Le tableau 4.7 de la page 72 a été conçu à cette fin.

Tableau 4.7 **ESQUISSE DE LA STRATÉGIE MAÎTRESSE PAR RAPPORT À L'INTERNE**

La stratégie maîtresse par rapport à l'environnement externe		
Inscrivez un énoncé général de la stratégie choisie par rapport à l'environnement externe.		
Inscrivez les caractéristiques positives et négatives retenues dans l'analyse (tableau 3.3 ou 3.6) ayant un poids égal ou supérieur à 3.	*Décrivez sommairement en quoi cette caractéristique peut contribuer positivement ou négativement à la stratégie externe qui est envisagée.*	*Décrivez au moins une action susceptible d'atténuer cette caractéristique (si elle est négative) ou de la mettre à profit (si elle est positive).*
Caractéristiques internes positives		
Caractéristiques internes négatives		

Conclusion

Cette partie, qui s'achève, avait pour objet d'initier le lecteur à réfléchir sur le contenu proprement dit du changement envisagé. Au terme de cet exercice, vous devriez normalement avoir une représentation assez précise non seulement de la situation de votre organisation, mais également des mesures qui sont susceptibles de la protéger ou de l'améliorer.

▶ Si l'intention de changement que vous avez définie à la fin du module 1 :

- *coïncide avec les résultats de cette analyse stratégique,* vous pouvez passer sans aucune hésitation aux autres modules du guide ;

- *ne coïncide pas avec les résultats de cette analyse stratégique,* il serait prudent de la réviser. Bien qu'il puisse être intéressant, ce changement risque d'être marginalisé au profit d'autres objets plus importants au sein de l'organisation ;

  Exemple : L'organisation connaît d'importants problèmes d'efficience. Alors que les systèmes de travail sont désuets et que toute l'énergie est concentrée de ce côté, votre projet, consiste à revoir les pratiques de dotation et de planification de carrière au sein de l'organisation...

- *est contraire aux conclusions de l'analyse stratégique,* il est impératif de la réexaminer. Vous risquez non seulement de vous exposer à d'importantes résistances au sein de l'organisation, mais aussi d'appliquer une thérapie qui ne convient tout simplement pas au malaise que vous avez diagnostiqué.

  Exemple : Votre organisation vient de subir une série de compressions budgétaires qui l'obligent à revoir complètement ses modes d'organisation et de fonctionnement. En outre, les clientèles de l'organisation sont insatisfaites de la gamme et de la qualité des services. Votre projet consiste à implanter des modes de gestion participative avec l'intention d'améliorer la qualité du moral...

Au-delà de l'analyse stratégique elle-même, il ne faut pas négliger le fait que la gestion d'un changement, tout comme la gestion en contexte de turbulence, exige que le gestionnaire ait une pensée stratégique dans l'ensemble de ses activités de gestion.

Cette analyse de votre organisation devrait donc vous permettre soit de réviser la description de la situation actuelle que vous désirez modifier, soit de la maintenir et de mieux situer l'importance de cette situation dans la conjoncture générale. Il sera ainsi possible de mieux doser l'énergie qu'il convient d'y consacrer.

▶ Au besoin, vous pouvez dès maintenant revoir la description de la situation actuelle.

La situation actuelle[3] – *description révisée*

▶ Au besoin, vous pouvez aussi revoir la description de la situation souhaitée.

La situation souhaitée – *description révisée*

---

3. Si elle comporte plusieurs aspects, il sera peut-être plus facile de considérer chacun d'eux comme autant de situations. Il suffit ensuite d'en poursuivre la préparation en parallèle.

ÉTAPE 3

LA DISPOSITION AU CHANGEMENT

Sur quoi et auprès de qui faut-il agir pour que le changement se produise?

Introduction

Cette partie permet à l'utilisateur de se forger une opinion sur les divers facteurs qui conditionnent la capacité d'une organisation à absorber un changement significatif. Elle contient des grilles qui mettent en lumière la façon dont les individus composent avec le changement, ainsi que des moyens de les rendre plus réceptifs au changement. Elle propose des outils pour déterminer les obstacles et les leviers sur lesquels il faut agir pour que le changement se produise. Enfin, elle attire l'attention sur les moyens à prendre pour limiter l'apparition de résistances au changement.

A. Mise en contexte

Si vous n'avez pas fait l'une ou l'autre des étapes précédentes, vous devriez décrire ici la situation à modifier. Il s'agit de formuler en termes concrets les caractéristiques de la situation actuelle que vous souhaitez voir changer ou que vous avez reçu le mandat de changer.

Vous devez ensuite décrire la situation souhaitée, c'est-à-dire ce que concrètement vous espérez que devienne la situation dans votre organisation, à la suite du changement. Plus vous serez concret, plus ce sera facile ensuite.

La situation à modifier

La situation souhaitée

B.   Qui associer à la préparation du changement

Selon la situation, on peut utiliser soit une approche directive, soit une approche participative. Autant une approche donnée peut se révéler efficace si elle est utilisée dans des circonstances pour lesquelles elle est appropriée, autant elle peut être inefficace et même dommageable si elle est utilisée dans des situations auxquelles elle n'est pas adaptée. Le tableau A propose une série de critères permettant de déterminer les personnes ou groupes qu'il serait utile d'associer au bilan de la disposition au changement. Il se peut que les personnes à associer diffèrent d'un module à l'autre.

Tableau A **CRITÈRES POUR DÉTERMINER LES PERSONNES OU GROUPES À ASSOCIER AU BILAN DE LA DISPOSITION AU CHANGEMENT**

▶ *Encerclez le choix qui correspond le mieux à votre situation.*

Critères	*Pôles*	*Approche optimale*
Le gestionnaire dispose-t-il de toutes les informations nécessaires pour faire une analyse éclairée des attitudes et des réactions dans l'organisation?	Oui[1]	– Le gestionnaire peut agir seul.
	Non	– Associer des gens qui vivent la situation à changer[2]. – Associer des partenaires de l'organisation. – Associer des clients. – Associer des pairs de l'organisation.
Le changement envisagé peut-il avoir des incidences significatives sur la qualité des services, des politiques ou des pratiques?	Non	– Le gestionnaire peut agir seul.
	Oui	– Associer des gens qui vivent la situation à changer. – Associer des clients. – Associer des pairs. – Associer des partenaires.
La situation à modifier est-elle bien structurée, clairement décrite?	Oui	– Le gestionnaire peut agir seul.
	Non	– Associer des experts (internes comme externes). – Associer des clients. – Associer des pairs. – Associer des partenaires.
La légitimité (autorité) et la crédibilité (leadership) du gestionnaire sont-elles élevées?	Oui	– Le gestionnaire peut agir seul.
	Non	– Associer des gens qui vivent la situation à changer. – Associer des clients. – Associer des partenaires. – Associer des pairs.

1. La décision d'agir seul constitue un choix extrême; les situations où l'on peut vraiment agir seul sont en effet rares. Il faut voir le «oui» et le «non» comme les pôles d'un continuum entre lesquels il y a des degrés. Le choix des approches doit donc être gradué en fonction de ces degrés.

2. On trouve au module 15 des suggestions d'outils qui peuvent être utilisés.

Tableau A CRITÈRES POUR DÉTERMINER LES PERSONNES OU GROUPES
À ASSOCIER AU BILAN DE LA DISPOSITION AU CHANGEMENT *(suite)*

▶ *Encerclez le choix qui correspond le mieux à votre situation.*

Critères	Pôles	Approche optimale
La collaboration du personnel, des clients, des partenaires ou des pairs est-elle nécessaire pour assurer une implantation efficace?	Non	– Le gestionnaire peut agir seul.
	Oui	– Associer les gens qui devront s'adapter aux nouvelles pratiques.
Le soutien du supérieur hiérarchique sera-t-il nécessaire pour préparer et introduire le changement?	Non	– Le gestionnaire peut agir seul.
	Oui	– Tenir le supérieur informé et tenter de l'associer. – Tenter d'obtenir sa contribution.

▶ *Indiquez combien de fois vous avez répondu :*

   « *Le gestionnaire peut agir seul* » _____ / 6.

◆ Si votre score est près de 6/6, c'est une indication que vous pouvez procéder seul à la préparation du changement.

◆ Plus votre score est près de 0/6, plus vous devriez vous associer d'autres personnes pour préparer le changement.

   Est-il préférable que les gens soient associés officiellement ou de façon informelle?

◆ Faire participer les gens officiellement peut être utile sur le plan symbolique; cela présente cependant le désavantage de susciter de l'autocensure chez ceux qui ne veulent pas se prononcer en public, de sorte que la qualité de leur apport peut en souffrir.

◆ Faire participer les gens de façon informelle a l'avantage de mettre à contribution leurs idées, en limitant pour eux le risque de s'exposer à la critique; en contrepartie, cela ne permet pas d'apporter la caution publique dont on peut avoir besoin pour appuyer les idées proposées.

   De façon générale :

◆ on favorise une participation informelle pour les activités et discussions visant à enrichir le contenu de la préparation;

◆ on favorise une participation officielle pour les activités et discussions visant à accroître *l'acceptation* des moyens choisis.

▶ *Indiquez les acteurs ou les groupes que vous envisagez d'associer au bilan de la disposition au changement. Indiquez également quelle contribution vous attendez de chacun.*

MODULE 5

LES ENJEUX DU CHANGEMENT CHEZ L'INDIVIDU

Les membres de l'organisation sont-ils réceptifs à ce changement?

Si vous entreprenez de faire ce module, c'est que vous avez décidé d'aller de l'avant dans votre intention de changer des choses au sein de l'organisation. Il est important que vous ayez défini assez claire-ment le résultat que vous recherchez. Si ce n'est pas fait, vous êtes invité à le faire dans la section de l'introduction prévue à cette fin.

CE MODULE TRAITE DES QUESTIONS SUIVANTES :

Quel cheminement suit l'individu qui doit changer
un comportement ou une attitude ?

◆

Les membres de l'organisation ont-ils été préparés
à ce changement ?

◆

Sont-ils suffisamment réceptifs pour qu'on s'attende à un succès ?

À partir de maintenant, vous allez faire face à l'un des défis les plus difficiles à relever en gestion : ***amener des gens à penser ou à agir autrement...***

Tout changement significatif dans une organisation entraîne une certaine turbulence, qui se traduira par de l'instabilité et de l'incertitude. Dans certains cas, l'impact du changement peut s'apparenter à un véritable traumatisme. Par ailleurs, il est non seulement normal, mais également sain que de telles réactions se produisent.

Il ne faudrait toutefois pas conclure pour autant qu'il suffit d'ébranler l'organisation pour qu'elle change comme par magie. Au contraire, le simple fait d'ébranler l'« édifice » risque de le mettre en péril si on ne fait pas le nécessaire pour limiter les séquelles et si on ne « gère » pas le changement le temps nécessaire pour qu'il soit correctement intégré.

Certains gestionnaires commettent l'erreur d'entreprendre un changement comme s'il s'agissait d'une opération courante. Il en résulte très souvent des échecs et une détérioration du tissu organisationnel. La réalité du changement crée dans l'organisation une conjoncture très particulière, qui exige des approches de gestion également particulières.

D'autres, par ailleurs, commettent l'erreur de mettre en route un changement et de passer ensuite à d'autres tâches, faisant le pari que les choses vont suivre leur cours. On compte dans ces cas aussi un taux d'échecs élevé ; on n'a tout simplement rien géré, on a seulement décidé... Le plus important reste à faire, soit accompagner et orienter l'organisation dans son effort d'adaptation. Certains refusent de le faire parce qu'ils n'en ont pas le temps (et c'est peut-être vrai). D'autres ne veulent pas le faire, prétextant que c'est « prendre les gens par la main » (et ce n'est pas complètement faux). Dans un cas comme dans l'autre, ils devront cependant se faire à l'idée qu'ils risquent, hélas, d'essuyer un taux d'échecs élevé. En somme, il y a un prix à payer pour atteindre les résultats recherchés.

L'approche proposée dans ce document vise d'abord et avant tout **à simplifier, à clarifier et à améliorer les rapports entre ceux qui auront à vivre le changement et ceux qui auront à le gérer.**

Une des difficultés des membres de l'organisation dans leur approche du changement peut provenir de la culture même de l'organisation. En effet, celle-ci agit comme un filtre et rend certaines idées irrecevables, même si elles sont pertinentes. Il faut donc être attentif pour s'assurer que l'on examine les enjeux du changement non seulement sous l'angle des individus, mais aussi dans une perspective collective afin de déceler ce qui influe sur les perceptions.

Ajoutons que le gestionnaire lui-même peut être appelé à changer ses valeurs et ses comportements pour introduire le changement avec succès.

5.1 LES STADES DU CHANGEMENT CHEZ L'INDIVIDU ET LES ENJEUX

En modifiant les habitudes, le changement déstabilise, du moins à court terme, l'équilibre et le fonctionnement de l'organisation et, forcément, celui des individus. Selon les théories psychosociologiques, l'intégration d'un changement chez l'individu se réaliserait en trois grandes stades : **la décristallisation, la transition et la recristallisation.**

Figure 5.1 LES STADES DU CHANGEMENT

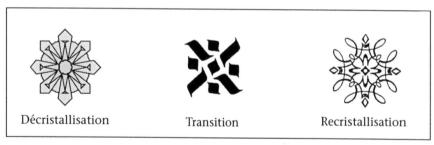

Décristallisation · Transition · Recristallisation

L'expérience montre que les organisations en changement suivent à peu près la même évolution, autant comme systèmes techniques que comme systèmes sociaux. Il va de soi que l'intensité, comme la durée des étapes, varie selon l'importance de l'écart entre la situation actuelle et la situation recherchée.

5.1.1 La décristallisation

La décristallisation correspond à la période pendant laquelle on remet en question certaines pratiques dans une organisation, pour en envisager de nouvelles. C'est aussi la période où les promoteurs, qui ont déjà décidé d'introduire un changement, commencent à vouloir modifier concrètement les pratiques. C'est durant cette période que se forme chez les destinataires l'attitude à l'égard du changement : ils seront réceptifs ou réfractaires. C'est également la période où les alliances et les coalitions commencent à prendre forme au sein des groupes, qu'il s'agisse des initiateurs ou des destinataires du changement. On en est donc au début de la déstabilisation du système, c'est-à-dire au début du changement.

Cette période est souvent caractérisée par de l'insécurité, de l'anxiété. On soulève beaucoup de questions, et les réponses sont rares ou incomplètes. On a à peine amorcé le changement et on voudrait en avoir terminé. Les promoteurs amplifient les avantages du modèle proposé, alors que les détracteurs en exagèrent les risques. On vit un mélange d'espoir et de méfiance, d'enthousiasme et d'exaspération. Le niveau de tension augmente, des conflits apparaissent. L'information est embrouillée et les rumeurs abondent.

Les promoteurs veulent maximiser les gains, les détracteurs veulent minimiser les pertes. Les éléments sont réunis pour que les positions s'affirment et se durcissent.

C'est une étape très importante, car sans décristallisation, il est peu probable que le changement puisse se produire. Par ailleurs, cette décristallisation peut amener un éclatement de l'organisation si elle n'est pas encadrée adéquatement.

5.1.2   La transition

La transition correspond à la période durant laquelle on s'initie au nouveau mode de fonctionnement et on expérimente les «nouvelles façons» de faire les choses. On se trouve alors en plein processus de changement : il faut abandonner les anciennes habitudes et en adopter de nouvelles. Bien qu'il puisse être très stimulant, ce stade est généralement difficile : les anciennes pratiques sont devenues des automatismes et peuvent difficilement être abandonnées rapidement, même dans les cas où elles sont jugées insatisfaisantes par les membres. **Toutefois, si elle est bien encadrée, cette période peut devenir une source de grande créativité et de mobilisation.** C'est en fait ce que l'on observe dans les situations où le changement est géré efficacement.

Plus la distance entre ce qu'on recherche dans le changement et ce qui existait auparavant est importante, plus ce stade est difficile. Un changement, par exemple, qui se limiterait à modifier un aspect du rôle des agents serait beaucoup plus facile à aborder, et plus tard à assimiler, qu'un projet où on chercherait à modifier l'ensemble du fonctionnement d'un service. C'est donc un stade où les individus doivent **faire des efforts conscients** pour s'adapter aux nouvelles façons de faire.

Bien que beaucoup de gens investissent l'essentiel de leurs énergies dans la décristallisation, l'étape de la transition est sans doute la plus critique pour le succès d'une initiative de changement, car c'est habituellement ici que les individus rencontrent le plus de difficultés. En fait, ils sont particulièrement exposés à :

- un degré de fatigue plus élevé,

- un état de confusion inhabituel,

- un sentiment d'incompétence plus ou moins prononcé.

De la fatigue accrue ?

L'organisme compte normalement sur ses automatismes pour économiser son énergie. L'adoption d'un comportement nouveau oblige d'abord à lutter contre eux et ensuite à mobiliser beaucoup d'attention pour exécuter des gestes non familiers. L'existence simultanée de ces deux sources d'effort a pour conséquence d'entraîner une surconsommation importante d'énergie, ce qui cause une grande fatigue chez les membres de l'organisation et se traduit entre autres par une augmentation des congés de maladie, des accidents de travail et des cas d'épuisement professionnel (notamment chez les cadres).

▶ *Vous en doutez... Amusez-vous, au prochain repas, à changer de main pour tenir vos ustensiles.*

Un état de confusion ?

Les gens s'appuient sur des comportements «appris» pour exécuter leur travail. Leur demander d'adopter de nouvelles façons de faire, c'est leur demander en fait de «désapprendre» et de «réapprendre»; il se produit alors une sorte d'entre-deux, où le cerveau vit l'expérience de ne plus savoir... Cette situation irrite souvent les gestionnaires, qui estiment que leurs employés font preuve de mauvaise foi ou d'infantilisme. Sans nier qu'il y ait parfois de la mauvaise foi, en règle générale, il s'agit d'une réaction normale et prévisible. On imagine bien que le fait que plusieurs personnes se sentent déroutées peut créer une impression de confusion dans l'organisation.

Bon nombre d'initiatives de changement échouent là: parce que l'on observe une confusion croissante, on en conclut à l'inefficacité du changement en cours et on cherche à revenir aux pratiques antérieures. Bien que ce soit parfois le cas, il est généralement trop tôt pour tirer une telle conclusion. Il faut s'efforcer de dissocier les difficultés d'adaptation de l'individu et les effets réels du nouveau mode de fonctionnement sur la performance de l'organisation. Et ces difficultés d'adaptation peuvent durer des mois, parfois même des années.

Au lendemain d'une intervention chirurgicale, conclut-on à l'échec parce que le patient est souffrant? On lui fournit plutôt un environnement et un encadrement qui réduiront pour lui les difficultés, et c'est après quelques mois que l'on évalue véritablement l'efficacité de l'intervention.

Cet état de confusion se manifeste de plusieurs façons: ne pas comprendre les explications des promoteurs du changement, oublier des consignes ou des choses à faire, commettre des erreurs dans l'exécution du travail, tout cela engendrant de la frustration et de l'irritation de part et d'autre.

▶ *Vous en doutez... Amusez-vous à changer de trajet pour vous rendre au travail ou pour circuler dans l'immeuble où vous travaillez.*

Un sentiment d'incompétence?

Les individus ont souvent tendance dans les organisations à se valoriser par la compétence qu'ils montrent dans l'accomplissement de leur travail. Lorsqu'on leur demande de faire des choses qu'ils ne maîtrisent pas, on les expose en fait à des situations pour lesquelles ils ont moins de compétence, ce qui constitue souvent pour eux une expérience désagréable. Cette expérience répétée portera de durs coups à plusieurs, qui seront en «manque de renforcements», sans compter les désagréments d'une certaine inefficacité personnelle. Il ne leur reste qu'un pas à faire pour tenir le changement en cours pour responsable de leur désarroi et pour le critiquer publiquement, ou tout au moins en coulisse.

▶ *Vous en doutez... Amusez-vous à transcrire de votre main «non dominante» un texte que vous ne connaissez pas durant dix minutes; tournez la page et tentez de vous rappeler ce que vous avez écrit. Ensuite écrivez le même texte de la main dominante et comparez le temps que vous avez mis et la qualité de l'écriture.*

Et l'efficacité baisse!

Hélas, la combinaison des phénomènes qui précèdent risque d'entraîner une chute de productivité dans l'organisation. C'est un résultat paradoxal puisque le résultat recherché est évidemment le contraire: améliorer la performance de l'organisation. Cette situation, bien que normale et prévisible, inquiète à juste titre les dirigeants, et il n'est pas rare qu'ils s'impatientent devant de tels résultats.

Bien qu'elle soit compréhensible, cette réaction n'est pas pour autant justifiée. La chute de productivité sera temporaire si la formule introduite est appropriée et si on se donne la peine de «gérer» la période de transition.

Mais gérer quoi? Essentiellement, les trois phénomènes qui viennent d'être exposés, à savoir un degré de *fatigue* plus élevé, un état de *confusion* inhabituel et un sentiment d'*incompétence* plus ou moins grand. Le module 11 est entièrement consacré à cette question de la gestion du changement: on y propose des mesures précises.

Lorsque le niveau de difficulté devient trop élevé durant la transition, quelles qu'en soient les raisons, la mise en œuvre du changement cesse de progresser. Dans certains cas, l'organisation s'enlise dans une situation de malaise caractérisée par les demi-mesures et les compromis de toutes sortes. Dans d'autres cas, le système amorce une régression vers la situation antérieure au changement, avec la différence toutefois que les gens ont l'impression désagréable d'avoir été les victimes d'une opération mal conçue ou mal dirigée. De plus, ils se fabriqueront une sorte de cuirasse pour résister aux futures propositions de changement...

5.1.3 La recristallisation

Lorsqu'un groupe parvient à franchir la période de transition, alors s'amorce le troisième stade: celle de la recristallisation. **Les nouvelles pratiques deviennent plus naturelles; elles «s'harmonisent» avec les autres dimensions du quotidien et font désormais de plus en plus partie des habitudes.** C'est essentiellement une période d'ajustement. Les anciennes pratiques sont presque oubliées et on commence à maîtriser les nouvelles; ce seront bientôt des automatismes. On cesse de se référer au passé et on ne parle plus du changement.

5.2   OÙ EN SONT LES MEMBRES DE L'ORGANISATION?

Le fait qu'un changement soit en cours d'implantation ne signifie pas que le processus de changement soit déclenché chez les destinataires. On a vu en effet des situations où le calendrier d'implantation était respecté, sans que les individus changent pour autant leurs pratiques. On a aussi vu beaucoup de situations où les gens ont adopté un nouveau langage, mais ont continué à faire à peu près la même chose qu'auparavant. Il s'agit alors d'un simulacre de changement. On peut faire l'hypothèse qu'un certain nombre de changements qui ne semblent pas avoir provoqué de remous relèvent de cette dernière catégorie.

Comment savoir où en sont les membres de votre organisation? Les quelques paramètres du tableau 5.1 peuvent vous y aider.

Tableau 5.1   INDICES POUR DÉTERMINER LE STADE DE CHANGEMENT DANS L'ORGANISATION

▶ Il suffit de cocher les énoncés qui décrivent le mieux la situation actuelle dans l'organisation et de voir quel est le stade où il y a le plus de crochets.

Indices liés à la décristallisation:
- ☐ les membres de l'organisation se montrent inquiets,
- ☐ ils posent beaucoup de questions,
- ☐ ils expriment du scepticisme,
- ☐ ils cherchent à négocier des arrangements,
- ☐ ils ont des réunions secrètes plus fréquemment,
- ☐ ils font circuler des rumeurs, plus souvent qu'à l'habitude.

Indices liés à la transition:
- ☐ les gens se plaignent d'être plus fatigués qu'à l'habitude,
- ☐ ils se montrent irritables,
- ☐ ils sont nostalgiques du passé,
- ☐ ils soumettent aux gestionnaires plus de problèmes qu'à l'habitude,
- ☐ ils se plaignent d'une baisse d'efficacité,
- ☐ l'absentéisme est plus élevé que d'habitude.

Indices liés à la recristallisation:
- ☐ on cherche des façons d'atténuer les irritants du nouveau modèle,
- ☐ on cherche des façons d'en corriger certains effets secondaires,
- ☐ on cherche des moyens d'harmoniser le nouveau modèle avec les autres aspects du fonctionnement,
- ☐ on compare de moins en moins avec le passé,
- ☐ après avoir connu une baisse, la productivité s'accroît,
- ☐ les gens ont besoin de moins de supervision.

5.3 L'ÉVOLUTION TYPE

Les individus, tout comme l'organisation, évolueront de façon différente selon qu'ils sont favorables ou défavorables au changement
proposé.

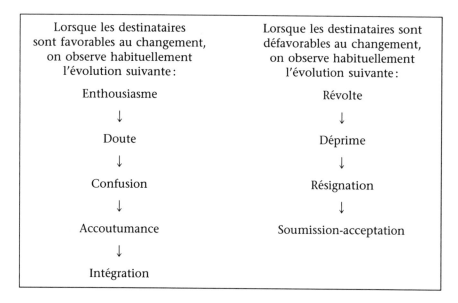

Lorsque les destinataires sont favorables au changement, on observe habituellement l'évolution suivante :	Lorsque les destinataires sont défavorables au changement, on observe habituellement l'évolution suivante :
Enthousiasme	Révolte
↓	↓
Doute	Déprime
↓	↓
Confusion	Résignation
↓	↓
Accoutumance	Soumission-acceptation
↓	
Intégration	

5.4 LES DESTINATAIRES SONT-ILS RÉCEPTIFS AU CHANGEMENT?

**La réceptivité des destinataires au changement que vous voulez
introduire constitue un enjeu central,** car elle conditionne directement le type de stratégie que vous devrez utiliser.

On peut établir que, de façon générale :

◆ plus les gens sont réceptifs au changement,
  - moins vous aurez à déployer d'efforts pour l'introduire,
  - moins votre légitimité/crédibilité sera contestée,
  - plus les gens se l'approprieront rapidement,
  - plus ils seront autonomes, créateurs et proactifs,
  - plus les coûts d'implantation seront faibles ;

◆ moins les gens sont réceptifs au changement,
  - plus vous aurez à déployer d'efforts pour l'introduire,
  - plus votre légitimité/crédibilité sera contestée,

— plus les gens chercheront des échappatoires,

— plus vous devrez les surveiller pour qu'ils s'y conforment,

— plus ils agiront de façon mécanique et légaliste,

— plus les coûts d'implantation seront élevés.

Pour que votre opération de changement s'avère fructueuse *à des coûts raisonnables*, vous aurez avantage à pouvoir compter sur la présence de déclencheurs qui amèneront les destinataires à réagir positivement à votre projet. En d'autres termes, vous devez vous assurer de pouvoir «décristalliser» votre organisation si vous voulez qu'elle évolue dans une autre direction ; sinon, vous devez exercer une pression importante et, surtout, ne pas la relâcher... Dans certains cas, on n'a pas le choix, et c'est ce qu'il faut faire. Mais il faut se rappeler que l'implantation peut se révéler difficile et les résultats limités.

La section 5.5 décrit les réactions types que l'on observe selon qu'il y a ou non suffisamment de déclencheurs. Examinons d'abord les déclencheurs qui sont habituellement les plus efficaces.

5.4.1 Les déclencheurs

Il existerait trois grands types de déclencheurs de changement :

♦ l'attrait de satisfactions ou de gratifications plus élevées,

♦ l'insatisfaction ressentie dans la situation existante par les personnes visées ou l'insatisfaction appréhendée dans un avenir prévisible,

♦ la pression des leaders du milieu.

Plus ces déclencheurs seront présents (en quantité comme en intensité), plus le changement sera accueilli et intégré facilement ; à l'inverse, moins ils seront présents, plus le changement sera mal accueilli et difficile à intégrer dans les pratiques.

L'attrait de satisfactions ou de gratifications plus élevées

La plupart des théories sur la motivation avancent que l'être humain est motivé, entre autres, par la recherche du plaisir ou l'évitement de la souffrance. Cela signifierait qu'il est improbable que les gens refusent de se rallier à un changement s'il y a pour eux la possibilité d'accroître leurs *gains*. Il faut cependant nuancer cette assertion. Pour qu'elle se vérifie, il faut que les **destinataires perçoivent** réellement qu'ils font des gains. De plus, il faut que ces gains soient attrayants pour eux : pensons aux nombreux fumeurs qui savent que leur santé serait mieux protégée s'ils s'abstenaient de fumer. Mais là encore, c'est insuffisant. Il faut que les gains escomptés compensent et même dépassent les coûts en énergie qui seront assumés par les individus pour abandonner leurs habitudes et en adopter d'autres.

Ajoutons que l'espérance de gains constitue un déclencheur à durée limitée. En effet, comme elle résulte d'une anticipation intellectuelle, cette vision de l'esprit risque de s'estomper devant les difficultés et les insatisfactions qui accompagnent l'effort de changement.

L'insatisfaction ressentie dans la situation actuelle ou prévue dans un avenir rapproché

Bien que ce déclencheur soit moins noble que le précédent, il s'avère habituellement très efficace. L'histoire de l'humanité est pleine d'exemples où les sociétés ont entrepris de changer pour se sortir de situations insatisfaisantes ou pour éviter des catastrophes prochaines. Ainsi, il aura fallu attendre que la planète soit sérieusement menacée pour que les sociétés occidentales s'intéressent à la protection de l'environnement; il faut souvent que les usagers aient atteint un degré d'insatisfaction élevé avant qu'ils protestent pour obtenir une amélioration des services qu'ils reçoivent.

Ainsi, si les destinataires vivent de l'insatisfaction dans la situation actuelle, ils seront plus susceptibles d'envisager positivement un éventuel changement. Dans le cas inverse, ils verront le changement comme un caprice (ou une théorie) des décideurs. Par insatisfaction, nous entendons des problèmes, des difficultés, des voies sans issue, ou même un manque de stimulation, qui irritent véritablement les destinataires.

La pression des leaders du milieu

Les recherches dans le domaine de la communication publique ont montré que les membres d'un système ont souvent de la difficulté à se faire une opinion cohérente sur un sujet, surtout s'il ne les gêne pas directement ou s'il est complexe. En fait, beaucoup de gens se tournent vers les leaders naturels pour se former une opinion ou pour confirmer la leur. Ces derniers auront donc un effet déterminant sur l'accueil qui sera réservé à un changement. En conséquence, plus les leaders naturels de l'organisation appuieront explicitement un effort de changement, plus celui-ci sera facile à implanter. Attention : il s'agit ici des personnes qui ont effectivement un leadership sur les destinataires, c'est-à-dire de la crédibilité à leurs yeux. Il ne s'agit donc pas nécessairement des figures d'autorité, car celles-ci, en dépit du pouvoir qu'elles détiennent, ne sont pas nécessairement perçues comme étant crédibles.

Tableau 5.2　L'ÉTAT DES DÉCLENCHEURS DANS L'ORGANISATION

La situation dans votre organisation fait-elle vivre un état d'insatisfaction[1] significatif au personnel? Ou encore, le personnel prévoit-il que la situation actuelle pourrait se dégrader et devenir désagréable à vivre?									
Très peu									Beaucoup
1	2	3	4	5	6	7	8	9	10
Les effets escomptés de ce changement permettent-ils au personnel concerné d'espérer que ses sources de satisfaction au travail s'accroîtront significativement?									
Très peu									Beaucoup
1	2	3	4	5	6	7	8	9	10
Les personnes qui, dans votre organisation, ont de la crédibilité aux yeux des destinataires sont-elles explicitement favorables aux changements proposés?									
Très peu									Beaucoup
1	2	3	4	5	6	7	8	9	10
Score total: _____ /30									

Plus le score obtenu est près de 30, plus votre organisation est susceptible de réagir positivement au changement que vous envisagez. Plus le score est près de 3, plus elle risque de réagir négativement.

Est-ce à dire qu'on ne peut implanter un changement si ces déclencheurs sont absents ou n'ont qu'une faible intensité? Pas du tout! Toutefois, les enjeux et les conséquences seront différents, tant pour les gestionnaires que pour les destinataires du changement.

5.4.2　Une masse critique

Il faut également examiner les déclencheurs en fonction du nombre de personnes chez qui ils sont présents. Un des problèmes des promoteurs du changement est de déterminer le nombre de personnes qu'il faut mobiliser pour disposer d'une marge de sécurité suffisante et amorcer le changement.

---

1. À titre d'exemple, on peut penser à des insatisfactions exprimées par la clientèle, à des problèmes de fonctionnement qui irritent les gens, à des méthodes de travail dont on se plaint, à des craintes liées à l'avenir professionnel, etc.

On ne peut pas quantifier *a priori* le nombre ou la proportion d'individus nécessaires. On peut cependant établir qu'il faut pouvoir compter sur une masse critique de personnes réceptives et qu'elle doit être supérieure à celle qui s'oppose au changement projeté. Comment l'établir? Une façon de faire vous sera proposée dans le module 8. Pour l'instant limitons-nous à poser que la réalité doit être examinée sous l'angle des facteurs qui agissent sur la situation pour maintenir l'équilibre existant ou pour le modifier. Si, dans ces rapports de force, l'équilibre ne penche pas du côté des promoteurs du changement, l'effort requis pour réussir n'en sera que plus grand.

5.5 LES CONSÉQUENCES DE LA PRÉSENCE OU DE L'ABSENCE DE DÉCLENCHEURS

5.5.1 Si plusieurs déclencheurs sont présents ou que leur intensité est forte...

Les destinataires

- Les gens sont fébriles et misent beaucoup sur les résultats escomptés du changement.

- Ils déploient beaucoup d'énergie pour faciliter sa mise en œuvre: ils sont facilement créateurs, prennent des initiatives, expérimentent et sont orientés vers la recherche de solutions.

- Bien que fatigant, l'effort que requiert le changement est perçu comme une occasion de développement personnel et professionnel.

- On sollicite ou on accepte le soutien des gestionnaires et on les voit comme des collaborateurs.

Les gestionnaires

- La gestion est sollicitée de toutes parts pour prendre des décisions et des moyens pouvant aider à la mise en œuvre du changement.

- Une des préoccupations est de s'assurer que, dans le feu de l'action, les priorités opérationnelles ne sont pas négligées.

- On travaille à canaliser les énergies.

- On se fait proposer des solutions aux problèmes qui se présentent.

- On se fait reprocher certaines lenteurs de l'appareil administratif ou décisionnel.

Les conséquences

- Si les effets du changement s'avèrent positifs, celui-ci s'implante rapidement. Les gens l'intègrent et tentent même de l'adapter à leur réalité.

- L'organisation est dynamique et réagit bien à l'innovation.

- On est surtout centré sur le contenu, c'est-à-dire sur l'objet du changement, et accessoirement sur les processus, c'est-à-dire les façons de faire.

5.5.2 Si un certain nombre de déclencheurs sont présents ou que leur intensité est modérée...

Les destinataires

- Les gens sont ambivalents; ils écoutent, posent peu de questions et réagissent peu. Ils ne cherchent pas à faire de l'obstruction, mais ne mobilisent pas non plus leurs énergies pour appuyer l'opération de changement.

- En fait, ils sont plutôt passifs ou attentistes («on verra ce que ça donne»). Ils ne constituent pas nécessairement un problème, mais ils ne contribuent pas à la solution non plus...

- Ils s'engagent dans l'opération de changement avec un minimum de bonne foi et bien lentement.

- Face aux difficultés qui se présentent, ils sont facilement démunis et ont tendance à renvoyer les problèmes aux gestionnaires pour que ceux-ci y trouvent une solution («qu'est-ce qu'on doit faire dans une situation comme celle-là?»); en somme, ils font preuve de dépendance.

- Ils éprouvent une certaine nostalgie du passé et ils tentent de réintroduire le plus possible les pratiques anciennes dans la nouvelle formule («une soupe ancienne servie à la moderne»), donc de changer le moins possible, si ce n'est leur vocabulaire.

Les gestionnaires

◆ Les gestionnaires vivent une sorte d'impuissance. En principe le changement s'implante, mais en pratique on n'en voit pas les effets. On semble en rester à la plomberie et les effets recherchés ne se matérialisent pas.

◆ On a l'impression de traîner un boulet et on qualifie souvent les destinataires d'apathiques.

◆ On cherche continuellement des solutions aux problèmes soulevés par les gens de la base et on a l'impression de manquer de temps pour gérer véritablement les services et leur développement.

◆ On cherche des moyens pour dynamiser le milieu, mais les efforts en ce sens donnent des résultats décevants.

◆ On voudrait que les gens comprennent, qu'ils s'intéressent à l'esprit du changement plutôt qu'à sa mécanique et à ses contraintes.

◆ L'expérience est décrite comme « lourde ».

Les conséquences

◆ Le changement s'implante, mais lentement, surtout si ses effets bénéfiques tardent à se manifester.

◆ Les aspects mécaniques dominent; l'âme n'y est pas. On utilise le nouveau vocabulaire, mais il n'est pas évident qu'il exprime une nouvelle réalité. Les résultats sont peu concluants et les coûts tendent à être élevés.

◆ Les gens se sentent peu « propriétaires » du changement, et on a l'impression d'avancer dans un « no man's land ».

◆ Le climat est terne. On consacre passablement d'énergie aux processus organisationnels, essayant entre autres de dynamiser le milieu. La loyauté est faible.

5.5.3 S'il y a peu de déclencheurs présents ou que leur intensité est faible...

Les destinataires

◆ Les gens ne comprennent pas. Ils questionnent beaucoup et formulent des objections. Ils élaborent des scénarios d'apocalypse et manifestent beaucoup d'appréhension.

- Leur niveau d'énergie est élevé pour réagir défensivement, mais il en reste peu pour contribuer à la mise en œuvre du changement.

- En fait, on cherche le plus possible à éviter les exigences du changement ; on dit oui, on fait non ; on fait ce qu'on croit correct et non ce qui est censé être fait ; on agit en marge des procédures et des normes ; on camoufle ce qu'on fait et on protège les complices.

- Les gens coupent les ponts avec la gestion : ils l'agressent, lui soumettent un tas de problèmes et discréditent les solutions proposées.

- De plus, ils refusent de collaborer à la recherche des solutions. Ils ont plutôt tendance à blâmer ceux qui ont initié ce changement.

- Ils sont facilement contre-dépendants : ils réclament de l'aide, mais y font obstacle lorsqu'elle est offerte.

- La productivité est faible et on frise la crise organisationnelle.

- Les destinataires sont malheureux et se démobilisent sur le plan professionnel.

Les gestionnaires

- On opte pour une gestion de crise. On consacre beaucoup de temps à la résolution de problèmes et de conflits à court terme, et on ne trouve pas de temps pour agir de façon préventive.

- Les relations sont conflictuelles. On doit constamment recourir à l'autorité pour gérer. On le déplore, mais on ne voit pas de solutions de rechange. On doit faire beaucoup de surveillance et de discipline, car les écarts de conduite sont nombreux.

- On éprouve de l'agressivité à l'endroit des destinataires, que l'on perçoit comme des plaignards, des enfants gâtés, des esprits étroits.

- Les gestionnaires deviennent tendus et les conflits augmentent.

- On a la sensation d'avoir perdu de vue l'esprit du changement en cours au profit de sa mécanique.

- On est dans la confusion, car les individus pris un à un sont « corrects », mais ils deviennent détestables en groupes.

- L'estime qu'on a de son personnel baisse, et on lui fait moins confiance.

- La situation est décrite comme épuisante et nullement gratifiante. On se surprend à se demander si l'on n'est pas malade...

Les conséquences

◆   Le changement s'implante très lentement, surtout si les effets positifs ne sont pas évidents pour les destinataires. Les poches de résistance sont nombreuses.

◆   En fait, l'opération est en péril et il y a peu de résultats probants, sans compter que les coûts de toutes natures sont élevés.

◆   Le climat est franchement mauvais, et le personnel semble replié sur lui-même.

◆   La loyauté envers l'organisation est au plus bas, et beaucoup d'énergie est consacrée à des discussions stériles.

5.6   QUELQUES MOYENS À PRENDRE POUR ACTIVER LES DÉCLENCHEURS

◆   **Si vous pouvez vous appuyer sur des déclencheurs efficaces, vous êtes en situation de poursuivre le travail de préparation du changement que vous voulez introduire.** Vous pouvez donc passer dès maintenant au module suivant. Par ailleurs, si en cours de route vous constatez un fléchissement dans la réceptivité des destinataires, revenez aux paramètres de la section précédente pour voir si les déclencheurs qui étaient présents ne se seraient pas évanouis.

◆   **Si vous ne pouvez malheureusement pas vous appuyer sur des déclencheurs efficaces et que vous maintenez votre projet de changement, vous risquez de vous buter à l'incompréhension et à l'hostilité des destinataires.** Il se peut que vous ne puissiez faire autrement, pour des raisons de temps notamment, ou parce que ce changement est imposé. Toutefois, si c'est possible, **vous auriez avantage d'abord à prendre des mesures en vue d'accroître la réceptivité des destinataires.** Certes, cela vous demandera du temps, mais c'est probablement du temps que, de toute façon, vous perdriez au moment de la mise en œuvre pour surmonter les obstacles présentés par les destinataires.

Il n'existe pas de moyens magiques pour accroître la réceptivité des destinataires, mais ceux que nous vous proposons ici donnent souvent des résultats intéressants.

5.6.1   Les menaces extérieures

Les gens ne sont pas toujours conscients des menaces extérieures qui guettent leur organisation et créent l'obligation de s'adapter. Si votre organisation est aux prises avec des menaces significatives[2], il vaudrait la peine d'en informer les destinataires d'une manière qui mette clairement en relief les risques que court votre organisation. Il ne s'agit pas de créer des épouvantails, mais de montrer les dangers qui justifient que des mesures soient prises.

5.6.2   Les incidents

Par définition, on ne contrôle pas l'apparition d'incidents et on ne les souhaite pas non plus. Les incidents qui se produisent dans une organisation peuvent remettre en cause les pratiques existantes (par exemple, une erreur aux conséquences graves) ou forcer à repenser un fonctionnement considéré comme immuable jusque-là (par exemple, la défectuosité d'un équipement que l'on remplace plutôt que de le réparer).

S'il vient de se produire un incident de cette nature dans votre organisation, vous pouvez peut-être profiter de cette occasion pour inviter les gens à repenser les pratiques, plutôt que de simplement tenter d'en corriger certains aspects superficiels.

5.6.3   Accroître la sensibilité à l'environnement

Pour toutes sortes de raisons, sur lesquelles il serait trop long ici de s'étendre, les organisations ont souvent la fâcheuse habitude de se replier sur elles-mêmes et de perdre contact avec leur environnement (la clientèle, la concurrence, les nouvelles solutions) ou avec leurs objectifs fondamentaux. Il en résulte souvent que leurs membres deviennent peu à peu moins sensibles au milieu qu'aux aspects internes du fonctionnement. Il n'est pas étonnant alors qu'ils réagissent davantage en fonction de leurs intérêts personnels ou professionnels qu'en fonction des besoins véritables de l'organisation. L'anecdote qui suit illustre ce phénomène auquel peu d'organisations échappent.

---

2. Par exemple, celles qui sont indiquées dans l'analyse stratégique de votre organisation (module 2). Il est question ici, entre autres, des insatisfactions dans l'environnement, des contraintes financières, des alternatives auxquelles peuvent recourir les clients, etc.

En réunion, la principale préoccupation d'un groupe de professionnels à qui on avait soumis une nouvelle façon de servir la clientèle était de savoir si cette approche allait affecter leurs horaires de travail et si on allait respecter le critère de l'ancienneté pour la composition des groupes de travail. Après trois heures de discussion, à peine cinq minutes avaient porté sur la valeur de l'approche elle-même...

Il ne s'agit pas ici de blâmer qui que ce soit, mais plutôt de mettre ce phénomène en relief pour tenter d'y remédier. Les quelques moyens qui suivent peuvent y contribuer.

Fournir des données factuelles sur la clientèle et les partenaires

Les données factuelles ont habituellement un impact plus important que les impressions ou les affirmations qui ne sont pas fondées sur une démonstration. Afin de rendre les gens plus sensibles aux caractéristiques de leur environnement, vous pouvez leur fournir des données sur les particularités de la clientèle, son volume, sa distribution géographique, sur la performance du service, sur les écarts entre les services exigés et les services fournis, sur les tendances du marché, sur les méthodes utilisées ailleurs, etc.

L'important, c'est que les destinataires puissent ajuster leur perception de la réalité à partir de données fiables, qui s'adressent à leur intelligence.

Exemple : Le service n'est pas accessible entre 12 h et 13 h, et il ferme à 16 h 30, alors que 78 % de la clientèle travaille entre 8 h et 16 h 30...

Diffuser les résultats d'enquêtes de satisfaction

Votre perception des dysfonctions de votre organisation ou des possibilités nouvelles qui s'offrent à elle ont sans doute de la valeur. À tort ou à raison, elle sera cependant reçue comme étant teintée de votre propre subjectivité, et on pourra vous reprocher de ne pas être sur la ligne de feu pour *vraiment* savoir ce qui s'y passe. **S'il vous est possible de disposer de données fiables sur les sources d'insatisfaction de vos clients ou de vos partenaires, ou encore sur leurs aspirations et besoins, votre analyse n'en sera que plus crédible.** Les gens seront moins portés à opposer leur perception à la vôtre et à entrer dans une argumentation vaine; ils auront plutôt à confronter leur perception à celle des utilisateurs du service, qui sont souvent les mieux placés pour porter un jugement.

Exemple : Le service des finances prend connaissance des difficultés des gestionnaires, qui doivent utiliser des rapports financiers... qu'ils n'arrivent pas à lire !

Favoriser les contacts directs avec les utilisateurs des services

Il s'agit d'une variante de la suggestion précédente, et elle consiste à provoquer des contacts directs avec les clients ou les partenaires, mais dans un scénario où ces derniers s'expriment et où votre personnel écoute et regarde. Les organisations, dans les années passées, ont eu tendance à vouloir modeler les besoins des clients et partenaires sur leur propre vision des choses. Le fait d'attirer l'attention sur les résultats réels qui ont été obtenus est susceptible d'avoir un effet sur la perception des dysfonctions du mode de fonctionnement existant.

Vous pouvez organiser des activités formelles où les membres de votre organisation vont rencontrer les clients ou les partenaires pour les écouter. Vous pouvez aussi multiplier les occasions pour votre personnel de se rendre sur le terrain, auprès des clients ou des partenaires.

Exemple : Dans le film *The Doctor*, un grand chirurgien modifie en profondeur sa relation avec ses patients le jour où lui-même expérimente la vie dans son hôpital comme patient...

Aller voir ailleurs

Les habitudes acquises, l'expérience confirmée et l'isolement ont souvent pour effet de laisser croire que l'on a fait le tour de la question et qu'il reste peu à apprendre. **Le fait de voir dans la réalité des façons de faire différentes, et peut-être mieux adaptées, oblige à remettre en cause ses perceptions et à ressentir une certaine insatisfaction si nos propres pratiques ne sont pas à la hauteur.** Les gestionnaires ont souvent tendance à invoquer ce qui se fait ailleurs pour tenter de convaincre leur personnel que les choses peuvent être faites autrement. Hélas, ils réussissent rarement, car ce que les gens n'ont pas vu reste du ouï-dire, peu crédible. S'il a été utile pour les gestionnaires de « voir », cela peut l'être tout autant pour les destinataires. Ainsi, des stages, des visites, des séances d'observation peuvent être autant d'occasions pour élargir sa perception des options disponibles et pour formuler un jugement plus critique (et plus éclairé) sur ses propres pratiques. En plus, la contagion des idées nouvelles se fait habituellement plus rapidement entre pairs.

Des activités d'éveil sur le plan intellectuel (conférences, formation, stages)

Des esprits souples, ouverts, sont plus susceptibles de réagir positive-ment à des projets de changement. Aussi, vous pourrez faire appel à toutes sortes d'activités qui stimuleront l'intelligence de votre person-nel. **La transmission d'informations nouvelles en rapport avec l'ob-jet du changement pourra certes être utile, mais vous pourrez aussi élargir les perspectives et maintenir les esprits actifs en favorisant des activités d'éveil traitant de divers sujets.**

5.7 LES OPTIONS POSSIBLES

Après avoir examiné des moyens d'activer l'émergence de déclencheurs du changement, différentes possibilités se présentent.

◆ **Si vous pensez pouvoir recourir à certains de ces moyens** (ou à d'autres auxquels vous avez pensé) **et s'il n'est pas indispensable d'agir immédiatement sur la situation à changer :**

Vous auriez avantage à vous consacrer à cette tâche avant d'es-sayer de pousser plus loin l'effort de changement. Lorsque vous observerez une plus grande réceptivité, vous pourrez passer à l'étape suivante. Rien ne vous empêche de travailler le module suivant pour faire avancer votre réflexion, mais souvenez-vous que vous ne disposez pas encore des conditions suffisantes pour entre-prendre un changement fondé sur la motivation ou l'ouverture des destinataires. Vous devez concentrer vos énergies sur la « décristallisation » du système.

◆ **Si vous croyez que vous pourriez recourir à certains de ces moyens** (ou à d'autres auxquels vous pensez), **mais qu'une action immédiate sur la situation actuelle est nécessaire[3] :**

Bien que les conditions ne soient pas optimales, vous réussirez peut-être à faire progresser votre projet de changement. Il faut cependant que vous soyez réaliste. D'abord, ce que vous obtien-drez des destinataires risque d'être de la soumission plutôt que de la motivation. Ce n'est pas mauvais en soi, mais cela entraîne des conséquences négatives : adoption mécanique des nouveautés, ten-tatives d'évitement, conformité minimale aux nouvelles normes, absence d'initiative, de créativité, de jugement. D'autre part, vous

---

3. Le temps presse ou le mandat que vous avez reçu est impératif, ou encore une circonstance particulière vous y oblige.

devrez déployer des énergies importantes pour «forcer» la progression du changement et pour surveiller son adoption par les destinataires. C'est malheureusement le prix que vous risquez de devoir payer dans les conditions actuelles.

♦ **Si vous croyez que vous ne pouvez pas recourir à ces moyens** (ou à d'autres auxquels vous pensez), **mais qu'une action immédiate sur la situation actuelle est nécessaire**:

Les conditions ne sont pas optimales, de sorte que vous éprouverez sans doute des difficultés importantes. Ce que vous obtiendrez des destinataires risque d'être de la soumission. Ce n'est pas mauvais en soi, mais cela entraîne des conséquences négatives: adoption mécanique des nouveautés, tentatives d'évitement, conformité minimale aux nouvelles normes, absence d'initiative, de créativité, de jugement. Il vous faut maintenant prévoir un faible degré de motivation. En plus, vous devrez déployer des énergies importantes pour «forcer» la progression du changement et pour surveiller son adoption par les destinataires. C'est malheureusement le prix que vous risquez de devoir payer dans les conditions actuelles.

♦ **Si vous ne pensez pas pouvoir recourir à l'un ou l'autre de ces moyens** (ou à d'autres auxquels vous pourriez penser), **mais qu'une action immédiate sur la situation actuelle n'est pas indispensable**:

Vous auriez avantage à reporter à plus tard votre projet de changement, car vous allez investir du temps et des énergies qui risquent d'être peu productifs. Au mieux, vous obtiendrez de la soumission, mais à quel prix! Entre-temps, vous pouvez néanmoins rester vigilant et utiliser (et même susciter) les occasions qui se présentent pour accroître la sensibilité des destinataires à la pertinence d'un éventuel changement.

MODULE 6

LES LEVIERS ET LES OBSTACLES

Sur quelles cibles faut-il agir?

La décision a été prise d'aller de l'avant avec le projet de changement. Que vous ayez vous-même pris cette décision ou qu'elle ait été prise à un autre niveau, il faut examiner les points sur lesquels les mesures de gestion devront porter pour que le changement se produise effectivement. Dans ce module, nous allons poursuivre le «bilan de la disposition au changement», mais cette fois en vue de cerner les leviers à utiliser et les obstacles à amoindrir pour introduire le changement.

CE MODULE RÉPOND À LA QUESTION SUIVANTE :

Sur quoi faut-il agir pour que le changement se produise ?

À la fin du module, vous serez en mesure de préciser vos objectifs d'action et vous disposerez de plusieurs des ingrédients nécessaires pour élaborer votre plan d'action.

6.1   LA RÉALITÉ DE L'ORGANISATION VUE COMME UN CHAMP DE FORCES

Le modèle présenté dans ce guide repose sur le postulat que la réalité organisationnelle est dynamique. Selon cette conception, la situation actuelle serait la résultante de l'effet combiné de forces multiples et elle serait en conséquence caractérisée par un état d'équilibre plus ou moins stable.

Aussi, si l'on veut produire un changement, il faut modifier les « forces » qui agissent dans ce champ dynamique afin que la situation existante se déséquilibre, en faveur d'un nouvel état d'équilibre plus proche de la situation souhaitée. C'est ce qu'on appelle la théorie du champ de forces[1].

Figure 6.1   LE CHAMP DE FORCES

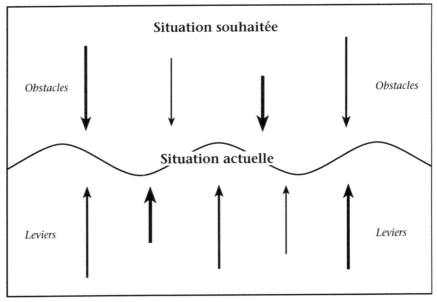

---

1. LEWIN, Kurt. *Field Theory in Social Science*. Harper, New York, 1951.

Une « force », c'est tout élément de la réalité présente qui exerce une influence perceptible sur la situation précise que l'on désire changer. On en trouve deux catégories : les *obstacles* et les *leviers*.

Les « obstacles » sont des forces qui empêchent la situation actuelle d'évoluer dans la direction de la situation souhaitée. Ils contribuent à maintenir la situation dans son état actuel. En voici des exemples typiques :

- des contraintes financières qui limitent la marge de manœuvre,
- des réactions négatives des leaders naturels ou des organismes syndicaux,
- le faible soutien d'un niveau supérieur,
- un état d'inertie ou de confort où les destinataires ne voient pas de problèmes,
- un manque de formation du personnel,
- l'absence de technologie adéquate,
- des installations inadéquates,
- une surcharge de travail qui détourne l'attention,
- d'autres projets plus prioritaires,
- l'absence de pressions de la part de l'environnement (clients, pairs, partenaires),
- des traditions fortement enracinées,
- le peu de crédibilité du promoteur du changement,
- le manque d'expertise pour enrichir le contenu du changement,
- des expériences antérieures malheureuses ayant laissé des traces,
- etc.

Les « leviers » sont des forces qui exercent une pression positive dans la direction du changement recherché. Ils contribuent à déstabiliser la situation en faveur du changement souhaité. En voici des exemples typiques :

- des disponibilités financières qui permettent d'assumer les coûts du changement,
- des réactions positives des leaders naturels ou des organismes syndicaux,
- le soutien actif d'un niveau supérieur,

- l'existence de problèmes qui irritent les destinataires et qui pourraient être corrigés par le changement,

- la compétence dont dispose le personnel relativement aux exigences du changement recherché,

- la disponibilité d'une technologie efficace,

- des installations adéquates,

- une charge de travail qui permet de consacrer des énergies au changement,

- un degré de priorité élevé accordé au projet,

- des pressions de l'environnement qui attirent l'attention des destinataires (clients, pairs, partenaires),

- des traditions dysfonctionnelles,

- la crédibilité élevée du promoteur du changement,

- une expertise appropriée pour élaborer le contenu du changement,

- des expériences antérieures positives ayant laissé un bon souvenir,

- etc.

Pour faire l'analyse de la situation, il faut au préalable avoir bien décrit la situation que l'on désire changer, c'est-à-dire la situation actuelle. Il faut également avoir précisé le résultat que l'on désire atteindre, soit la *situation souhaitée*. Vous avez déjà décrit les deux situations une première fois dans le module 1 ou au début de la présente partie, et vous les avez peut-être révisées dans le module 4. Il vous suffit de les reprendre ci-dessous.

La situation à modifier

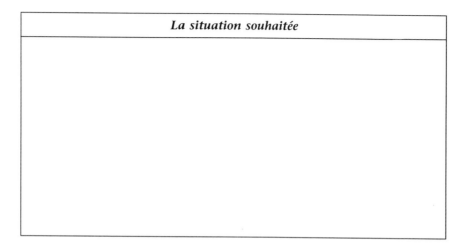

6.2   L'ANALYSE DES LEVIERS ET DES OBSTACLES

6.2.1   Étape 1: Détermination des leviers et des obstacles

A. Quels sont les *leviers* **qu'on peut trouver dans la situation actuelle**? En d'autres termes, quels éléments de la réalité actuelle favorisent l'acceptation et l'intégration du changement poursuivi[2]?

▶ *Inscrivez-les dans le tableau 6.1, à la page 110.*

B. Quels sont les obstacles qui sont liés à la situation actuelle? En d'autres termes, quels éléments de la réalité actuelle nuisent à l'acceptation et à l'intégration du changement que vous poursuivez (ou encore contribuent à maintenir les choses dans leur état actuel)?

▶ *Inscrivez-les dans le tableau 6.1, à la page 110.*

---

2. Pour dresser le champ de forces, on n'examine que les éléments qui existent et qui agissent effectivement sur la situation. Ceux que l'on aimerait ajouter pour modifier la situation apparaîtront dans le plan d'action; pour l'instant, on ne peut pas analyser ce qui n'existe pas.

Tableau 6.1   LEVIERS ET OBSTACLES ACTUELS

Leviers	Poids	SITUATION ACTUELLE	Poids	Obstacles	SITUATION SOUHAITÉE
→				←	
→				←	
→				←	
→				←	
→				←	
→				←	
→				←	
→				←	
→				←	
→				←	
→				←	
→				←	
→				←	
→				←	
→				←	
→				←	
→				←	
→				←	

À tout moment, si d'autres obstacles ou leviers vous viennent à l'esprit, il vous suffit de les ajouter dans le tableau.

6.2.2 Étape 2: Détermination des leviers et des obstacles les plus importants

Il n'est habituellement pas utile d'agir sur toutes les forces. Il est préférable de concentrer ses énergies sur les plus importantes.

C. En vous référant aux critères suivants, évaluez le «poids» de chacun des leviers et des obstacles dans la situation actuelle.

▶ *Indiquez le score vis-à-vis de chaque force dans le tableau 6.1 de la page précédente.*

Poids	Signification
4	incidence majeure, déterminante,
3	incidence importante,
2	incidence modérée,
1	incidence faible.

Il s'agit d'une appréciation subjective de votre part, et il peut difficilement en être autrement. Mais vous pouvez inviter d'autres personnes à confirmer votre perception et ainsi accroître la fiabilité de votre jugement.

D. Dans le tableau des leviers et des obstacles (6.1), vous pouvez biffer ceux qui ont une valeur inférieure à 3.

Il vous reste désormais les leviers et les obstacles sur lesquels vous devriez agir si vous désirez avoir un impact significatif. Ce sont **ceux-là qui présentent le meilleur potentiel** pour favoriser l'introduction du changement.

6.2.3 Étape 3: Le choix des leviers et des obstacles sur lesquels agir

E. Il faut être réaliste: parmi les leviers et les obstacles les plus importants, il y en a peut-être certains sur lesquels vous n'avez pas la possibilité d'agir. Il est important de savoir qu'ils sont significatifs, mais il n'est pas utile de s'y attarder. Vous pouvez les biffer, eux aussi. Toutefois, avant de le faire, demandez-vous s'il est vraiment impossible d'agir sur ces leviers et ces obstacles; il se peut en effet que vous vous placiez vous-même en situation d'impuissance...

Vous avez désormais un portrait des leviers et des obstacles sur lesquels vous pouvez agir pour introduire le changement. Vous pouvez les transcrire dans le tableau 6.2 de la page 112.

- ◆ Si vous agissez sur ces forces, vous allez modifier des éléments névralgiques de la réalité.

- ◆ Si vous n'agissez pas sur ces forces, vous négligerez des éléments névralgiques de la réalité.

Tableau 6.2   LES LEVIERS ET LES OBSTACLES SUR LESQUELS ON CHOISIT D'AGIR

Leviers		SITUATION ACTUELLE	*Obstacles*		SITUATION SOUHAITÉE
	→		←		
	→		←		
	→		←		
	→		←		
	→		←		
	→		←		
	→		←		
	→		←		
	→		←		
	→		←		
	→		←		
	→		←		
	→		←		
	→		←		
	→		←		
	→		←		
	→		←		
	→		←		

6.3 LES SCÉNARIOS TYPES

◆ Après avoir suivi la démarche qui précède, il vous reste un bon nombre de leviers et d'obstacles sur lesquels agir.

▶ Vous devriez les inscrire dans le tableau 6.3, page 115, et poursuivre votre préparation du changement, en vous concentrant sur ces forces qui constitueront désormais les « cibles » sur lesquelles devront porter vos mesures de gestion. Vous pouvez aller directement à la section 6.4.

◆ Après avoir suivi la démarche qui précède, il vous reste peu de leviers et d'obstacles sur lesquels agir.

▶ Vous êtes malheureusement dans une situation difficile, car les cibles que vous pouvez viser sont limitées. En conséquence, votre action risque d'avoir une portée limitée, et il vous sera difficile d'atteindre la situation souhaitée.

Dans ce contexte, quelles options se présentent à vous ?

1) Vous pouvez tirer la conclusion que votre marge de manœuvre est trop limitée pour qu'il vaille la peine de consacrer des énergies à cette situation et, du moins pour l'instant, mettre de côté *votre projet de changement*. Si c'est le cas, vous pouvez toutefois travailler à faire apparaître dans votre organisation des conditions qui seront éventuellement plus favorables.

2) Bien que votre marge de manœuvre soit limitée, vous pouvez reprendre l'analyse du champ de forces et retenir, cette fois, des leviers et obstacles « moins importants ». Vous pourrez peut-être atteindre des résultats intéressants en agissant sur plusieurs leviers et obstacles dont l'importance est limitée. Il faut alors être conscient que même si vous pouvez améliorer la situation, les résultats risquent d'être plus modestes que ceux que vous auriez initialement souhaités.

Après avoir choisi les forces que vous voulez retenir, vous devrez les inscrire dans le tableau 6.3, page 115, et poursuivre votre préparation du changement, en vous concentrant sur ces leviers et obstacles. Ils constitueront désormais les « cibles » sur lesquelles vont porter vos mesures de gestion.

3) Bien que la conjoncture vous place dans une situation difficile, vous pouvez choisir de forcer le jeu et d'aller de l'avant. Ou encore, **il se peut que vous n'ayez pas le choix et que vous deviez**

passer à l'action de toute façon. Vous serez sans doute exposé à des difficultés importantes, car les leviers et les obstacles sur lesquels vous avez de la prise sont limités. Néanmoins, vous pourrez probablement faire avancer un peu la situation; mais il vous faudra disposer d'un pouvoir officiel ou informel très élevé (ou compter sur des appuis importants), sinon vos efforts seront sans effet réel, et votre crédibilité comme votre légitimité en souffriront.

Si vous accomplissez une charge qui vous a été confiée à un niveau supérieur et si, après l'analyse du champ de forces, vous prévoyez des perspectives plutôt défavorables, vous devriez faire part de votre analyse à votre supérieur hiérarchique afin de voir s'il est toujours pertinent d'aller de l'avant. Dans l'affirmative, vous serez tout au moins lucides l'un et l'autre quant aux difficultés qui vous attendent.

Si cela s'avère pertinent, vous pouvez réviser la description de la situation souhaitée.

La situation souhaitée « une fois révisée »

Tableau 6.3 SOMMAIRE DES CIBLES ET DES OBJECTIFS D'ACTION

▶ Inscrivez les leviers et obstacles sur lesquels vous avez décidé d'agir
(désormais les cibles du changement).

Les cibles de changement choisies	Résultats à atteindre (objectifs)	Terme
		court moyen long
		court moyen long
		court moyen long
		court moyen long
		court moyen long
		court moyen long
		court moyen long
		court moyen long
		court moyen long
		court moyen long

▶ *Transcrivez vos cibles de changement*
dans le tableau 10.6 du module 10, page 190.

▶ *Transcrivez vos objectifs dans*
le tableau 10.3 du module 10, page 185.

6.4 LES OBJECTIFS À ATTEINDRE

Autant pour disposer d'une feuille de route que pour pouvoir faire connaître facilement vos objectifs à vos collègues et collaborateurs, vous avez avantage à préciser vos objectifs. Il ne s'agit pas ici de s'engager dans un exercice bureaucratique visant à rédiger un document élégant. Il s'agit plutôt de préciser **les résultats qui devront être atteints** pour chacune des cibles choisies afin que le changement se produise.

Dans la perspective du champ de forces, vos objectifs devraient permettre :

- de diminuer l'intensité des obstacles ou d'éliminer leur présence ;
- d'accroître l'intensité des leviers ;
- d'ajouter des leviers pouvant modifier l'équilibre existant.

A. Concrètement, vis-à-vis de chacune des cibles du tableau précédent (6.3), indiquez brièvement (dans la colonne «résultats à atteindre») le résultat qu'il faudrait atteindre par des mesures qui seront précisées plus loin.

B. Vous pouvez aussi dès maintenant indiquer si ce résultat recherché doit être atteint à court, à moyen ou à long terme. Pour le déterminer, on doit voir si *logiquement* ou *stratégiquement* certains objectifs devraient avoir été atteints avant que d'autres puissent l'être.

MODULE 7

L'ANALYSE DES RÉSISTANCES ÉVENTUELLES

*Comment agir face
à la résistance au changement?*

CE MODULE TRAITE DES QUESTIONS SUIVANTES :

Quels facteurs agissent sur l'apparition et l'intensité
des résistances au changement ?

◆

Comment peut-on s'y prendre pour atténuer les difficultés
liées à la résistance au changement ?

Une des principales raisons de s'intéresser à la gestion du changement est l'existence des fameuses « résistances ». Même si l'être humain a la capacité de s'adapter à des situations nouvelles, donc de changer, c'est une chose qu'il cherche habituellement à éviter. Cela, en effet, consomme beaucoup d'énergie et expose la personne à des expériences peu gratifiantes, à court terme du moins. En conséquence, si on veut maximiser ses chances de réussite, on gagne à être attentif aux facteurs qui influencent l'apparition des résistances.

7.1 L'ADAPTATION AU CHANGEMENT

Les perturbations associées à un effort de changement provoquent presque toujours, bien qu'à des degrés divers, des difficultés d'adaptation chez les destinataires. C'est là un phénomène tout à fait normal et parfois même sain. Chacun a été amené un jour ou l'autre à résister à un changement qu'il jugeait indésirable; chacun peut aussi trouver dans son expérience personnelle des propositions de changement qui ont été battues en brèche par des résistances, pour le plus grand bien de tous...

On peut définir la résistance au changement comme une *réaction de défense*[1] à l'endroit d'une proposition de changement.

Les résistances commencent habituellement à se manifester dès que s'amorce le changement et souvent elles persistent, avec plus ou moins d'intensité, durant tout le processus d'implantation (et parfois après).

Elles sont souvent présentées comme des réactions mal intentionnées et, en conséquence, indésirables, illégitimes. Pourtant les résistances constituent une *réaction normale* et tout à fait légitime; il est normal en effet de réagir défensivement lorsque son environnement est perturbé, et il est encore plus normal de réagir défensivement lorsque ses propres habitudes le sont. En fait, la résistance à une volonté de changement peut, dans certains cas, constituer un indice de santé et de vitalité dans un système. À l'inverse, l'adhésion au changement peut, en certaines circonstances, cacher une carence importante de sensibilité ou de vitalité chez les membres d'une organisation.

Dans une certaine mesure, les résistances au changement sont fonctionnelles. Elles permettent d'exprimer les sources de tension éveillées par le changement que l'on cherche à introduire. Elles constituent aussi une source d'informations précieuse pour prendre des décisions éclairées et faire les gestes appropriés. Les résistances peuvent exprimer divers types de réactions; voici les plus fréquents:

♦   Les personnes ressentent un déséquilibre: «Je ne sais pas comment réaliser le changement; je ne dispose pas des outils ou des ressources nécessaires; je suis démuni.»

---

1. COLLERETTE, P. et DELISLE, G. *Le changement planifié*. Agence d'Arc, Montréal, 1984. Chap. 7.

◆ Le changement produit des effets secondaires indésirables (réels ou imaginaires): «Le nouveau fonctionnement aura pour effet de créer des conflits avec les partenaires.»

◆ L'intégration aux autres dimensions du quotidien pose des problèmes: «Dans les circonstances actuelles, je ne suis pas capable d'adopter cette nouvelle approche et de continuer à assumer mes autres obligations quotidiennes.»

◆ Les résultats obtenus ou escomptés ne sont pas probants: «Je ne vois pas en quoi cette approche améliore vraiment le service aux clients.»

◆ Les personnes ne voient pas la pertinence du changement: «Les gens qui ont conçu le plan n'ont pas compris les besoins de notre clientèle.»

◆ Le changement suscite des oppositions idéologiques: «L'approche repose sur des valeurs et des idées qui sont en conflit avec ma conception des services au public.»

Les trois premiers phénomènes traduisent des réactions d'adaptation; elles ne portent pas sur le contenu du changement, mais plutôt sur la façon de l'introduire. Les trois autres traduisent des réactions d'opposition: elles portent bien sur le contenu même du changement.

Mais d'où viennent les résistances au changement?

7.2 LES FACTEURS QUI INFLUENT SUR L'INTÉGRATION D'UN CHANGEMENT

Les réactions à un changement peuvent être suscitées par plusieurs facteurs, qui auront des conséquences différentes. Voici ceux qui sont les plus susceptibles d'influer sur l'intégration d'un changement.

7.2.1 Les modalités de mise en œuvre

Au-delà du nouveau mode de fonctionnement lui-même, les modalités de sa mise en œuvre peuvent comporter des aspects qui susciteront de l'irritation et même de l'hostilité. Voici quelques exemples:

◆ on réagit défensivement quand on croit être diminué ou méprisé, tant sur le plan personnel que sur le plan professionnel;

◆ on peut réagir négativement au moyen qui est utilisé;

♦ on peut juger que l'on ne dispose pas des moyens appropriés et du temps nécessaire pour intégrer le nouveau mode de fonctionnement ;

♦ le peu de crédibilité dont jouissent les promoteurs du nouveau mode de fonctionnement nuit à l'accueil qui lui est réservé.

▶ *Répondez aux questions du tableau 7.1[2].*

Tableau 7.1   MODALITÉS DE MISE EN ŒUVRE

▶ **Placez un ✔ vis-à-vis de votre choix**

Facteurs	*Peu*	*Un peu*	*Plutôt*	*Beaucoup*
Votre attitude montre-t-elle que vous avez de l'estime pour les destinataires ou que vous appréciez leur compétence ?				
Les moyens que vous songez à utiliser pour promouvoir le changement sont-ils compatibles avec la culture des destinataires (documents, style, mécanismes, etc.) ?				
Les moyens pour implanter le changement sont-ils adéquats ?				
Le temps accordé aux destinataires pour intégrer le changement est-il suffisant ?				
Votre crédibilité ou celle des promoteurs du changement est-elle grande ?				
Score[3] :	× 4 =	× 3 =	× 2 =	× 1 =
Total A :	( ) ÷ 5 = somme			/ 4

▶ **Inscrivez le résultat à la ligne A du tableau 7.8 de la page 130.**

---

2. Pour apprécier correctement l'impact du changement sur les membres de votre organisation, vous auriez probablement avantage à comparer vos perceptions avec celles de collègues.

3. Pour obtenir le total, additionnez dans chaque colonne le nombre de crochets et multipliez le résultat par le chiffre indiqué dans la case. Ensuite, additionnez les scores obtenus dans chaque case pour avoir la somme. Enfin, divisez la somme obtenue par le nombre de facteurs, soit 5. Le résultat doit être reporté dans la case de droite.

Mesures utiles en rapport avec les modalités de mise en œuvre

◆ On doit s'assurer de fournir aux destinataires les moyens de procéder effectivement et efficacement à la mise en œuvre.

◆ On prévoit des activités de perfectionnement ou d'initiation aux nouvelles pratiques. Elles sont pertinentes et en nombre suffisant.

◆ On accorde un temps raisonnable pour apprendre à maîtriser les nouvelles pratiques.

◆ On prévoit des moments et des mécanismes d'ajustement pour calmer les appréhensions quant aux imprévus.

▶ *Inscrivez les moyens choisis dans le tableau 7.9 de la page 132.*

7.2.2   La perception des besoins et des réactions de la clientèle

Si le changement proposé correspond à la perception que les destinataires se font des besoins et attentes des clients, il leur paraîtra alors « adapté ». Dans le cas contraire, le nouveau mode de fonctionnement leur paraîtra inadapté ou inopportun.

▶ *Répondez à la question du tableau 7.2.*

Tableau 7.2   PERCEPTION DES BESOINS ET RÉACTIONS DE LA CLIENTÈLE

▶ Placez un ✔ vis-à-vis de votre choix

Facteurs	*Peu*	*Un peu*	*Plutôt*	*Beaucoup*
Le changement proposé concorde-t-il avec la perception que les destinataires ont des besoins et des réactions de la clientèle ?				
Score :	× 4 =	× 3 =	× 2 =	× 1 =
Total B :				/ 4

▶ Inscrivez le résultat à la ligne B du tableau 7.8 de la page 130.

Mesures utiles liées à la perception des besoins et des réactions de la clientèle

- ◆ On peut réaliser des études, même sommaires, pour montrer ce que sont les véritables besoins et réactions de la clientèle, et ainsi ébranler les préjugés.

- ◆ On peut permettre aux destinataires d'aller voir ailleurs comment on se comporte avec la clientèle et ainsi leur faire connaître d'autres façons de faire.

- ◆ On peut constituer des groupes de travail qui incluent des clients, pour examiner les pratiques.

▶ *Inscrivez les moyens choisis dans le tableau 7.9 de la page 132.*

7.2.3 Les facteurs idéologiques

La mise en œuvre d'un changement, surtout lorsqu'il comporte d'importantes répercussions, peut déclencher chez les destinataires toute une série de conflits et de tensions qui appartiennent à l'univers des valeurs et des idées. C'est notamment ce qui pourrait se produire si un nouveau mode de fonctionnement était fondé sur une conception des services qui n'était pas conforme à celle des destinataires. À l'inverse, la coïncidence entre leurs valeurs personnelles et celles véhiculées par le changement contribuera non seulement à réduire les tensions, mais aussi à créer une certaine ouverture au changement.

▶ *Répondez à la question du tableau 7.3.*

Tableau 7.3 FACTEURS IDÉOLOGIQUES

▶ Placez un ✔ vis-à-vis de votre choix

Facteurs	Peu	Un peu	Plutôt	Beaucoup
Les valeurs et les idées sur lesquelles repose le changement proposé s'harmonisent-elles avec celles de la plupart des membres de l'organisation ?				
Score :	× 4 =	× 3 =	× 2 =	× 1 =
Total C :				/ 4

▶ **Inscrivez le résultat à la ligne C du tableau 7.8 de la page 130.**

Mesures utiles en rapport avec les facteurs idéologiques

Les réactions idéologiques sont probablement les plus difficiles à traiter. En effet, elles sont souvent liées à des systèmes de croyances profondément enracinés et, en général, elles sont portées par l'environnement social de l'individu. On peut néanmoins recourir à certaines mesures. Habituellement, deux leviers différents peuvent être utilisés : le premier est de nature fondamentale, le second est de nature stratégique.

♦ Sur le plan fondamental, il faut bien comprendre que les réactions idéologiques s'appuient sur des idées qui ne sont pas toujours conformes aux faits. Aussi, une des façons de réagir est d'informer les gens (les «instruire») sur les faits qui appuient votre analyse de la situation et sur ceux qui peuvent ébranler les idées dysfonctionnelles. **On sous-estime parfois l'importance du fait que l'on a mis soi-même des mois et parfois des années à se faire une opinion sur un sujet, et on voudrait que les autres l'acceptent en quelques jours.** Il faut aussi leur donner la possibilité de se refaire un autre système d'idées.

♦ Sur le plan stratégique, on perd habituellement son temps à vouloir «convertir» les individus qui ont une vision de la réalité diamétralement opposée à la sienne. On a plutôt avantage à orienter son action vers ceux dont les opinions sont moins cristallisées ou moins éloignées, dans la perspective de constituer et de maintenir une masse critique de supporteurs.

▶ *Inscrivez les moyens choisis dans le tableau 7.9 de la page 132.*

7.2.4 Les facteurs psychosociaux

La vie des individus au sein des organisations est influencée par plusieurs phénomènes sociaux «subtils». Ces phénomènes se traduisent notamment par des pressions à la conformité qui sont plus ou moins fortes selon les milieux et les circonstances. Les réactions des personnes sont conditionnées en partie par les tendances qui se dessinent au sein des groupes dont elles sont membres. Voici quelques-unes des pressions les plus courantes :

♦ la vie quotidienne est régie par des normes sociales qui dictent les comportements acceptables. La crainte que ces normes soient perturbées par l'introduction de nouvelles façons de faire pourrait susciter des réactions défensives ;

- ◆ la cohérence qui s'était établie dans le fonctionnement peut être ébranlée par un nouveau mode de fonctionnement;

- ◆ les intérêts et les privilèges de groupes particuliers peuvent être remis en question;

- ◆ le prestige ou le statut de certains peuvent être soit diminués, soit renforcés, ce qui peut susciter des réactions d'appui ou de rejet à l'égard du nouveau mode de fonctionnement.

▶ *Répondez aux questions du tableau 7.4.*

Tableau 7.4   FACTEURS PSYCHOSOCIAUX

▶ Placez un ✔ vis-à-vis de votre choix

Facteurs	*Peu*	*Un peu*	*Plutôt*	*Beaucoup*
Les nouvelles façons de faire viendraient-elles modifier les normes sociales (la culture) qui existent dans l'organisation?				
Les nouvelles façons de faire viendraient-elles ébranler l'équilibre existant entre les sous-groupes ou entre les individus?				
Les intérêts ou les privilèges d'individus ou de groupes particuliers sont-ils compromis par le changement projeté?				
Le prestige ou le statut de certains membres de l'organisation seront-ils diminués par le changement?				
Score:	$\times\,1 =$	$\times\,2 =$	$\times\,3 =$	$\times\,4 =$
Total D:	( ) $\div\,4 =$ somme			/ 4

▶ Inscrivez le résultat à la ligne D du tableau 7.8 de la page 130.

Mesures utiles en rapport avec les facteurs psychosociaux

- ◆ Dans la mesure du possible, on permettra aux gens d'avoir une influence sur le projet, spécialement pour leur permettre de l'adapter à leur situation.

◆ On veillera à utiliser un langage, des images et des moyens qui respectent la culture de l'organisation, à moins que l'on cherche précisément à s'en démarquer...

◆ On s'efforcera de trouver dans le milieu (interne comme externe) des appuis crédibles aux yeux des destinataires. Ainsi, on limitera la perturbation dans les dynamiques sociales.

◆ Certains profiteront de l'occasion du changement pour engager une épreuve de force n'ayant rien à voir avec le changement (règlement de compte, protection de son territoire, etc.). Il n'y a pas de moyen simple pour traiter ces jeux de pouvoir, mais habituellement on gagne à ne pas y céder. On peut négliger ces interventions, pour les banaliser (si c'est possible), ou encore on peut les démasquer pour les neutraliser.

◆ On évitera de porter des jugements négatifs sur les pratiques du passé, de même que des jugements de valeur sur les individus identifiés aux pratiques que l'on cherche à corriger.

◆ En général, les attitudes de mépris alimentent les résistances au lieu de les amoindrir. En contrepartie, la franchise peut heurter sur le coup, mais permet à la longue des rapports sains et souvent productifs.

◆ Bien que le terme ait été utilisé à toutes les sauces, la «transparence» suscite normalement plus de respect et d'esprit de partenariat que l'action menée dans le secret; elle exige cependant le courage de faire face aux réactions qu'elle suscite.

▶ *Inscrivez les moyens choisis dans le tableau 7.9 de la page 132.*

7.2.5 Les facteurs motivationnels

Comme nous l'avons expliqué au module 5, la réceptivité au changement provient habituellement de trois grandes sources:

◆ des difficultés, des problèmes ou des insatisfactions liés aux pratiques en usage;

◆ la perspective de gratifications importantes associées au changement projeté;

◆ l'encouragement d'un leader d'opinion.

Moins ces facteurs seront présents, moins les destinataires verront la pertinence du changement et plus ils résisteront.

▶ *Répondez aux questions du tableau 7.5 de la page 126.*

Tableau 7.5 FACTEURS MOTIVATIONNELS

▶ Placez un ✔ vis-à-vis de votre choix

Facteurs	*Peu*	*Un peu*	*Plutôt*	*Beaucoup*
Les destinataires vivent-ils des problèmes ou des insatisfactions dans la situation actuelle?				
Les destinataires peuvent-ils espérer obtenir des gratifications importantes par suite du changement projeté?				
Les leaders d'opinion appuient-ils activement le changement?				
Score:	× 4 =	× 3 =	× 2 =	× 1 =
Total E:	( ) ÷ 3 = somme			/ 4

▶ Inscrivez le résultat à la ligne E du tableau 7.8 de la page 130.

Mesures utiles en rapport avec les facteurs motivationnels

Sans reprendre en détail ce qui a déjà été exposé dans le module 5, rappelons que le changement sera peu attrayant s'il ne fournit pas de solutions aux problèmes qu'éprouvent les destinataires ou s'il ne leur offre pas d'avantages significatifs.

♦ Lorsque ce sera possible, on cherchera à intégrer au contenu du changement des éléments qui permettent de corriger des problèmes vécus par les destinataires.

♦ On peut mettre davantage en relief les dysfonctions ou les lacunes de la situation que l'on cherche à modifier.

♦ On peut mettre en valeur les avantages que les destinataires tireront du changement. Mais attention: il faudra aussi signaler les désavantages que l'on prévoit, car vous serez discrédités si vous refusez de voir (ou d'admettre) les inconvénients possibles.

♦ On cherche à entretenir des relations ouvertes avec les leaders du milieu, on les tient informés et on sollicite leur collaboration. On examine avec eux les problèmes qu'ils soulèvent pour y trouver des solutions qui ne diluent pas les objectifs fondamentaux poursuivis.

▶ *Inscrivez les moyens choisis dans le tableau 7.9 de la page 132.*

7.2.6 Les facteurs de personnalité

Des facteurs liés à notre fonctionnement comme personne humaine peuvent influer sur notre réaction devant un changement. À cet égard, retenons surtout ces quelques points :

- ◆ les habitudes acquises sont difficiles à abandonner ;

- ◆ la peur de l'inconnu rend méfiant ;

- ◆ les gestes qu'on maîtrise procurent plus de satisfaction que ceux qu'on ne maîtrise pas ;

- ◆ il est difficile d'abandonner des pratiques qui nous ont réussi dans le passé ;

- ◆ les gens se sont parfois tellement identifiés à la situation qui doit changer qu'ils ont l'impression d'y laisser une partie d'eux-mêmes.

▶ *Répondez aux questions du tableau 7.6.*

Tableau 7.6 FACTEURS DE PERSONNALITÉ

▶ Placez un ✔ vis-à-vis de votre choix

Facteurs	*Peu*	*Un peu*	*Plutôt*	*Beaucoup*
Les destinataires ont-ils acquis des habitudes, des automatismes dans le fonctionnement actuel ?				
Le projet de changement comporte-t-il des inconnues pour les destinataires ?				
Les destinataires maîtrisent-ils les compétences ou habiletés que vous cherchez à modifier ?				
Le changement modifierait-il des pratiques qui présentement valorisent les destinataires ?				
Les pratiques ou les méthodes que vous voulez modifier ont-elles été instaurées par les personnes qui devront vivre le changement ?				
Score :	$\times 1 =$	$\times 2 =$	$\times 3 =$	$\times 4 =$
Total F :	( ) $\div 5 =$ somme			/4

▶ Inscrivez le résultat à la ligne F du tableau 7.8 de la page 130.

Mesures utiles liées aux facteurs de personnalité

Il n'est évidemment pas question d'utiliser ici une perspective théra-peutique. Par ailleurs, il ne faudrait pas non plus nier les aspects affec-tifs de la réalité. En fait, on tentera d'agir sur ce qui a un impact sur la stabilité émotionnelle des individus, tout en se rappelant ceci : les individus doivent ressentir un certain degré de « déséquilibre » pour véritablement s'engager dans un changement.

◆ On peut écouter ce que les destinataires ont à dire et on peut même montrer de l'empathie pour les difficultés qu'ils expriment. On leur permet ainsi de ventiler la charge affective qu'ils ressen-tent et de voir que l'on n'est pas insensible aux difficultés d'adap-tation qu'ils connaissent.

◆ On peut offrir aux gens la possibilité de réagir au projet de chan-gement aux diverses étapes de sa conception afin d'obtenir leur contribution, mais aussi afin de leur permettre de se familiariser avec lui et éventuellement de se l'approprier.

◆ On peut ralentir le rythme d'implantation si on s'aperçoit qu'on a atteint un seuil de saturation, ou encore on peut l'accélérer si on constate que les gens anticipent et versent dans la fabulation ; la réalité fait parfois moins mal que les appréhensions qu'on éprouve à son sujet.

◆ Si c'est possible, on peut s'efforcer de minimiser les inconnues et de diminuer ainsi les sources d'insécurité. Par exemple, il faut être capable de montrer concrètement aux gens ce qu'ils devront faire différemment pour actualiser le changement. Si on ne le peut pas, on pourra faire participer les destinataires à des exercices visant à concrétiser le changement recherché.

◆ Pour accepter d'aller vers l'inconnu, il faut d'ordinaire avoir con-fiance en son guide. En conséquence, on devra choisir des colla-borateurs en qui les destinataires ont confiance et on évitera les incidents qui viendraient ternir l'image publique du projet.

◆ On peut prévoir des mécanismes permettant de réviser les choses pendant et après l'implantation, ce qui rassurera les gens sur le fait qu'ils ne resteront pas prisonniers d'éventuels effets pervers ou d'éventuelles dysfonctions.

▶ *Inscrivez les moyens choisis dans le tableau 7.9 de la page 132.*

7.2.7 Les facteurs cognitifs

Les individus disposent de structures cognitives (modes de pensée) qui sont très efficaces dans certains contextes et complètement inadaptées dans d'autres. Par exemple, certains individus ont besoin d'un cadre de travail très stable, alors que d'autres ont besoin de diversité ; certains veulent des directives strictes, d'autres demandent de l'autonomie ; certains fonctionnent bien en interaction avec leur entourage, alors que d'autres préfèrent être seuls.

Ces structures cognitives, habituellement acquises avant la vie adulte, sont profondément enracinées et en conséquence particulièrement difficiles à changer.

▶ *Répondez à la question du tableau 7.7.*

Tableau 7.7 FACTEURS COGNITIFS

▶ Placez un ✔ vis-à-vis de votre choix

Facteurs	*Peu*	*Un peu*	*Plutôt*	*Beaucoup*
Les membres de l'organisation ont-ils un mode de fonctionnement (structure cognitive) compatible avec le changement proposé ?				
Score :	× 4 =	× 3 =	× 2 =	× 1 =
Total G :				/ 4

▶ Inscrivez le résultat à la ligne G du tableau 7.8 de la page 130.

Mesures utiles liées aux facteurs cognitifs

◆ Il est difficile d'agir directement sur la structure cognitive des individus. Le recours à des activités de formation peut parfois être utile, mais il arrive que les personnes qui ont un mode de fonctionnement incompatible avec les exigences du changement réagissent défensivement ou passivement, et finalement en retirent peu de choses.

◆ Dans certains cas, on peut fournir un appui et même un encadrement plus personnalisé et plus soutenu. Cela demande bien sûr du temps, mais parfois ce peut être rentable.

♦ Lorsqu'on le pourra, on tentera de déplacer les personnes dont l'adaptation est particulièrement difficile vers d'autres fonctions ou d'autres services, non pas pour les punir, mais pour utiliser leurs capacités de façon optimale et du même coup les empêcher de répandre le défaitisme.

♦ Il faudra peut-être accepter que quelques individus deviennent marginaux ou insatisfaits. Le simple fait de le reconnaître peut contribuer à dédramatiser la situation.

▶ *Inscrivez les moyens choisis dans le tableau 7.9 de la page 132.*

7.3 L'INDICE DE RÉSISTANCE AU CHANGEMENT

À partir des scores obtenus pour les différents facteurs, on peut établir un indice général de résistance au changement. Celui-ci permet de prévoir l'intensité de la résistance. Dans le tableau 7.8, inscrivez le score obtenu pour chacun des facteurs et divisez par le nombre de facteurs que vous avez pondérés pour obtenir l'indice général.

TABLEAU 7.8 L'INDICE GÉNÉRAL DE RÉSISTANCE AU CHANGEMENT

▶ **Inscrivez les scores que vous avez obtenus aux pages précédentes.**

	Scores
A. Les modalités de mise en œuvre	/ 4
B. La perception des besoins et des réactions de la clientèle	/ 4
C. Les facteurs idéologiques	/ 4
D. Les facteurs psychosociaux	/ 4
E. Les facteurs motivationnels	/ 4
F. Les facteurs de personnalité	/ 4
G. Les facteurs cognitifs	/ 4
Total des scores ÷ le nombre de facteurs pondérés	÷ (*n*) = / 4

Les repères qui suivent permettent de situer le niveau de résistance au changement qu'une vue réaliste des choses vous permet d'attendre dans votre organisation.

1,0   à   1,5 / 4   → résistance faible à nulle,

1,6   à   2,5 / 4   → résistance modérée,

2,6   à   3,5 / 4   → résistance marquée,

3,6   à   4,0 / 4   → résistance élevée.

Les facteurs dont le score est proche de 4 sont ceux sur lesquels votre attention devrait surtout porter, car ce sont ceux qui contribuent le plus à l'apparition des résistances.

7.4 DES MESURES POSSIBLES

Chacune des mesures proposées dans les pages précédentes est habituellement insuffisante, à elle seule, pour obtenir des résultats significatifs. Toutefois, la combinaison de quelques-unes peut avoir des effets d'entraînement positifs. La plupart de ces mesures n'ont pas un caractère technique ; elles concernent principalement les réactions des personnes.

Rappelons que l'on peut difficilement introduire un changement sans se heurter à des résistances. Rappelons également que les résistances peuvent être un signe de vitalité des membres de l'organisation. Ajoutons que l'absence de résistances explicites peut cacher des résistances passives qui, parfois, peuvent être plus nuisibles. En effet, comme elles ne sont pas facilement perceptibles, on ne sait pas avec quoi on traite, ce qui peut entraîner des surprises désagréables.

On peut rarement écarter toutes les résistances au changement, et ce n'est pas nécessaire non plus ; l'important est d'obtenir une *masse critique de supporteurs*. Pour y arriver, il faudra travailler surtout à atténuer les résistances probables et être prudent pour éviter d'en provoquer l'émergence. De façon générale, on devrait observer moins de résistances si on fournit aux destinataires des moyens de s'adapter au changement.

Tableau 7.9 **MOYENS CHOISIS POUR AGIR SUR LES RÉSISTANCES OU POUR LES PRÉVENIR**

▶ Inscrivez les moyens que vous avez choisis pour atténuer les résistances que vous prévoyez.

Quant aux...	*Moyens choisis*
Modalités de mise en œuvre	
Perceptions des besoins et des réactions de la clientèle	
Facteurs idéologiques	
Facteurs psychosociaux	
Facteurs motivationnels	
Facteurs de personnalité	
Facteurs cognitifs	

▶ Transcrivez ces moyens dans la colonne «moyens» du tableau 10.3 du module 10, page 185.

7.5 LES SOLUTIONS DE RECHANGE

◆ Il peut arriver, pour différentes raisons, que l'on ne puisse diminuer les résistances au changement et qu'il faille quand même aller de l'avant. Il faut alors s'engager dans des rapports de force et faire face à l'adversité; cette opération sera possible si vous disposez d'une légitimité (autorité) et d'une crédibilité (leadership) suffisantes. Il faut cependant être réaliste et vous attendre à de la soumission (plutôt qu'à de la motivation), habituellement caractérisée par la passivité ou l'irritation. Il se peut également qu'au moment de l'implantation vous deviez consacrer beaucoup d'énergie, tant pour **contrôler les comportements** que pour corriger les divers problèmes qui surgissent.

Dans l'éventualité où vous décideriez d'imposer le changement en dépit des résistances, vous y gagneriez habituellement en crédibilité si les résultats du changement s'avéraient probants, mais vous y perdriez considérablement si, au contraire, les résultats étaient minces.

◆   Il peut aussi arriver que, pour toutes sortes de raisons, on ne veuille pas consacrer de temps aux résistances et que l'on choisisse de prendre le risque d'aller de l'avant. Dans ce cas, le danger d'échec est élevé, sans compter que les obstacles peuvent être nombreux, ce qui peut faire sombrer l'organisation soit dans l'inertie totale, soit dans un état de crise.

Mais c'est parfois la voie à emprunter, surtout dans les cas où l'on doit faire un changement en « rupture » avec le passé (changer de vocation ou de paradigme par exemple) ou encore dans le cas d'un changement subit, imposé à partir du sommet ou de l'extérieur. On connaîtra alors des difficultés importantes, et une grande partie de l'énergie devra être consacrée à s'occuper des réactions négatives et à corriger les effets secondaires indésirables.

LA PRÉPARATION DU CHANGEMENT

Comment orchestrer l'action?

INTRODUCTION

Cette partie examine les trois dimensions auxquelles on doit s'intéresser pour être bien préparé à mettre en œuvre un projet de changement. Elle constitue en quelque sorte une transition entre l'analyse de la situation et la gestion même du changement.

Elle examine la position des acteurs stratégiques pour en faire une «carte», qui permettra de déterminer ceux qui devraient collaborer (de diverses façons) et ceux auprès de qui il faudrait intervenir. Elle propose une méthode pour choisir l'approche de gestion qui serait la mieux adaptée à la situation particulière. Enfin, elle fournit un modèle simple pour établir le plan d'action à suivre en vue de mettre en œuvre le changement.

A. Mise en contexte

Si vous n'avez pas fait l'une ou l'autre des étapes précédentes, vous devriez préciser ici la situation à modifier. Il s'agit de formuler en termes concrets les caractéristiques de la situation actuelle que vous souhaitez voir changer ou qu'on vous a chargé de changer.

Vous devez ensuite décrire la situation souhaitée, c'est-à-dire ce que concrètement vous espérez que devienne la situation dans votre organisation, à la suite du changement. Plus vous serez concret, plus ce sera facile ensuite.

La situation à modifier

La situation souhaitée

B. Qui associer à la préparation du changement?

Il est généralement reconnu que le choix entre une approche directe et une approche participative doit être dicté par les caractéristiques de la situation. Autant une approche peut se révéler efficace si elle est utilisée dans des circonstances pour lesquelles elle est appropriée, autant elle peut être inefficace et même dommageable si elle est utilisée dans des situations où elle n'est pas adaptée. Le tableau A propose une série de critères permettant de déterminer les personnes ou groupes qu'il serait utile d'associer à la préparation du changement. Il se peut que les personnes à associer diffèrent d'un module à l'autre.

Tableau A CRITÈRES POUR DÉTERMINER LES PERSONNES OU GROUPES À ASSOCIER À LA PRÉPARATION DU CHANGEMENT

▶ Encerclez le choix qui correspond le mieux à votre situation.

Critères	Pôles	Approche optimale
Le gestionnaire dispose-t-il de toutes les informations nécessaires pour se faire une opinion éclairée sur les réactions des membres de l'organisation face au changement ?	Oui[1]	– Le gestionnaire peut agir seul.
	Non	– Associer des gens qui vivent la situation à changer[2]. – Associer des gens qui devront participer à la mise en œuvre. – Associer des clients. – Associer des pairs de l'organisation.
Le changement envisagé peut-il avoir des incidences significatives sur la qualité des services, des politiques ou des pratiques ?	Non	– Le gestionnaire peut agir seul.
	Oui	– Associer des gens qui seront affectés par ce changement. – Associer des gens qui devront participer à sa mise en œuvre. – Associer des pairs dont les services seront concernés. – Associer des partenaires.
La légitimité (autorité) et la crédibilité (leadership) du gestionnaire sont-elles élevées ?	Oui	– Le gestionnaire peut agir seul.
	Non	– Associer des gens qui seront touchés par ce changement. – Associer des gens qui devront participer à sa mise en œuvre. – Associer des gens crédibles aux yeux des personnes concernées. – Associer des pairs.
La collaboration du personnel, des clients, des partenaires ou des pairs est-elle nécessaire pour assurer une implantation efficace ?	Non	– Le gestionnaire peut agir seul.
	Oui	– Associer les gens qui devront s'adapter aux nouvelles pratiques. – Associer les gens qui seront touchés par les nouvelles pratiques.
Le soutien du supérieur hiérarchique sera-t-il nécessaire pour préparer et implanter le changement ?	Non	– Le gestionnaire peut agir seul.
	Oui	– Tenir le supérieur informé et tenter de connaître ses réactions. – Tenter d'obtenir sa contribution.

1. La décision d'agir seul constitue un choix extrême ; les situations où l'on peut vraiment agir seul sont en effet rares. Il faut voir le « oui » et le « non » comme les pôles d'un continuum entre lesquels il y a des degrés. Le choix des approches doit donc être gradué en fonction de ces degrés.

2. On trouve au module 15 des outils qui peuvent être utilisés.

▶ *Indiquez combien de fois vous avez répondu: «Le gestionnaire peut agir seul».* _____ /5.

   ♦ Si votre score est près de 5/5, c'est une indication que vous pouvez procéder seul à la préparation du changement.

   ♦ Plus votre score est près de 0/5, plus vous devriez vous associer d'autres personnes pour préparer le changement.

   Est-il préférable que les gens soient associés officiellement ou de façon informelle?

   ♦ Faire participer les gens officiellement peut être utile sur le plan symbolique; cela présente cependant le désavantage de susciter de l'autocensure chez ceux qui ne veulent pas se prononcer en public, de sorte que la qualité de leur apport peut en souffrir.

   ♦ Faire participer les gens de façon informelle a l'avantage de mettre à contribution leurs idées, en limitant pour eux le risque de s'exposer à la critique; en contrepartie, cela ne permet pas d'apporter la caution publique dont on peut avoir besoin pour appuyer les idées proposées.

   De façon générale:

   ♦ on favorise une participation informelle pour les activités et discussions visant à enrichir le contenu de la préparation;

   ♦ on favorise une participation officielle pour les activités et discussions visant à accroître *l'acceptation* des moyens retenus.

▶ *Indiquez les acteurs ou les groupes que vous envisagez d'associer à la préparation de la gestion du changement. Indiquez également quelle contribution vous attendez de chacun.*

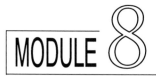

MODULE 8

LES ACTEURS

Y a-t-il une masse critique de supporteurs?

L'effort de changement consistera en partie à agir sur des outils, des méthodes, des installations, donc sur des aspects techniques. Mais il consistera aussi à agir sur des êtres humains, avec des êtres humains, et c'est souvent là que l'on éprouve les plus grandes difficultés.

CE MODULE TRAITE DES QUESTIONS SUIVANTES :

Quels sont les acteurs et les groupes stratégiques
dans l'organisation ?

◆

De quel côté penche la masse critique dans l'organisation ?

◆

Auprès de qui faut-il agir pour que le changement se produise ?

Pour jauger les forces en présence et faire des choix appropriés, il faut avoir une image claire de la position des acteurs de l'organisation en ce qui concerne le changement envisagé. Cette analyse nous amène à établir une carte stratégique qui présente la position actuelle des acteurs concernés par l'initiative de changement et la position souhaitable.

8.1 QUI INFLUENCER?

Pour obtenir l'adhésion des membres de votre organisation, il faudra travailler à les influencer. Vous devrez en fait amener le plus de gens possible non seulement à accepter votre proposition de changement, mais également à en devenir des supporteurs actifs.

Mais qui faut-il influencer?

Des études dans le domaine de la communication publique ont permis de comprendre que la circulation des idées dans un système social se fait selon un modèle intitulé « *two step flow communication*[1] ». Selon cette théorie[2], très souvent, les individus ne savent pas très bien comment réagir devant des idées nouvelles et ils ont, en conséquence, de la difficulté à se former une opinion claire et cohérente. Pour y arriver, ils se tournent vers les personnes crédibles *à leurs yeux*, par qui ils se laisseront volontairement « influencer ». Ces personnes crédibles sont ce qu'on appelle des leaders d'opinion. Dans votre organisation, ce sont les personnes qui sont respectées et écoutées par leurs collègues de travail; ces personnes peuvent aussi être à l'extérieur de l'organisation (groupes informels, associations professionnelles, syndicats, etc.). En définitive, cela signifie que les idées nouvelles qui circulent dans votre organisation sont « ré-interprétées » par les leaders d'opinion, qui à leur tour influencent leur entourage selon leur propre vision des choses.

On comprend rapidement l'importance de ce phénomène social: même si en apparence vous vous adressez à l'ensemble des personnes concernées par votre effort de changement, en réalité les leaders d'opinion seront les principaux capteurs de l'information, qu'ils traduiront ensuite à leurs *partisans*, en y ajoutant leurs propres nuances. Ainsi, **les leaders d'opinion agissent comme une sorte de filtre entre vous et les destinataires.**

---

1. Communication suivant une séquence en deux temps.
2. KRETCH, D., CRUTCHFIELD, R.S. et BALLACHEY, E.L. *Individual in Society*, McGraw-Hill, New York, 1962.

Figure 8.1 LA RÉCEPTION DES IDÉES NOUVELLES

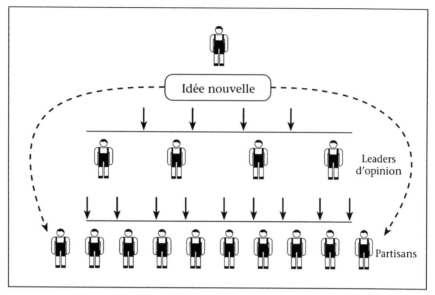

Il en découle deux conséquences pour l'action :

◆ Vous aurez avantage à tenter de convaincre les leaders d'opinion de la pertinence de votre proposition de changement. Ce sera économique, car si vous y arrivez, votre message circulera bien vers l'ensemble des destinataires et vous vous ferez peut-être même des alliés.

◆ Dans le cas contraire, ces leaders d'opinion sont susceptibles de créer une atmosphère d'adversité et vous serez dans l'obligation d'intensifier vos efforts de communication pour contrebalancer leur influence et réussir à convaincre le plus grand nombre possible d'*individus*.

8.2 DÉTERMINER QUI SONT LES LEADERS D'OPINION

Les leaders d'opinion sont des personnes sur qui les autres se fient pour se faire une opinion. Par définition, un leader est choisi volontairement par son entourage (ses partisans). Les leaders d'opinion ne sont donc pas nécessairement des autorités ; ce sont d'abord et avant tout des individus en qui les autres ont confiance. On les trouve à l'intérieur comme à l'extérieur du système. On les reconnaît habituellement aux caractéristiques suivantes:

- ◆ on va les voir pour obtenir des conseils;

- ◆ on les écoute spontanément lorsqu'ils s'expriment;

- ◆ on partage leur vision des choses (leurs partisans du moins);

- ◆ on cherche à maintenir des relations positives avec eux (on les respecte);

- ◆ on montre habituellement de l'intérêt pour les solutions ou les avenues qu'ils proposent.

Tableau 8.1   LES LEADERS D'OPINION DANS L'ORGANISATION

▶ Indiquez le nom des principaux leaders d'opinion dans votre organisation.

▶ Inscrivez leur nom dans le tableau 8.4 de la page 157.

8.3   LES LEADERS ET LES COALITIONS

Dans les activités quotidiennes, l'influence des leaders, donc les rapports de pouvoir, s'exprime par le biais de «coalitions». Ce phénomène, qui a été notamment documenté par Henry Mintzberg[3], signifie que **les gens ont tendance à se regrouper en cellules plus ou moins formelles et plus ou moins cohésives, gravitant autour de quelques**

---

3. MINTZBERG, Henry. *Le pouvoir dans les organisations*, Les Éditions d'Organisation, Paris, 1986.

individus qui agissent comme *leaders*. Dans un milieu donné, il peut y avoir plusieurs coalitions, qui ne sont d'ailleurs pas nécessairement étanches entre elles.

L'associant à la manipulation et aux manœuvres douteuses, certains voient dans cette expression une connotation négative. L'expression est toutefois utilisée ici dans son sens descriptif : elle sert à rendre compte des liens concrets qui se forment entre les personnes dans la réalité.

Les coalitions sont composées de personnes de l'organisation, mais elles peuvent s'étendre aussi à des individus qui sont à l'extérieur (par exemple, des associations syndicales, professionnelles, etc.). La composition des coalitions varie au fil du temps et des événements. Les rapports entre les coalitions peuvent osciller entre la coopération totale et le conflit extrême.

Figure 8.2   COALITIONS DANS UNE ORGANISATION

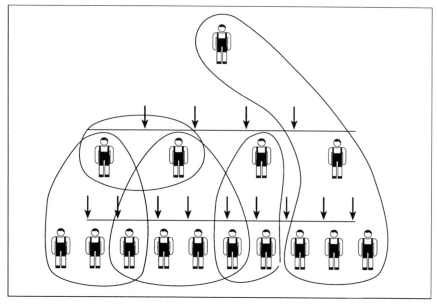

Selon cette conception des choses (qualifiée de conception politique), on trouve dans tout milieu une coalition qui tend à acquérir plus de pouvoir que les autres (ou qui cherche à le faire). On la désigne par le nom de *coalition dominante*; les autres sont appelées *coalitions dominées*.

Dans la mesure où le changement est considéré comme une tentative d'influencer l'organisation, le gestionnaire a tout avantage à faire partie de la coalition dominante, c'est-à-dire celle ayant le plus d'ascendant sur son entourage. Dans le cas contraire, il sera dans une situation difficile et aura sans doute besoin d'être associé à des acteurs externes qui pourront accroître sa *marge de pouvoir*, en bref de bons appuis, crédibles, aux niveaux supérieurs et latéraux.

Avant de plonger dans un projet de changement, il faut donc s'assurer d'être dans une position stratégique «sécuritaire». Pour cela, il faut disposer d'une vision claire et lucide de sa position.

8.4   L'ANALYSE DES COALITIONS DANS L'ORGANISATION

Dans le tableau 8.2 de la page 147, illustrez les coalitions que vous voyez dans votre organisation et indiquez votre position.

▶ *Êtes-vous associé à l'une de ces coalitions?*

    ♦ Oui → Est-ce une coalition dominante?

        ☐ Oui : Vous êtes dans une situation sécuritaire;
                → passez à 8.5.

        ☐ Non : ↓

    ♦ Non → Pouvez-vous compter sur un soutien explicite de votre supérieur hiérarchique?

        ☐ Oui : Bien que vous soyez vulnérable, vous êtes sans doute dans une situation viable si lui-même est bien soutenu et si la coalition dominante dans votre organisation n'est pas trop active; vous pouvez passer à 8.5.

        ☐ Non : Il se peut que vous éprouviez des difficultés à implanter le changement s'il est peu populaire. Dans cette éventualité, vous gagneriez à accroître votre marge de pouvoir, par exemple en vous faisant de nouveaux alliés ou en faisant des choses qui accroîtraient votre crédibilité.

Tableau 8.2 COALITIONS ACTIVES DANS L'ORGANISATION

▶ **Indiquez les noms des leaders et des acteurs dans les bulles.**

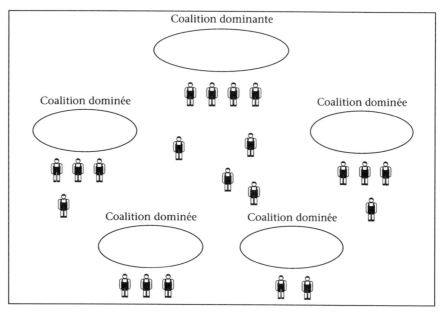

8.5 ATTEINDRE UNE MASSE CRITIQUE

En plus d'être dans une bonne situation sur le plan des rapports de pouvoir, **il faut aussi convaincre un nombre suffisant de personnes d'adhérer à l'idée de changement, c'est-à-dire bâtir une masse critique de supporteurs.**

Dans la perspective du champ de forces, plus il y aura de gens faisant figure de leviers, plus le changement sera facile à introduire ; à l'inverse, plus il y aura de gens faisant figure d'obstacles, plus le changement sera difficile à introduire. Le défi consiste alors à accroître le plus possible la proportion de gens constituant des leviers en vue d'atteindre une masse critique suffisante de supporteurs.

On peut toujours espérer rallier le consensus des acteurs, mais c'est souvent difficile et cela peut entraîner des délais que l'on ne peut pas toujours se permettre. On peut aussi ne pas vouloir s'embarrasser de ces considérations et décider d'aller de l'avant en s'appuyant sur son autorité. En plus d'être légitime, c'est certainement faisable, si l'on dispose effectivement d'une autorité bien établie. Mais il faut aussi en accepter les conséquences : le recours à l'autorité entraîne souvent la soumission, caractérisée par l'absence de motivation et le peu d'implication.

Définissons la notion de masse critique de supporteurs : *c'est le seuil à partir duquel le poids des supporteurs du changement dépasse celui des opposants.*

Il ne s'agit pas nécessairement d'une majorité, et c'est même rarement une majorité. En effet, il est rare que, dans un système, tous les membres se mobilisent pour ou contre une initiative. En général, *c'est une minorité de personnes qui se mobilisent* (dans un sens ou un autre) ; parce qu'elles sont actives, elles accaparent beaucoup d'attention, au point de laisser croire qu'elles représentent une masse importante. C'est le phénomène des « minorités agissantes » ; elles obtiennent ce qu'elles désirent à partir du moment où leur pression dépasse celle exercée par les rivaux. Si ceux-ci sont peu nombreux, la masse critique requise sera petite ; s'ils sont nombreux, la masse critique requise sera élevée. Encore ici, c'est un phénomène d'équilibre.

Mais attention : si le fait de disposer d'un poids plus élevé que celui des opposants suffit pour les marginaliser, il n'est pas nécessairement suffisant pour susciter un soutien actif des destinataires du changement. Lorsqu'on désire implanter un changement, l'enjeu n'est pas uniquement le rapport de force, c'est aussi et surtout le soutien aux idées nouvelles, essentiel, sinon on risque de se buter à un mur d'inertie. La masse de supporteurs devrait créer une vague ayant un effet d'entraînement sur le reste de l'organisation.

On ne peut fournir de règle absolue, mais on peut suggérer la suivante :

> *Étant donné qu'il est rare que la totalité des membres d'une organisation soit mobilisée, on peut considérer que le tiers des membres appuyant un projet de changement constitue une masse significative et habituellement suffisante, à la condition, évidemment, qu'il ne se trouve pas une proportion comparable ou plus importante d'opposants actifs.*

Il existe deux façons de rassembler une masse critique de supporteurs :

- par le soutien des leaders d'opinion,
- par le soutien d'un grand nombre d'individus.

Le soutien des leaders d'opinion

Les leaders d'opinion ne sont pas nécessairement nombreux, mais ils exercent un tel ascendant sur leurs pairs que leur soutien ou leur alliance apporte une caution importante au changement. Plusieurs personnes seront spontanément gagnées aux idées nouvelles à leur suite. Si on peut obtenir un soutien de leur part et le maintenir, on aura peu de personnes à influencer et on aura maximisé l'impact, car leur effet de levier est important.

Le soutien d'un grand nombre d'individus

C'est le nombre qui compte ici. On doit travailler à obtenir le soutien d'un grand nombre d'individus quand on se trouve dans un milieu où les réseaux d'influence sont très dispersés, ou encore dans les situations où les leaders d'opinion ne prennent pas position ou, pire encore, s'opposent au changement. On cherche alors à convaincre le plus grand nombre d'individus de l'intérêt du changement. C'est une entreprise longue et difficile, car il faut réussir à attirer l'attention de beaucoup de personnes et être convaincant. C'est encore plus difficile quand, de surcroît, il faut répondre aux objections de leaders qui s'y opposent...

Dans votre cas:

◆ Vous est-il possible de mobiliser les principaux leaders d'opinion en faveur du changement?

 ☐ Oui: Vous êtes dans une situation favorable. La section 8.8 vous aidera à préciser le sens des mesures à prendre. → Passez à 8.6.

 ☐ Non: ↓

◆ Vous est-il possible de convaincre un grand nombre d'individus de la valeur du changement?

 ☐ Oui: Cela vous demandera du temps et de l'énergie, mais vous êtes dans une situation plutôt favorable. La section 8.8 vous aidera à préciser le sens des mesures à prendre. → Passez à 8.6.

 ☐ Non: ↓

◆ Faute de disposer d'une masse critique de supporteurs, vous devrez sans doute vous appuyer surtout sur votre autorité et imposer le changement. Vous aurez probablement besoin d'appuis externes pour faire face aux réactions négatives ou à l'apathie.

Figure 8.3   MASSE CRITIQUE DE SUPPORTEURS

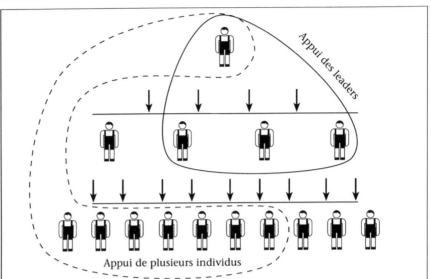

8.6   ÉTABLIR LA POSITION DES DESTINATAIRES

À partir de l'observation des organisations, nous avons établi un continuum des diverses positions que peuvent occuper les membres d'une organisation devant un projet de changement[4]. Ce continuum comporte 6 positions ou réactions :

| Supporteur actif | Supporteur passif | Ambivalent | Opposant passif | Opposant actif | Indifférent |

Ces positions ne sont en soi ni bonnes, ni mauvaises. Ce sont des réactions à un projet de changement. On est parfois porté à considérer les réactions d'opposition comme le propre des esprits négatifs et on se sent mal à l'aise à l'idée de se voir soi-même comme un opposant ; parfois, on se sent presque obligé de s'excuser de ses réactions d'oppo-

---

4. On trouve des nomenclatures utilisant un langage différent mais qui couvrent la même réalité, quoique de façon moins élaborée. Par exemple, une d'entre elles parle des *innovateurs*, des *opportunistes*, des *traditionalistes*, des *réactionnaires*.

sition. L'optique de ce modèle est différente. Les réactions d'opposition peuvent être aussi légitimes que les réactions d'adhésion. D'ailleurs, certaines réactions d'opposition ont épargné de grands maux à l'humanité...

8.7 LES POSITIONS DE BASE FACE AU CHANGEMENT

Le supporteur actif

Pour le supporteur actif, le rapport entre les gains escomptés[5] et la nature des investissements nécessaires est très positif. **En général, il n'a aucune hésitation à faire siens les objectifs du changement.** Habituellement, le supporteur actif passera du «eux» au «je» dans un premier temps, et au «nous» dans un deuxième temps, puisque, et c'est là un de ses traits distinctifs, il s'associera à la mise en œuvre du changement au sein de l'organisation. Le supporteur actif est plus qu'un allié, c'est un promoteur qui cherche à influencer ses collègues moins favorables au changement.

Le supporteur passif

Le supporteur passif établit lui aussi une équation positive entre les gains escomptés et les investissements qu'il considère comme nécessaires, mais sa conclusion est moins favorable. Bien que la probabilité du succès demeure réelle à ses yeux, elle est beaucoup moins grande que pour son collègue le «supporteur actif»; il subsiste un certain nombre d'hésitations et peut-être même d'ambiguïtés dans sa réaction au changement.

Habituellement, c'est quelqu'un qui, au cours des débats sur le projet, sera réservé et peu porté à influencer les autres. Jusqu'à un certain point, **sa préoccupation première consiste à ne rien faire pour décourager la mise en œuvre du changement, tout en cherchant des mesures susceptibles de minimiser les risques.** Puisque ses dispositions demeurent positives, le supporteur passif est prêt à adopter les nouveaux comportements: procéder par étapes, amorcer le changement de façon volontaire, favoriser la mise en place d'un projet pilote, etc.

---

5. La notion de gains escomptés couvre les gains autant pour soi et pour l'organisation que pour la clientèle.

L'ambivalent

C'est l'individu qui ne sait pas quoi penser vraiment de la situation. L'arrivée du changement le déstabilise, de sorte qu'il passe d'une réaction à l'autre. **Il est tantôt favorable au changement, tantôt défavorable.** Pour atténuer l'inconfort de cette position, il aura tendance à chercher chez les supporteurs et chez les opposants des arguments qui l'aideront à se forger une opinion plus nette. C'est donc un individu très sensible à l'influence de son entourage.

L'opposant passif

Dans l'esprit de l'opposant passif, le changement entraîne des coûts qui sont supérieurs aux gains prévus, ou encore il comporte des risques qui sont démesurés par rapport aux effets recherchés. Le changement est perçu comme une démarche où les destinataires perdent quelque chose. **L'opposant passif ne s'approprie évidemment pas le contenu du changement,** ce qui se traduit notamment dans son langage : un recours systématique aux « ils » et aux « eux ». Il se mobilise peu, mais montre sa mauvaise humeur... Contrairement à l'opposant actif, il n'entre pas en « lutte » ouverte avec les promoteurs.

Bien qu'il soit un allié naturel de l'opposant actif, l'opposant passif a tendance à jouer un rôle discret, effacé. Toutefois, **il ne fera rien pour favoriser l'implantation du changement et pourrait même chercher à le saboter ou chercher des échappatoires.**

L'opposant actif

Chez l'opposant actif, le résultats de l'équation entre les gains escomptés et les coûts évalués est très négatif. **Cet individu a souvent tendance à se mobiliser et même à mobiliser son entourage.** Il a alors recours à des gestes concrets pour arrêter ou neutraliser le changement. Il s'engage dans une dynamique d'adversité et fait preuve d'hostilité.

L'indifférent

Souvent, on rencontre cette position chez ceux qui ne considèrent pas l'objet du changement comme important, de sorte qu'ils ne jugent pas utile de mobiliser des énergies pour y réagir. En fait, l'attitude d'indifférence est plus susceptible d'apparaître chez ceux qui n'attendent pas de gratifications particulières de leur travail. Chez l'indifférent, le résultat de l'équation entre les gains prévus et les coûts évalués est nul. Contrairement aux supporteurs, l'indifférent n'est pas « préoccupé » ; il reste impassible.

Il ne fait rien pour nuire à la mise en œuvre du changement, mais il ne fait rien non plus pour la faciliter. On observe très souvent, dans les organisations, que les indifférents acceptent de changer à partir du moment où ils s'aperçoivent qu'il « faut » agir et que leur léthargie comporte des risques pour leur propre situation.

Pour obtenir une masse critique de supporteurs du changement, on cherche normalement à s'appuyer d'abord sur les « supporteurs », à condition qu'ils aient de la crédibilité auprès des destinataires. Autrement, cela peut produire un effet inverse et rendre les gens plus réfractaires.

Les « supporteurs passifs » constituent le second groupe auquel on doit s'intéresser pour élargir la masse critique et créer la vague qui pourra inciter des « ambivalents » à s'intéresser au changement proposé.

Si dans les premiers temps de l'introduction du changement on mise surtout sur les supporteurs, il faut assez rapidement s'intéresser aux « ambivalents » car, éventuellement, c'est avec ce groupe souvent majoritaire qu'il faudra composer pour que le changement dure. On trouve assez souvent dans ce groupe un bon nombre d'*opportunistes*, qui non seulement attendent de voir de quel côté penchera la balance, mais qui cherchent aussi à satisfaire leurs propres intérêts. Bien que cette attitude puisse être irritante pour les promoteurs du changement, il faut en tenir compte. Une des façons de mobiliser les hésitants, du moins dans une certaine mesure, consiste à les éveiller aux risques pour eux de ne pas s'adapter au changement.

Quant aux « opposants », si on centre l'attention sur eux, cela peut avoir pour effet de les stimuler, de les stigmatiser dans ce rôle, d'accroître leur auditoire et de retarder l'introduction du changement. C'est dans les derniers stades que l'on devrait leur accorder plus d'attention, pour les aider à trouver des façons de s'adapter au changement, si cela leur est possible... Ce sont souvent ces personnes qui vont se transformer en victimes (volontaires ou non) ou en perdants. Pour éviter qu'elles ne deviennent des martyres sur qui on s'apitoie, on devrait tenter de trouver des accommodements pour leur faciliter les choses, sans pour autant compromettre les objectifs poursuivis.

Par ailleurs, il faut être attentif pour limiter le nombre de victimes véritables ou de perdants, sinon le climat organisationnel sera durement affecté.

▶ Pour situer votre organisation, vous pouvez utiliser le tableau 8.3. Il comporte des indicateurs qui habituellement traduisent la réaction des destinataires d'un changement. *Il faut que les gens aient été minimalement exposés au contenu du changement que vous envisagez* pour que les réactions aient commencé à se manifester.

Tableau 8.3 ANALYSE DE LA POSITION DES DESTINATAIRES

▶ Choisissez l'énoncé décrivant le mieux la réaction des destinataires à l'endroit du changement projeté. Il faut que les gens aient suffisamment entendu parler du changement pour que cette analyse soit révélatrice.

Question 1 : Lorsque les gens parlent du changement proposé ou lorsqu'ils y font allusion dans les échanges, est-ce qu'ils en parlent comme étant *leur* changement ou *votre* changement ?	
– La plupart en parlent comme étant « leur » changement.	☐ 5 points
– Une majorité en parle comme étant « leur » changement, mais une minorité en parle comme étant « votre » changement.	☐ 4 points
– Lorsqu'ils le font, les gens en parlent en termes neutres, sans vraiment parler de « leur » ou de « votre » changement.	☐ 3 points
– Une majorité dit « votre » changement, même si une minorité parle de « leur » changement.	☐ 2 points
– La plupart disent « votre » changement.	☐ 1 point
– La plupart ne parlent pas du changement proposé.	☐ 0 point
Question 2 : Ces derniers temps, comment se font les regroupements informels lorsque les gens discutent du changement proposé ?	
– Beaucoup de gens se regroupent autour d'individus qui s'affichent comme plutôt favorables au changement proposé.	☐ 5 points
– Bon nombre de gens se regroupent autour d'individus plutôt favorables au changement proposé, mais des noyaux se forment autour d'individus peu favorables.	☐ 4 points
– Il y a des discussions entre les gens, et diverses opinions se font entendre, mais il ne s'est pas encore formé de regroupements.	☐ 3 points
– Bon nombre de gens se regroupent autour d'individus peu favorables au changement proposé, mais des noyaux se forment autour d'individus plus favorables.	☐ 2 points
– Beaucoup de gens se regroupent autour d'individus qui s'affichent comme peu favorables au changement proposé.	☐ 1 point
– Il n'y a pas de discussions entre les gens, et peu d'opinions s'expriment.	☐ 0 point

Tableau 8.3   ANALYSE DE LA POSITION DES DESTINATAIRES *(suite)*

Question 3: **Dans quelle mesure les gens s'efforcent-ils d'utiliser le langage correspondant au changement proposé (termes techniques, termes de référence, titres des fonctions)?**

–	La plupart des gens s'efforcent d'utiliser le langage correspondant au changement proposé.	☐ 5 points
–	Une proportion significative de gens s'efforcent d'utiliser le langage correspondant au changement proposé.	☐ 4 points
–	Il y a autant de gens qui s'efforcent d'utiliser le langage correspondant au changement proposé que de gens qui ne s'y efforcent pas.	☐ 3 points
–	Une proportion significative de gens ne cherchent pas à utiliser le langage correspondant au changement proposé	☐ 2 points
–	La plupart des gens ne cherchent pas à utiliser le langage correspondant au changement proposé, et bon nombre s'amusent à s'en moquer.	☐ 1 point
–	La plupart des gens ne s'intéressent pas au langage correspondant au changement proposé.	☐ 0 point

Question 4: **Si vous examinez le langage employé lorsque les gens s'expriment au sujet du changement proposé, qu'est-ce qui le caractérise?**

–	Le langage contient presque uniquement des énoncés positifs ou des suggestions pour l'améliorer.	☐ 5 points
–	Le langage contient passablement d'énoncés positifs, mais il contient néanmoins des critiques ou des réserves.	☐ 4 points
–	Le langage contient autant d'énoncés positifs que négatifs.	☐ 3 points
–	Le langage contient plusieurs énoncés négatifs; cependant, il arrive à certains de faire des suggestions qui pourraient rendre le changement moins insatisfaisant.	☐ 2 points
–	Le langage à l'endroit du changement contient surtout des énoncés négatifs ou du cynisme.	☐ 1 point
–	Les gens s'expriment rarement sur le sujet ou feignent d'en ignorer l'existence.	☐ 0 point

Question 5: **Qu'est-ce qui caractérise les questions sur le changement proposé?**

–	La plupart cherchent à comprendre le changement proposé.	☐ 5 points
–	Bon nombre cherchent à comprendre le changement proposé, bien que certains cherchent les sources possibles de problèmes.	☐ 4 points
–	Il y a autant de questions visant à comprendre le changement proposé que de questions portant sur les sources possibles de problèmes.	☐ 3 points
–	Bon nombre cherchent à soulever les sources possibles de problèmes, bien que certains cherchent à comprendre le changement proposé.	☐ 2 points
–	La plupart cherchent à soulever les sources possibles de problèmes.	☐ 1 point
–	Les gens ne posent pas de questions, même lorsque l'occasion leur en est fournie.	☐ 0 point

Tableau 8.3 ANALYSE DE LA POSITION DES DESTINATAIRES *(suite)*

Question 6 : Quel genre de réactions les gens expriment-ils à l'endroit du changement proposé ?	
– La plupart font état des gains ou avantages associés au changement proposé.	☐ 5 points
– Bon nombre font état des gains ou avantages possibles, bien que certains relèvent davantage les difficultés prévues.	☐ 4 points
– Il y a autant de gens pour relever les gains/avantages possibles que de gens pour soulever les difficultés prévues à cause du changement proposé.	☐ 3 points
– Bon nombre font état des difficultés prévues à cause du changement proposé, bien que certains relèvent davantage les gains/avantages possibles.	☐ 2 points
– La plupart font état des difficultés prévues à cause du changement proposé.	☐ 1 point
– Les gens s'assurent que les conventions de travail seront respectées.	☐ 0 point
Question 7 : Quel ton caractérise les réactions des gens lorsqu'ils traitent du changement proposé ?	
– Leur ton est en général conciliant.	☐ 5 points
– Bien que leur ton soit en général conciliant, on y dénote certaines réactions agressives.	☐ 4 points
– Le ton alterne entre la conciliation et l'agressivité.	☐ 3 points
– Bien que leur ton soit en général agressif, on y dénote certaines réactions conciliantes.	☐ 2 points
– Leur ton est en général agressif.	☐ 1 point
– Leur ton est en général neutre, comme si la chose était banale.	☐ 0 point

Pour obtenir le résultat, vous devez d'abord additionner les scores et ensuite diviser cette somme par le nombre de questions auxquelles vous avez répondu.

Résultat : _____ ÷ 7 = _____ / 5.

Le tableau 8.4 de la page 157 permet de situer l'organisation dans l'échelle des réactions.

Tableau 8.4 ÉCHELLE DES RÉACTIONS AU CHANGEMENT

Si la somme des résultats se situe entre les marges suivantes :		la tendance dominante dans votre organisation correspond au profil :
4,3 et 5,0	→	supporteur actif
3,4 et 4,2	→	supporteur passif
2,5 et 3,3	→	ambivalent
1,6 et 2,4	→	opposant passif
0,7 et 1,5	→	opposant actif
0 et 0,6	→	indifférent

▶ **Quelle est la position dominante dans l'organisation maintenant ?** _____ .

La position dans l'échelle est dynamique. En effet, au cours de la préparation ou de l'implantation, les réactions à l'endroit du changement peuvent se modifier. De plus, des événements nouveaux peuvent survenir et influencer les réactions. Il pourrait donc arriver que le profil soit différent à chaque fois que vous refaites l'analyse de la situation.

◆ **Si votre organisation se trouve dans la zone du supporteur,** vous êtes susceptible de bénéficier d'une masse critique favorable au projet de changement, et meilleures sont vos chances de réussir. Votre travail va consister à protéger cette situation tout au long du changement. Des suggestions vous sont faites dans le module 12.

◆ **Si votre organisation se trouve dans la zone de l'opposant,** vous êtes susceptible de faire face à une masse critique défavorable au projet de changement, et moins bonnes sont vos chances de réussir. Votre travail consistera, entre autres, à faire la preuve de la pertinence de ce changement et à obtenir une acceptation graduelle, ou tout au moins une certaine tolérance de la part des gens, du moins à court terme. Des suggestions vous sont faites dans le module 12.

◆ **Si votre organisation se trouve dans la zone de l'ambivalence,** la situation est précaire. Vous auriez sans doute avantage à travailler pour rallier d'autres supporteurs à votre projet avant d'aller plus loin. Dans le cas où vous devriez néanmoins aller de l'avant dès maintenant, soyez attentifs, car la situation pourrait glisser vers l'opposition et vous placer en présence d'une masse critique défavorable. Des suggestions vous sont faites dans le module 12.

◆ **Si votre organisation se trouve dans la zone de l'indifférence,** vous êtes susceptible d'avoir à composer avec l'inertie, et il sera sans doute difficile d'intégrer les nouveautés. Au mieux, vous obtiendrez de la soumission, de la passivité. Il y aurait sans doute lieu de voir s'il ne serait pas possible d'éveiller les gens à vos préoccupations avant d'aller plus loin. En outre, il faut garder à l'esprit que l'indifférence n'est pas nécessairement de la neutralité; c'est souvent une forme de résistance passive, de sorte que vous devez être très vigilant et voir ce projet comme un travail de longue haleine. Des suggestions vous sont faites dans le module 12.

▶ *Déterminer quels sont les acteurs ou les groupes auprès desquels il serait pertinent que vous agissiez pour constituer une masse critique de supporteurs (ou pour la maintenir). Indiquez-les dans le tableau 8.5.*

8.8 LE PLAN D'ENGAGEMENT DES ACTEURS

Concrètement, vous aurez besoin du soutien et de la collaboration de divers acteurs pour mener à terme votre projet de changement, c'est-à-dire des alliés. Plus haut, dans ce module, vous avez déterminé quels sont les acteurs qui devront être mis à contribution à un moment ou l'autre dans le scénario d'action (la carte des acteurs). Vous avez également eu à réfléchir sur la façon d'atteindre une certaine masse critique de supporteurs. Il vous faudra faire des gestes pour que ces acteurs s'associent au projet. Richard Beckhard[6] a conçu, il y a plusieurs années, un «plan d'engagement» qui permet de cibler les acteurs auprès desquels des gestes devront être faits et dans quel but.

Dans ce plan, que l'on trouve au tableau 8.5 de la page 159, on inscrit d'abord le nom des personnes, groupes ou catégories qui sont susceptibles d'avoir de l'influence sur l'acceptation et l'implantation du changement.

On place ensuite un X dans la colonne appropriée pour chacun, ce qui permet d'avoir un aperçu général de l'état du soutien. Finalement, on place un O dans la colonne correspondant à l'attitude que l'on espère obtenir de chacun d'entre eux.

À chaque endroit où on observe un écart entre le X et le O, on trace une flèche allant du X vers le O. C'est l'indication qu'il faudra faire des gestes pour influencer cet acteur et l'amener dans la position souhaitée.

---

6. Richard BECKHARD. *Managing Change in Organizations*. Addison-Wesley, 1985.

Tableau 8.5   PLAN D'ENGAGEMENT DES ACTEURS

Acteurs	S'oppose	N'empêche pas le changement	Appuie le changement	Aide à implanter le changement
1.				
2.				
3.				
4.				
5.				
6.				
7.				
8.				
9.				
10.				
11.				
12.				
13.				
14.				
15.				
X : Position actuelle O : Position souhaitée				

MODULE 9

LE CHOIX D'UNE APPROCHE DE GESTION

Faut-il imposer ou faire participer?

Ayant décrit les divers facteurs qui conditionnent la situation que vous désirez modifier, vous êtes désormais en mesure d'examiner la situation de l'organisation sous l'angle des approches de gestion à privilégier pour maximiser les chances de succès du changement.

CE MODULE TRAITE DES QUESTIONS SUIVANTES :

Comment se présentent les enjeux stratégiques dans l'organisation en rapport avec le changement souhaité ?

◆

Quelle approche serait la mieux adaptée pour gérer l'introduction du changement ?

Le choix d'une approche de gestion adaptée repose sur divers éléments, et le pouvoir est un des plus importants. C'est pourquoi, dans ce module, on s'emploie d'abord à dresser un bilan du pouvoir du gestionnaire.

9.1 CHANGEMENT ET POUVOIR

Pour réussir un projet de changement, le gestionnaire doit s'assurer qu'il est dans une situation favorable quant à son pouvoir. En fait, la mise en œuvre d'un changement viendra animer la scène du pouvoir (la dimension politique) dans l'organisation, et le gestionnaire doit être attentif à cet aspect.

On peut définir le «pouvoir» comme *la capacité qu'a un individu (ou un groupe) d'amener d'autres personnes à penser ou à agir autrement*[1]. Ainsi, tout effort visant à amener des personnes à changer leur attitude ou leur comportement constitue une façon de les influencer; c'est donc un acte de pouvoir.

De façon générale, l'exercice du pouvoir dans les organisations emprunte deux formes: l'autorité et le leadership.

L'*autorité* donne à son détenteur le droit de prendre officiellement des décisions et de les faire appliquer, avec la possibilité de recourir à la contrainte. Cette autorité sera effective si son détenteur, de même que ses gestes, sont *perçus comme étant légitimes* dans la culture de l'organisation. Ainsi, l'autorité pose la question de la légitimité; lorsque son exercice est perçu comme «adapté», elle suscite la confiance et le respect de l'entourage.

Le *leadership*, pour sa part, donne à celui qui en jouit la possibilité d'influencer les autres, sur la base de leur choix volontaire; ce sont les gens qui choisissent de suivre le leader. Pour que le leadership d'une personne soit réel, il faut que celle-ci dispose de ressources adaptées aux exigences de la culture de l'organisation et du moment. Le leadership repose sur la crédibilité; il est source d'inspiration et suscite la mobilisation.

L'autorité et le leadership sont tous deux essentiels à la santé d'une organisation, et il n'est pas nécessaire qu'ils soient exercés par les mêmes individus, bien qu'ils puissent l'être. En conséquence, pour exercer son influence en vue de susciter le changement qu'il projette, le gestionnaire peut recourir à son autorité (s'il en a assez) ou à son leadership (s'il en a assez, également), ou encore aux deux.

---

1. COLLERETTE, Pierre. *Pouvoir, leadership et autorité dans les organisations*. Presses de l'Université du Québec, Québec, 1991.

9.2   BILAN SOMMAIRE DU POUVOIR DU GESTIONNAIRE

Votre autorité

Les énoncés du tableau 9.1 vous permettront d'établir l'état actuel de votre autorité. Ils ne couvrent pas toute la gamme des indicateurs de l'autorité, mais ils sont habituellement les plus révélateurs.

TABLEAU 9.1   BILAN DE L'AUTORITÉ DU GESTIONNAIRE

▶ **Pour chacun des énoncés, choisissez le qualificatif qui décrit le mieux votre situation.**

a) Les gens vous reconnaissent *le droit* (ou la responsabilité) de prendre des décisions qui touchent le fonctionnement du service.

Toujours	Souvent	À l'occasion	Rarement	Jamais
5	4	3	2	1

b) Les gens vous disent qu'ils apprécient la *nature de vos décisions*.

Toujours	Souvent	À l'occasion	Rarement	Jamais
5	4	3	2	1

c) Les gens vous disent qu'ils apprécient votre *façon de prendre des décisions*.

Toujours	Souvent	À l'occasion	Rarement	Jamais
5	4	3	2	1

d) Votre personnel dit qu'il apprécie votre *façon de diriger* l'organisation (vous ne faites pas l'objet d'une contestation ouverte ou dissimulée).

Toujours	Souvent	À l'occasion	Rarement	Jamais
5	4	3	2	1

e) Les gens acceptent facilement de *mettre en application* vos décisions.

Toujours	Souvent	À l'occasion	Rarement	Jamais
5	4	3	2	1

f) Votre supérieur hiérarchique vous accorde un *appui clair et explicite*.

Toujours	Souvent	À l'occasion	Rarement	Jamais
5	4	3	2	1

▶ **Additionnez les résultats et divisez par 6.**

Total _____ ÷ 6 = _____ / 5 → INDICE D'AUTORITÉ.

▶ **Inscrivez ce résultat dans le tableau 9.3 de la page 165.**

Votre leadership

Les énoncés du tableau 9.2 vous permettront d'établir l'état actuel de votre leadership. Ils ne couvrent pas toute la gamme des indicateurs du leadership, mais ils sont habituellement les plus révélateurs.

Tableau 9.2 BILAN DU LEADERSHIP DU GESTIONNAIRE

▶ **Pour chacun des énoncés, choisissez le qualificatif qui décrit le mieux votre situation.**

a) La majorité du personnel adhère à votre vision de l'organisation.

D'accord	Plutôt d'accord	Plus ou moins d'accord	Plutôt en désaccord	En désaccord
5	4	3	2	1

b) Le personnel de votre organisation vous accorde beaucoup d'attention lorsque vous vous exprimez.

D'accord	Plutôt d'accord	Plus ou moins d'accord	Plutôt en désaccord	En désaccord
5	4	3	2	1

c) Le personnel, en général, apprécie votre façon de poser les problèmes et de les résoudre.

D'accord	Plutôt d'accord	Plus ou moins d'accord	Plutôt en désaccord	En désaccord
5	4	3	2	1

d) Le personnel de votre organisation vient souvent vous demander des conseils ou des opinions.

D'accord	Plutôt d'accord	Plus ou moins d'accord	Plutôt en désaccord	En désaccord
5	4	3	2	1

e) La majorité du personnel cherche à établir et à maintenir des relations positives avec vous.

D'accord	Plutôt d'accord	Plus ou moins d'accord	Plutôt en désaccord	En désaccord
5	4	3	2	1

▶ **Additionnez les résultats et divisez par 5.**

Total _____ ÷ 5 = _____ / 5 → INDICE DE LEADERSHIP.

▶ **Inscrivez ce résultat dans le tableau 9.3 de la page 165.**

Votre pouvoir

Tableau 9.3   BILAN DU POUVOIR DU GESTIONNAIRE

▶ Inscrivez l'indice d'autorité et l'indice de leadership obtenus
aux tableaux 9.1, page 163, et 9.2, page 164.

INDICE D'AUTORITÉ	+	INDICE DE LEADERSHIP	= INDICE DE POUVOIR
_____ / 5	+	_____ / 5	= _____ / 10

Inscrivez ce résultat dans la
figure 9.2, page 171, en traçant
un carré autour du chiffre
correspondant, vis-à-vis de la flèche
du centre.

9.3   LES APPROCHES DE GESTION

Les enjeux liés au pouvoir se manifestent notamment dans la décision
d'introduire le changement et dans les modalités de sa mise en œuvre.
Le gestionnaire doit choisir un mode décisionnel et un style de gestion
qui maximisent ses chances de succès.

Les approches de gestion vont d'«accorder une grande autonomie»
aux destinataires (habilitation) jusqu'à «ne leur laisser aucune place»
dans le processus décisionnel (imposition). Nous avons relevé sept
approches, qui sont les plus typiques. Elles occupent diverses positions
sur un continuum allant d'un style conciliant à un style contraignant.

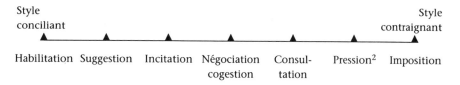

Style
conciliant

Style
contraignant

Habilitation Suggestion Incitation Négociation Consul- Pression[2] Imposition
cogestion tation

---

2. La pression peut prendre diverses formes. Les plus répandues sont la manipulation,
la propagande, le modelage et le conditionnement.

> Il n'y a pas de *bonne* approche de gestion.
>
> Certaines sont *adaptées* aux circonstances,
>
> d'autres ne le sont pas.

Recourir à une approche trop conciliante peut vous enliser dans une série de discussions sans issues, alors que recourir à une approche trop contraignante peut introduire des irritants non seulement inutiles, mais qui en plus risquent de nuire à vos efforts. Il faut donc choisir une approche qui corresponde aux exigences de la situation.

9.4 CHOISIR L'APPROCHE DE GESTION

Le principal danger auquel est exposé le gestionnaire consiste probablement à mal décoder les facteurs en présence et, en conséquence, à adopter une approche inadéquate. L'expérience nous a amenés à constater que **trois facteurs sont particulièrement importants pour déterminer l'approche la plus efficace dans une situation donnée** :

* les pressions externes que sentent les membres du système pour changer ;

* le degré de convergence entre le changement projeté et l'opinion des destinataires ;

* le pouvoir formel et informel qu'a le gestionnaire, ou l'accès qu'il peut avoir aux acteurs qui ont du pouvoir.

9.4.1 Les pressions externes

L'expérience montre que lorsqu'un système est l'objet de pressions importantes de son environnement externe et que ces pressions sont senties par les membres, ceux-ci sont plus facilement enclins à changer. *Il est donc important de les aider à sentir et à comprendre ces pressions.*

À l'inverse, en l'absence de pressions externes, les membres du système ne seront pas enclins à changer, et il faudra alors être particulièrement convaincant si l'on désire malgré tout introduire le changement.

Les destinataires du changement projeté *sentent-ils* des pressions pour changer dans l'environnement?

☐ Aucune.

☐ Des pressions faibles.

☐ Des pressions modérées.

☐ Des pressions marquées.

☐ Des pressions vives.

▶ Inscrivez le résultat dans la figure 9.2, page 171, en plaçant un ✗ sur la flèche de gauche, vis-à-vis de l'indicateur correspondant.

Il faut refaire cette analyse pour chaque groupe de destinataires.

9.4.2 La convergence idéologique

Il en va de même de la convergence idéologique[3]. Plus il y a de convergence entre l'idéologie des destinataires (leur opinion, leur façon de concevoir les choses) et les objectifs du promoteur du changement, plus on peut recourir à des approches conciliantes. En effet, s'il y a convergence de vues, il suffira de fournir aux gens les occasions et les moyens nécessaires pour que le changement se produise.

Si au contraire il y a beaucoup de divergences, le promoteur du changement n'aura d'autre choix que de recourir à des approches contraignantes pour réussir le changement, même si cela risque d'être difficile et de laisser des séquelles. Il s'agit alors d'évaluer ce qui fera le moins de dommage...

La conception que les destinataires ont de l'organisation et de sa mission est-elle *convergente* avec celle qui est véhiculée par le changement projeté ou est-elle *divergente*?

☐ Très convergente.

☐ Plutôt convergente.

☐ Plus ou moins convergente.

☐ Plutôt divergente.

☐ Très divergente.

▶ Inscrivez le résultat dans la figure 9.2, page 171, en plaçant un ✗ sur la flèche de droite, vis-à-vis de l'indicateur correspondant.

Il faut refaire cette analyse pour chaque groupe de destinataires.

---

3. Roger Tessier a été le premier à utiliser ce facteur. Dans Roger TESSIER et Yvan TELLIER. *Changement planifié et développement des organisations*. Éditions de l'IFG, Montréal, 1973.

9.5 LA DÉMARCHE À SUIVRE POUR CHOISIR L'APPROCHE OPTIMALE

Dans la réalité, le pouvoir du gestionnaire, la perception des pressions externes et le degré de convergence idéologique sont des facteurs qui sont en interaction dynamique, et c'est leur effet conjugué qui détermine l'approche de gestion la plus adaptée. La figure 9.2 permet d'illustrer l'interaction dynamique entre ces trois facteurs dans une situation donnée.

Voici la démarche à suivre pour faire l'analyse de votre situation (voir la figure 9.1, page 170, à titre d'exemple):

1) Vis-à-vis de l'axe central de la figure 9.2, page 171, faites un carré autour du chiffre correspondant à l'indice de pouvoir obtenu au tableau 9.3.

2) Sur l'axe des « pressions externes » de la figure 9.2, page 171, indiquez où se situe la perception que les membres de votre organisation ont des pressions de l'environnement externe (voir section 9.4.1). Marquez cette position d'un ✗.

3) Sur l'axe de « la convergence idéologique » de la figure 9.2, page 171, déterminez dans quelle mesure les objectifs du changement que vous proposez sont en convergence ou en divergence avec l'opinion des membres de l'organisation (voir section 9.4.2). Marquez cette position d'un ✗.

4) Enfin, dans la figure 9.2, tracez une ligne droite reliant les deux ✗. À l'endroit où cette ligne coupe l'axe central, tracez un *cercle*. Celui-ci indique l'approche de gestion qui serait optimale dans les circonstances.

En termes de *légitimité sociale*, vous pouvez normalement utiliser l'approche de gestion correspondant au carré que vous avez tracé, ainsi que toutes celles qui sont plus conciliantes. Si vous recourez à une approche plus contraignante, vous vous exposerez à des réactions défensives en proportion de l'écart.

En termes d'*efficacité organisationnelle*, vous devriez normalement utiliser l'approche de gestion correspondant au cercle que vous avez tracé. Si vous recourez à une approche plus contraignante, vous vous exposez à des réactions défensives en proportion de l'écart. Si vous recourez à une approche plus conciliante, vous manquerez peut-être d'efficacité.

▶ *Comparez maintenant votre position (le carré) avec la position optimale (le cercle).*

Hypothèse 1: Les deux coïncident, ou encore la ligne passe au-dessus de votre position (le carré).

(Voir l'exemple A de la figure 9.1, page 170.)

Vous êtes dans une position favorable puisque vous disposez du pouvoir suffisant pour utiliser en toute sécurité et légitimité l'approche optimale. Il vous restera à vous donner les moyens appropriés et à poursuivre. Vous pouvez passer à la section 9.6.

Hypothèse 2: Le pouvoir dont vous disposez n'est pas suffisant pour adopter l'approche optimale.

(Voir l'exemple B de la figure 9.1, page 170.)

Il vous sera difficile (parfois impossible) de recourir à l'approche optimale, sous peine de perdre votre légitimité et de faire face à un barrage de réactions défensives, qui pourraient neutraliser l'opération de changement. Vous pouvez tenter votre chance, mais le risque d'échouer est élevé, même si sur le plan officiel, vous occupez un poste d'autorité.

Si vous tenez néanmoins à ce changement, ou si vous êtes obligé de le réaliser, vous pouvez emprunter d'autres voies:

♦ vous pouvez tenter d'accroître votre pouvoir, par exemple en vous associant avec des gens qui disposent d'un pouvoir significatif (niveau hiérarchique supérieur, leaders);

♦ vous pouvez aussi tenter de rendre les membres de votre organisation plus sensibles aux pressions de l'environnement ou même stimuler l'environnement pour qu'il réagisse plus vivement (réactions des clients, des partenaires, des services latéraux);

♦ vous pouvez aussi tenter d'augmenter la convergence idéologique par des gestes qui amèneraient les gens à remettre en question leur façon de voir et à accorder plus de crédit à votre conception des choses.

Cette analyse de la situation devrait être faite pour chaque groupe de destinataires dans l'organisation, car il est possible qu'il faille recourir à des approches différentes selon les groupes.

En outre, cette analyse de la situation devrait être refaite périodiquement pendant l'implantation, car la conjoncture peut changer, et il faudra adapter l'approche de gestion en conséquence.

Figure 9.1 DEUX EXEMPLES D'APPROCHE DE GESTION OPTIMALE

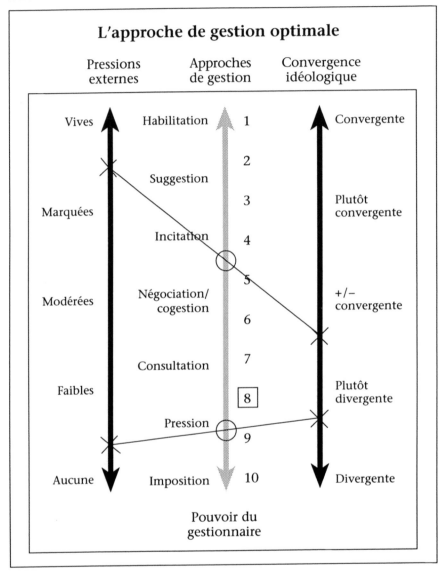

Figure 9.2 **GRILLE POUR DÉTERMINER L'APPROCHE DE GESTION OPTIMALE**

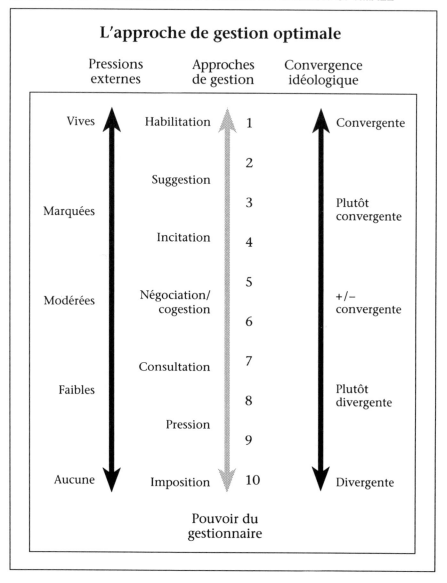

Tableau 9.4   L'APPROCHE DE GESTION EN FONCTION DES GROUPES DE DESTINATAIRES

▶ On peut utiliser ce tableau pour résumer l'analyse relative aux divers groupes de destinataires (service, catégorie professionnelle, région, etc.).

Groupe de destinataires	*Position sur l'axe du pouvoir*	*Mode décisionnel optimal*	*Mode décisionnel choisi*
	☐ Habilitation ☐ Suggestion ☐ Incitation ☐ Négociation ☐ Consultation ☐ Pression ☐ Imposition	☐ Habilitation ☐ Suggestion ☐ Incitation ☐ Négociation ☐ Consultation ☐ Pression ☐ Imposition	☐ Habilitation ☐ Suggestion ☐ Incitation ☐ Négociation ☐ Consultation ☐ Pression ☐ Imposition
	☐ Habilitation ☐ Suggestion ☐ Incitation ☐ Négociation ☐ Consultation ☐ Pression ☐ Imposition	☐ Habilitation ☐ Suggestion ☐ Incitation ☐ Négociation ☐ Consultation ☐ Pression ☐ Imposition	☐ Habilitation ☐ Suggestion ☐ Incitation ☐ Négociation ☐ Consultation ☐ Pression ☐ Imposition
	☐ Habilitation ☐ Suggestion ☐ Incitation ☐ Négociation ☐ Consultation ☐ Pression ☐ Imposition	☐ Habilitation ☐ Suggestion ☐ Incitation ☐ Négociation ☐ Consultation ☐ Pression ☐ Imposition	☐ Habilitation ☐ Suggestion ☐ Incitation ☐ Négociation ☐ Consultation ☐ Pression ☐ Imposition
	☐ Habilitation ☐ Suggestion ☐ Incitation ☐ Négociation ☐ Consultation ☐ Pression ☐ Imposition	☐ Habilitation ☐ Suggestion ☐ Incitation ☐ Négociation ☐ Consultation ☐ Pression ☐ Imposition	☐ Habilitation ☐ Suggestion ☐ Incitation ☐ Négociation ☐ Consultation ☐ Pression ☐ Imposition
	☐ Habilitation ☐ Suggestion ☐ Incitation ☐ Négociation ☐ Consultation ☐ Pression ☐ Imposition	☐ Habilitation ☐ Suggestion ☐ Incitation ☐ Négociation ☐ Consultation ☐ Pression ☐ Imposition	☐ Habilitation ☐ Suggestion ☐ Incitation ☐ Négociation ☐ Consultation ☐ Pression ☐ Imposition

9.6 LA PROGRESSION DANS L'APPROCHE DE GESTION

La culture occidentale tend à valoriser les approches participatives de gestion, avec la conséquence que les individus, en général, s'attendent à ce qu'on tienne compte de leur avis dans les processus décisionnels, notamment dans les organisations où les membres sont fortement scolarisés.

Il s'ensuit que, normalement, on devrait amorcer la stratégie de changement par une approche conciliante, même si l'analyse de la situation indique qu'il faudrait recourir à une approche contraignante. On fera ensuite évoluer la stratégie jusqu'au seuil optimal.

En procédant ainsi, on évite d'irriter les destinataires en allant à l'encontre de leurs valeurs culturelles, et du même coup on protège sa légitimité. De plus, au fur et à mesure que l'on progresse vers une approche plus contraignante, on a de bonnes chances de se gagner graduellement de nouveaux supporteurs, ou tout au moins de désamorcer des oppositions, de sorte qu'au bout du compte, s'il faut recourir à la contrainte, elle ne s'appliquera qu'à un nombre réduit de destinataires et le climat n'en sera que meilleur.

La réalité évolue et les approches doivent aussi évoluer pour demeurer adaptées. C'est pourquoi il faut revoir périodiquement la situation pour ajuster l'approche. Le tableau 9.5 de la page 174 illustre par un exemple comment une stratégie peut évoluer.

Tableau 9.5 EXEMPLE DE PROGRESSION
D'UNE APPROCHE DE GESTION DU CHANGEMENT

Imaginons une situation où le directeur d'un service administratif voudrait changer
le fonctionnement du secteur des achats pour laisser plus d'autonomie aux autres gestionnaires de l'entreprise.

Admettons que le personnel du service des achats soit peu conscient des pressions exercées
par les gestionnaires-clients pour obtenir plus d'autonomie.

Admettons en plus que le personnel affecté aux achats juge inutile de laisser plus
d'autonomie aux gestionnaires, craignant que ceux-ci ne contournent les règles. Il y a donc
une certaine divergence de vues entre le directeur du service et les destinataires.

Admettons que ce gestionnaire soit apprécié par son personnel et que son autorité soit
bien établie. Il dispose donc d'une marge importante de pouvoir face aux destinataires.

La combinaison des trois facteurs amène à conclure que le directeur du service devrait
recourir à la pression pour que son objectif de changement se traduise dans les faits.

Toutefois, il choisit de commencer avec une approche conciliante.

Étape 1 : Il rencontre le personnel concerné et lance son idée pour obtenir des réactions.
Le personnel réagit passivement et ne s'approprie pas l'idée.

Étape 2 : Après quelques jours, le directeur revient à la charge et insiste pour que les gens
pensent à la possibilité d'un tel changement et qu'ils lui fassent part de leurs
suggestions. Les membres du personnel entendent, mais au lieu de formuler
des suggestions, ils font part de leurs hésitations.

Étape 3 : Une semaine plus tard, le directeur propose de former un groupe de travail
sur le sujet et sollicite des candidats volontaires. Une seule personne se porte
volontaire.

Étape 4 : Un mois plus tard, le directeur et la personne qui s'est portée volontaire ont
préparé un scénario sommaire, qu'ils soumettent par écrit au reste de l'équipe.
Les gens expriment beaucoup de réserves. Ils soulèvent des difficultés et parlent
des dangers possibles. Cependant, rien n'indique que le changement
soit impossible.

Étape 5 : Deux mois plus tard, le directeur propose à son personnel un scénario amélioré
et s'efforce de le convaincre du bien-fondé et de la faisabilité de sa proposition.
Il sollicite explicitement sa coopération pour mettre en application ce mode
de fonctionnement. Le personnel n'est pas enthousiaste, mais ne veut pas
de confrontation et accepte la nouveauté. On demande quand ce mode de
fonctionnement commencera et on sollicite des directives claires sur la façon
de faire les choses.

Étape 6 : Après une préparation adéquate, le directeur implante le changement et
consacre une bonne part de ses énergies à corriger les dysfonctions
pour minimiser les réactions négatives.

9.7 LE CHOIX DU RYTHME DE MISE EN ŒUVRE

Un dernier point à considérer dans l'approche de gestion, est le rythme à adopter pour procéder à la mise en œuvre. Nous avons retenu trois grands types de rythmes[4] : lent, accéléré et par étapes. Les sections qui suivent les présentent, et le tableau 9.6 de la page 177 en fournit un sommaire.

9.7.1 Le rythme lent

On procède lentement et graduellement. **C'est une approche plutôt discrète, qui demande de la persévérance et de la continuité. On décompose la situation souhaitée en petits objectifs étalés sur une longue durée.** En fait, on envisage les choses dans une perspective d'évolution et on travaille à la favoriser.

Cette approche a l'avantage de limiter les heurts et de faciliter les ajustements pendant l'implantation. Elle a le désavantage d'être facile à neutraliser (forces d'inertie) et d'être facilement reléguée au second plan chaque fois qu'une urgence survient.

Elle peut convenir quand on cherche à changer des attitudes et aussi quand le changement est en continuité avec les pratiques existantes.

9.7.2 Le rythme accéléré

On procède de façon massive. **On vise simultanément les cibles principales et on introduit la plupart des modifications rapidement, quitte à s'occuper ensuite de la turbulence qui en résultera.** On l'associe souvent à des changements qui sont en rupture avec les pratiques existantes (changements souvent considérés comme trop rapides par les destinataires).

Cette approche augmente les chances de créer une situation de non-retour; on limite ainsi le danger d'être neutralisé par les forces d'inertie. De plus, elle peut susciter un niveau d'énergie élevé, qui peut être mis à profit pour favoriser l'innovation et introduire un dynamisme nouveau.

---

4. Ils sont inspirés de travaux réalisés par Jean-François Vinet.

Elle présente cependant des dangers. En procédant rapidement, on augmente le risque de confusion, car beaucoup d'aspects sont déstabilisés en même temps et on peut plonger l'organisation dans un état de crise difficile à maîtriser. En plus, si on ne dispose pas au départ d'une masse importante de supporteurs, la gestion peut être facilement débordée par les problèmes.

Cette approche peut être appropriée quand il s'agit de réagir à des modifications importantes et rapides dans l'environnement (vocation, marché, politique, etc.). Elle peut aussi être adaptée aux situations où il y a un degré élevé d'interdépendance entre les divers sous-systèmes; dans ces cas, le fait de modifier une composante a pour effet d'en affecter plusieurs autres (par exemple, pour former une nouvelle équipe, il faut en démembrer quelques autres).

9.7.3 Le rythme par étapes

Ici, on décompose le changement en étapes, à la fois quant au contenu et quant au déroulement. On cherche à éviter de tout déstabiliser; on veut plutôt concentrer les efforts sur quelques aspects particuliers. Cela suppose que l'on puisse découper les résultats souhaités en composantes relativement indépendantes. Par exemple, on modifie d'abord les heures d'ouverture, on s'occupe ensuite d'un service donné, puis d'un autre, etc. C'est une logique essentiellement linéaire.

Cette approche a l'avantage de ne pas tout perturber dans l'organisation. Elle permet aussi de corriger les problèmes qui apparaîtraient au début du processus. Si les choses vont bien, elle permet d'atténuer les appréhensions du personnel devant les étapes suivantes.

Une des difficultés de cette approche est qu'elle introduit deux logiques qui doivent coexister: celle des unités fonctionnant selon la nouvelle méthode et celle des unités fonctionnant selon l'ancienne méthode. Elle peut aussi entraîner un certain essoufflement chez les gestionnaires, qui négligeront alors les dernières étapes, ce qui peut compromettre l'ensemble de la démarche et nuire aux résultats. Ajoutons que les dernières étapes peuvent être sabotées par d'autres changements qui surviendraient avant que la démarche ne soit terminée.

Cette façon de procéder est particulièrement bien adaptée pour introduire des innovations, surtout s'il y a peu d'interdépendance entre les unités de travail. Elle est également appropriée pour des changements touchant plusieurs unités de travail dispersées sur un territoire et n'ayant pas à interagir ensemble, comme des banques dispersées à la grandeur d'un pays.

Tableau 9.6   SOMMAIRE DES RYTHMES DE MISE EN ŒUVRE

Rythmes	Contingences	Avantages	Risques
Lent	– on veut changer des attitudes; – le changement est en continuité avec les pratiques existantes.	– limite les heurts; – facilite les ajustements.	– facile à neutraliser; – facile à reléguer au second plan.
Accéléré	– modifications rapides et importantes dans l'environnement; – urgences; – situations où il y a un degré élevé d'interdépendance entre les sous-systèmes.	– peut créer une situation de non-retour; – limite le jeu des forces d'inertie; – peut susciter un niveau d'énergie élevé dans l'organisation.	– augmente le risque de confusion; – peut plonger l'organisation dans un état de crise; – la gestion peut être débordée par les problèmes.
Par étapes	– introduire des innovations; – peu d'interdépendance entre les unités; – plusieurs unités de travail dispersées sur un territoire.	– ne perturbe pas tout dans l'organisation; – permet de corriger les problèmes de début de processus; – permet d'atténuer les appréhensions pour les étapes suivantes.	– peut introduire deux logiques en coexistence; – peut entraîner de l'essoufflement chez les gestionnaires; – les dernières étapes peuvent être évacuées par d'autres priorités.

9.7.4   Le rythme à privilégier

À la lumière des considérations qui précèdent, quel rythme d'implantation vous semble maintenant le mieux adapté à votre situation? Comment comptez-vous limiter les risques associés à ce rythme? Vous pouvez utiliser le tableau 9.7 de la page 178 pour formuler vos choix.

Tableau 9.7   LE CHOIX DU RYTHME D'IMPLANTATION

▶ Choisissez le rythme le mieux adapté à votre situation et indiquez des moyens
pour éviter les risques qui y sont associés.

Rythme choisi	*Moyens pour limiter les risques*
Rythme lent ☐	
Rythme accéléré ☐	
Rythme par étapes ☐	

MODULE 10

LE PLAN D'ACTION

*Comment procéder
pour préparer le changement?*

CE MODULE TRAITE DES QUESTIONS SUIVANTES:

Quels acteurs faut-il faire participer et à quel titre?

◆

Quelles mesures faut-il prendre?

◆

Quelles seront les incidences financières du projet?

◆

Quelle serait la séquence optimale des mesures?

◆

Quels seront les mécanismes de coordination,
de supervision et de contrôle?

On ne saurait trop insister sur l'importance du plan d'action, car les intentions de changement qui ne sont pas assorties d'un plan d'action structuré et cohérent relèvent davantage de la fantaisie que de la gestion. Le présent module propose une façon de *programmer* les mesures requises pour la mise en œuvre du changement projeté. C'est donc principalement un guide de planification. Les aspects dynamiques de la gestion du changement sont traités dans le module 11.

La préparation d'un plan d'action exige qu'on explicite les hypothèses sous-jacentes au changement envisagé et leurs répercussions. Il s'agit en quelque sorte de l'expression concrète et opérationnelle des orientations retenues. Il arrive fréquemment, au cours de cette étape, que l'on soit amené à reconsidérer certains aspects du projet de changement, soit parce qu'on avait sous-estimé l'ampleur de ses conséquences sur l'organisation, soit parce qu'on en avait surestimé les bénéfices « nets » escomptés, soit encore parce qu'on avait mal évalué la nature des compétences ou des investissements nécessaires à sa mise en œuvre.

Le plan d'action doit être un outil et non un carcan. On a donc avantage à le revoir périodiquement pour l'ajuster aux exigences de la réalité.

Il existe plusieurs méthodes structurées pour planifier et programmer les éléments d'un plan d'action. Afin d'éviter de s'enfermer dans des considérations mécaniques ou bureaucratiques, la méthode proposée dans le module privilégie la simplicité.

10.1 UNE CARTE DES ACTEURS

Commençons par tracer une carte des acteurs typiques impliqués dans un projet de changement.

Tableau 10.1 ACTEURS TYPIQUES D'UN SCÉNARIO DE CHANGEMENT[1]

Agents / Gestionnaires	→	*Destinataires relais*		
Initiateurs				
	→	Collaborateurs		
Concepteurs / planificateurs			╲	*Destinataires terminaux*
	→		╱	
Exécutants				
	→	Commanditaires		
Évaluateurs				

Plus la situation est complexe, plus la carte des acteurs est élaborée et implique de nombreux niveaux dans l'organisation.

Les agents / gestionnaires

Cette catégorie est composée **des personnes qui participent activement à l'introduction du changement.** On y trouve différents rôles, et un individu peut en exercer plus d'un.

Initiateurs : les personnes qui prennent l'initiative de proposer et de promouvoir le changement.

Concepteurs/planificateurs : les personnes à qui la charge est confiée de préparer les mesures à prendre, ainsi que les outils à utiliser pour procéder à la mise en œuvre.

Exécutants : les personnes à qui la tâche est confiée de mettre en œuvre les diverses mesures choisies pour amener le changement dans les unités de travail.

Évaluateurs : les personnes qui sont chargées d'évaluer les résultats obtenus et, dans certains cas, de suivre l'évolution de la situation.

---

1. Inspiré de Roger TESSIER. « Une taxonomie des entreprises de changement planifié » dans *Changement planifié et développement des organisations*. Éditions de l'IFG, Montréal, 1973, chap. 1.

Les destinataires

Ce sont les **personnes visées par les diverses mesures destinées à introduire le changement.** Ce sont donc les personnes qui devront faire des efforts pour s'adapter aux exigences du changement. Ce ne sont pas nécessairement elles qui vont tirer profit des résultats. Pour celles qui tirent profit du changement, on parlerait plutôt de bénéficiaires.

Les destinataires relais

Dans le domaine du changement, la ligne droite n'est pas toujours la voie la plus courte ou la plus rapide. Pour des raisons de distance, de compétence ou de crédibilité, ou encore pour en faire des porteurs du dossier, il faut parfois recourir à des intermédiaires; ce sont les destinataires relais. Leur présence permettra d'**augmenter l'incitation au changement chez les personnes que l'on désire voir changer.** En général, plus une situation est complexe, plus on aura besoin de destinataires relais.

Collaborateurs : Ce sont des personnes que l'on tente de transformer en partenaires afin qu'elles acceptent de mettre leur compétence et leurs ressources au service du changement; on tente de faire en sorte qu'elles deviennent à leur tour des agents de changement ou des multiplicateurs.

Commanditaires : Ce sont des personnes dont on tente d'obtenir l'appui explicite, sous forme d'autorisation officielle, de caution morale, de financement. Elles ont donc principalement un rôle symbolique dans la promotion du changement.

Les destinataires terminaux

Ce sont les personnes qui, concrètement, devront s'adapter aux exigences du changement, donc celles qui devront modifier leurs pratiques, leur comportement ou leurs attitudes pour que les résultats attendus se matérialisent.

Comme vous disposez déjà de beaucoup de données sur les mesures à prendre pour introduire le changement dans votre organisation, vous devriez être capable de déterminer quels sont les principaux acteurs touchés par votre projet (voir le tableau 10.2, page 183). L'analyse des coalitions (tableau 8.4, page 157) ainsi que le plan d'engagement des acteurs (tableau 8.5, page 159) que vous avez faits dans le module 8 devraient vous aider à préciser quels sont vos destinataires et vos partenaires.

Tableau 10.2   CARTE DES ACTEURS DANS LE SCÉNARIO DE CHANGEMENT

▶ Inscrivez dans les cases appropriées les noms des acteurs qui devront être impliqués dans le scénario de changement pour maximiser les chances de réussite.

GESTIONNAIRES AGENTS	*DESTINATAIRES RELAIS*	*DESTINATAIRES TERMINAUX*
Initiateurs	Commanditaires	
Concepteurs-planificateurs		
Exécutants	Collaborateurs	
Évaluateurs		

10.2 ÉTAPE 1 : DÉTERMINATION DES MESURES NÉCESSAIRES

La première étape consiste à déterminer quelles sont les diverses mesures qui seront nécessaires pour mettre en œuvre le changement envisagé. Il n'est ni nécessaire, ni indiqué, à cette étape-ci, de produire un programme détaillé. Ce qui importe, c'est de dégager les principales familles de mesures nécessaires à la réalisation des objectifs. Le tableau 10.3 de la page 185 fournit une grille à cet effet.

Pour préciser les objectifs, vous devriez retourner :

▶ aux « résultats *à atteindre* » définis dans le tableau 6.3, page 115 (module 6) ;

▶ aux « *moyens choisis pour agir sur les résistances au changement* » énumérés dans le tableau 7.9, page 132 (module 7).

De façon générale, pour chaque objectif à atteindre, vous devriez vous assurer d'avoir choisi des moyens appropriés sur le plan :

◆ des ressources humaines,

◆ des ressources matérielles,

◆ des ressources financières,

◆ des ressources informationnelles[2],

◆ des structures.

Parmi les moyens qui peuvent faciliter l'adaptation des gens lorsqu'il s'agit d'un changement d'envergure, mentionnons qu'il est important de prévoir :

◆ un plan de « conversion » des ressources humaines ;

◆ un plan de communication spécifiant les mécanismes, le contenu, la fréquence des communications avec les destinataires, les partenaires, les clients et les pairs. Le plan devrait servir à informer les gens sur la nature du changement à introduire, sur les moyens choisis pour y arriver et, enfin, sur les ajustements apportés en cours de route.

---

2. L'information elle-même, ainsi que les technologies associées.

Tableau 10.3 INVENTAIRE DES MESURES NÉCESSAIRES POUR ATTEINDRE LES OBJECTIFS

▶ Inscrivez les grands objectifs qu'il faut atteindre pour que le changement se matérialise. Pour chacun, précisez les moyens à utiliser.

Objectifs	*Moyens ou mesures nécessaires pour la mise en œuvre*

10.3 ÉTAPE 2: ESTIMATION DES INCIDENCES FINANCIÈRES

La seconde étape consiste à estimer de façon aussi précise que possible les incidences financières des mesures et des moyens nécessaires à la mise en œuvre du changement. Il s'agit en somme de répondre aux deux questions suivantes:

◆ Quels sont les gains (directs ou indirects) que l'organisation peut espérer à la suite de l'introduction de ce changement?

◆ Quels sont les coûts (directs ou indirects) auxquels l'organisation s'expose avec ce changement?

Le tableau 10.4 de la page 187 présente un exemple de grille pour faire cette estimation.

Cette étape est souvent conditionnée par des facteurs que non seulement on contrôle peu (conjoncture économique, contexte politique), mais aussi qu'on peut difficilement prévoir (stratégie des politiciens, évolution de l'emploi dans un secteur donné, comportement des concurrents ou des fournisseurs).

Lorsque le niveau d'incertitude est élevé[3], on doit répondre aux deux questions précédentes à partir d'hypothèses. Dans ces cas, on devrait formuler trois plans, fondés sur autant d'hypothèses:

◆ **une hypothèse optimiste**, basée sur la prévision que l'évolution de la conjoncture sera favorable aux intérêts de l'organisation;

◆ **une hypothèse vraisemblable**, basée sur la prévision qui semble la plus probable à partir des indices dont on dispose;

◆ **une hypothèse pessimiste**, basée sur la prévision que l'évolution de la conjoncture sera défavorable aux intérêts de l'organisation.

Plus le degré d'incertitude sera élevé, plus il sera indiqué d'établir un plan de contingences (un ensemble de mesures de rechange auxquelles on aura recours si l'hypothèse vraisemblable ne se réalise pas) et plus il faudra surveiller attentivement l'évolution des facteurs importants.

Le tableau 10.5 de la page 188 présente le format typique d'une analyse réalisée à partir d'hypothèses.

---

3. Horizon de certitude inférieur à six mois.

Tableau 10.4 ESTIMATION SOMMAIRE DES COÛTS ET DES GAINS

	Année 1	*Année 2*	*Année 3*	*Total*
Gains escomptés[4]				
Gains financiers directs				
Gains financiers indirects				
Total				
Gains qualitatifs				
Coûts prévus[5]				
Ressources matérielles				
Ressources humaines				
Structures				
Administration				
Pertes de productivité				
Communication				
Services externes				
Total				
Coûts qualitatifs				

4. La notion de gain doit être entendue au sens large : les gains peuvent être quantitatifs comme qualitatifs.
5. Les coûts également peuvent être de toutes natures.

Tableau 10.5   Analyse des coûts et des gains à partir d'hypothèses

	Hypothèse optimiste	*Hypothèse vraisemblable*	*Hypothèse pessimiste*
Gains escomptés			
Gains financiers directs			
Gains financiers indirects			
Total			
Gains qualitatifs			
Coûts prévus			
Ressources matérielles			
Ressources humaines			
Structures			
Administration			
Pertes de productivité			
Communication			
Services externes			
Total			
Coûts qualitatifs			

10.4 ÉTAPE 3: SÉQUENCE OPTIMALE DES MESURES

La troisième étape consiste à établir la durée et la séquence des mesures à appliquer pour mettre en œuvre le projet de changement. À cette étape-ci, il faut que l'analyse soit détaillée. On doit fournir des informations de trois ordres.

Sur la séquence des mesures:

◆ Quel est l'ordonnancement optimal des mesures?

◆ Quels sont les préalables, le cas échéant?

Sur la durée:

◆ Quand chaque mesure doit-elle débuter?

◆ Combien de temps faut-il prévoir pour son application?

◆ Quand prévoit-on qu'elle sera terminée?

Sur les acteurs engagés dans chaque mesure:

◆ Quelle(s) personne(s) en assumera (assumeront) la responsabilité?

◆ Quels sont les individus ou groupes qui doivent être engagés directement et indirectement dans la mise en œuvre de la mesure?

Le tableau 10.6 propose une façon d'organiser l'information pour disposer d'un plan d'action qui soit simple, mais néanmoins suffisamment complet pour les besoins de gestion courants ainsi que pour les besoins de communication. Dans les cas de projets complexes, on a avantage à utiliser un cheminement critique (Pert, graphique de cheminement critique, diagramme de Gant, etc.) et à le diffuser.

10.5 ÉTAPE 4: DÉTERMINATION DES CENTRES DE RESPONSABILITÉ

Cette étape consiste à déterminer quels sont ceux qui, à l'intérieur de l'organisation, auront la tâche de piloter la mise en œuvre des mesures adoptées. Lorsque vient le temps de confier les responsabilités, il faut, par la même occasion, préciser trois types d'informations:

◆ **les ressources** (budget, information, autorité, soutien externe) qui seront allouées aux personnes ou aux groupes;

◆ **les contraintes** (calendrier, consultations à réaliser) auxquelles ils devront se plier;

◆ le cas échéant, **les conditions préalables** qu'ils devront remplir pour s'acquitter de leur tâche.

Tableau 10.6 MODÈLE TYPE POUR UN PLAN D'ACTION

Séquence des mesures (voir tableau 10.3, page 185)	Calendrier	Objectifs ou cibles de changement	Acteurs impliqués	Responsables

10.6 ÉTAPE 5 : MÉCANISMES DE COORDINATION, DE SUPERVISION, DE CONTRÔLE ET DE MONITORAGE

La dernière étape consiste à définir les mécanismes qui seront nécessaires pour :

♦ permettre une *coordination* adéquate de l'ensemble de l'opération ainsi que des sous-projets,

♦ s'assurer que la mise en œuvre des divers volets du projet de changement bénéficiera d'une *supervision* appropriée,

♦ vérifier si ce qui était prévu dans le plan d'action est effectivement réalisé (*contrôle*),

♦ vérifier si les membres de l'organisation réussissent à intégrer les nouvelles pratiques (*monitorage*).

Pour ce qui est des *mécanismes de coordination*, on cherche à déterminer si une direction existante ou une structure temporaire doit assumer la coordination d'ensemble et si la coordination des sous-projets doit être confiée à des directions existantes ou à des structures temporaires.

Pour ce qui est des *mécanismes de supervision*, on doit prévoir des moyens visant à inciter les gestionnaires concernés à consacrer au projet l'attention voulue pour que les mesures prévues soient appliquées et produisent les effets escomptés. Il peut s'agir de mandats devant figurer dans l'appréciation du rendement, de rencontres de soutien programmées à l'avance, de rappels périodiques sous différentes formes, etc.

Pour ce qui est des *mécanismes de contrôle*, on doit se doter de moyens qui permettront de vérifier si l'exécution du plan suit le calendrier établi et si les mesures mises en œuvre ont été conformes aux prévisions. Il s'agit donc de moyens de surveillance qui permettront d'introduire des correctifs si on décèle des lacunes. On peut penser à des rapports d'étape, à des visites sur les lieux, à des rencontres de bilan, etc.

Pour ce qui est des *mécanismes de monitorage*, on doit se donner des moyens et des points de repère pour vérifier si les membres de l'organisation intègrent le changement et pour déceler les aspects les plus fragiles, afin d'ajuster en conséquence l'approche de gestion et les moyens en place pour favoriser la progression du changement.

Dans le cas de projets sectoriels[6], les mécanismes normaux de l'organisation sont généralement suffisants. Il suffit simplement de préciser comment les situations d'exception seront traitées.

Par contre, dans le cas de projets extraordinaires (mise au point d'un nouveau service, ouverture d'un nouveau centre de services, établissement d'un nouveau partenariat) ou de projets qui mettent en cause plusieurs secteurs, les mécanismes normaux de l'organisation ne sont habituellement ni adaptés, ni suffisants. Il faut alors prévoir des formules spéciales (généralement temporaires) et établir comment on entend coordonner, superviser, contrôler et suivre l'évolution des travaux : les équipes matricielles et les équipes de projet constituent souvent des formules mieux adaptées à ce genre de situation.

Le tableau 10.7 de la page 193 propose une matrice type à cet effet. Elle peut entre autres servir d'outil de coordination pour une équipe de gestion.

---

6. Un projet de changement n'impliquant qu'un secteur.

Tableau 10.7 LES MÉCANISMES DE COORDINATION, SUPERVISION, MONITORAGE ET CONTRÔLE

Objectifs du changement (voir tableau 10.3, page 185)	*Moyens pour assurer la coordination pour chaque objectif*	*Moyens pour inciter les gestionnaires à faire le suivi requis*	*Moyens pour faire le monitorage de la progression du changement*	*Moyens pour exercer un contrôle adéquat*

ÉTAPE 5

LA GESTION DU CHANGEMENT

Quel est le rôle du gestionnaire?

Introduction

Beaucoup de gens disent gérer des changements, quand en fait ils se limitent à les décider ou à les préparer. La véritable « gestion » du changement commence après que les décisions ont été prises, c'est-à-dire au moment où on procède à leur mise en œuvre. Surviennent alors toutes sortes de réactions et de difficultés qui demandent au gestionnaire un encadrement particulier. Le pilotage d'une organisation en mutation est une opération complexe qui peut s'avérer très enrichissante si elle est bien maîtrisée, mais qui peut aussi devenir un cauchemar. C'est à cette problématique qu'est consacrée cette partie intitulée « La gestion du changement ». On y examine trois volets importants pour gérer adéquatement un changement : la gestion elle-même, son monitorage et son évaluation.

Le module 11 décrit les principes de base à respecter pour gérer adéquatement la période de transition. Ces principes sont opérationnalisés en comportements et en mécanismes de gestion. Le module 12 propose un outil d'analyse qui permet d'abord de déterminer où l'organisation en est dans l'intégration du changement et ensuite de choisir une stratégie de gestion adaptée. Le module 13 présente une méthode simple pour vérifier si les objectifs poursuivis sont atteints et pour déterminer les correctifs qui doivent être apportés au scénario de changement pour en accroître l'efficacité.

Ces modules fournissent donc une sorte de guide de navigation.

A. Mise en contexte

Si vous n'avez pas fait l'une ou l'autre des étapes précédentes, vous devriez décrire ici la situation à modifier. Il s'agit de formuler en termes concrets les caractéristiques de la situation actuelle que vous souhaitez voir changer ou qu'on vous a chargé de changer.

Vous devez ensuite formuler la situation souhaitée, c'est-à-dire ce que concrètement vous espérez que devienne la situation dans votre organisation, à la suite du changement. Plus vous serez concret, plus ce sera facile ensuite.

La situation à modifier

La situation souhaitée

B. Qui associer à la préparation de la gestion du changement?

Il est généralement reconnu que le choix entre une approche directive et une approche participative doit être dicté par les caractéristiques de la situation. Autant une approche peut se révéler efficace si elle est utilisée dans les circonstances pour lesquelles elle est appropriée, autant elle peut être inefficace et même dommageable si elle est utilisée dans des situations auxquelles elle n'est pas adaptée. Le tableau A, page 200, propose une série de critères permettant de déterminer les personnes ou groupes qu'il serait utile d'associer à la préparation de la gestion du changement. Il se peut que les personnes à associer diffèrent d'un module à l'autre.

Tableau A CRITÈRES POUR DÉTERMINER LES PERSONNES OU GROUPES À ASSOCIER À LA GESTION DU CHANGEMENT

▶ Encercler le choix qui correspond le mieux à votre situation.

Critères	Pôles	Approche optimale
Le gestionnaire dispose-t-il de toutes les informations nécessaires pour se faire une opinion éclairée sur les réactions des membres de l'organisation face au changement ?	Oui[1]	– Le gestionnaire peut agir seul.
	Non	– Associer des gens qui vivent la situation à changer[2]. – Associer des gens qui doivent participer à la mise en œuvre. – Associer des clients. – Associer des pairs dont les services sont affectés.
Le changement envisagé peut-il avoir des incidences significatives sur la qualité des services, des politiques ou des pratiques ?	Non	– Le gestionnaire peut agir seul.
	Oui	– Associer des gens qui sont affectés par le changement. – Associer des gens qui doivent participer à sa mise en œuvre. – Associer des pairs dont les services sont affectés.
La légitimité (autorité) et la crédibilité (leadership) du gestionnaire sont-elles élevées ?	Oui	– Le gestionnaire peut agir seul.
	Non	– Associer des gens qui sont affectés par ce changement. – Associer des gens qui doivent participer à sa mise en œuvre. – Associer des gens crédibles aux yeux des acteurs concernés.
La collaboration du personnel, des clients, des partenaires ou des pairs est-elle nécessaire pour assurer une implantation efficace ?	Non	– Le gestionnaire peut agir seul.
	Oui	– Associer les gens qui devront travailler avec les nouvelles façons de faire. – Associer les gens qui sont touchés par les nouvelles façons de faire.
Le soutien du supérieur hiérarchique est-il nécessaire pour procéder à la l'implantation du changement ?	Non	– Le gestionnaire peut agir seul.
	Oui	– Tenir le supérieur informé de l'évolution des choses et tenter d'avoir ses réactions. – Tenter d'obtenir sa contribution.

1. La décision d'agir seul constitue un choix extrême ; les situations où l'on peut vraiment agir seul sont en effet rares. Il faut voir le « oui » et le « non » comme les pôles d'un continuum entre lesquels il y a des degrés. Le choix des approches doit donc être gradué en fonction de ces degrés.

2. On trouve au module 15 des suggestions d'outils qui peuvent être utilisés.

▶ *Indiquez combien de fois vous avez répondu :*

«*Le gestionnaire peut agir seul*»? _____ /5.

◆ Si votre score est près de 5/5, c'est une indication que vous pouvez procéder seul à la gestion du changement.

◆ Plus votre score est près de 0/5, plus vous devriez vous associer d'autres personnes pour gérer le changement.

Est-il préférable que les gens soient associés officiellement ou de façon informelle?

◆ Faire participer les gens officiellement peut être utile sur le plan symbolique; cela présente cependant le désavantage de susciter de l'autocensure chez ceux qui ne veulent pas se prononcer en public, de sorte que la qualité de leur apport peut en souffrir.

◆ Faire participer les gens de façon informelle a l'avantage de mettre à contribution leurs idées, en limitant pour eux le risque de s'exposer à la critique; en contrepartie, cela ne permet pas d'apporter la caution publique dont on peut avoir besoin pour appuyer les idées proposées.

De façon générale:

◆ on favorise une participation informelle pour les activités et discussions visant à enrichir la compréhension *des réactions* des destinataires;

◆ on favorise une participation officielle pour les activités et discussions visant à accroître *l'implication* des acteurs.

▶ *Indiquez les acteurs ou les groupes que vous envisagez d'associer à la préparation de la gestion du changement. Indiquez également quelle contribution vous attendez de chacun.*

MODULE 11

LA GESTION DE LA TRANSITION

Comment piloter la mise en œuvre?

Les organisations sont en général assez compétentes dans l'élaboration de plans d'action. Mais s'il est important d'avoir un bon plan d'action, il est encore plus important d'en «gérer» adéquatement la mise en œuvre.

CE MODULE TRAITE DES QUESTIONS SUIVANTES:

Qu'est-ce qui se produit durant la période de transition?

◆

Comment peut-on évaluer le style de gestion adopté
par le gestionnaire?

◆

Quelles approches faut-il privilégier pour gérer adéquatement
un projet de changement?

◆

Quels principes doivent nous guider pour gérer
de *multiples changements simultanés*?

La période d'implantation est une période de transition pour tous les acteurs touchés par le changement, et le gestionnaire doit y apporter une attention spéciale. En fait, c'est l'étape la plus délicate pour la réussite du changement, et c'est malheureusement là que plusieurs gestionnaires s'arrêtent...

À tous les niveaux des organisations, on voit des gestionnaires «lancer» des opérations de changement, sans les gérer. Ils ont conçu ces changements et les ont parfois planifiés soigneusement, mais ils ne les ont pas conduits à terme; c'est pourtant ce que voudrait dire «gérer» un changement. Disons-le simplement: **la transition est habituellement l'étape que les gestionnaires maîtrisent le moins.** Diverses raisons expliquent cela, et la plupart ne concernent pas les personnes mêmes. La principale est sans doute que les gestionnaires des organisations n'ont pas établi de tradition particulière en matière de gestion du changement. Ils se sont souvent contentés d'approches mécaniques et légalistes.

11.1 À QUI REVIENT-IL DE GÉRER LA PÉRIODE DE TRANSITION?

Normalement, tous les gestionnaires ayant un rôle à jouer dans la mise en œuvre devraient faire leur part dans la gestion de la transition. Ainsi, les gestionnaires de tous les niveaux de l'organisation, et parfois même de toutes les unités, devraient adopter une approche de gestion spéciale. Par ailleurs, il faut que la conception de l'approche générale de gestion ainsi que sa révision périodique viennent du **gestionnaire qui a piloté l'idée de changement.** Ainsi, en plus d'être un exemple, il donne l'impulsion nécessaire pour assurer la cohérence de l'ensemble.

11.2 LA PÉRIODE DE LA TRANSITION

On a expliqué, dans le module 5 sur «Les enjeux du changement chez l'individu», que la période de transition est particulièrement trouble, mais en même temps inévitable. En effet, **cette étape du changement introduit de la turbulence dans l'organisation.** Plus il s'agit d'un changement fondamental ou de grande envergure, plus le degré de turbulence sera élevé.

Selon l'approche utilisée par les gestionnaires pour traverser cette période de transition, elle peut être source de chaos destructeur ou *de désordre créateur*. Cette expérience peut se révéler très difficile pour les membres de l'organisation, et spécialement pour les gestionnaires. Mais elle peut aussi constituer une expérience très riche en inventivité et en créativité, et donner lieu à des apprentissages très utiles... *si on se met dans les conditions appropriées.*

La transition soulève habituellement de la turbulence à trois niveaux, et chacun de ces niveaux devrait mobiliser l'attention des gestionnaires :

- les réactions des membres de l'organisation,

- les difficultés liées aux contenus du changement,

- les réactions de l'entourage (clients, pairs, partenaires).

11.2.1 Les réactions des membres de l'organisation

Il serait défaitiste de présumer que l'adaptation au changement sera difficile pour tous les destinataires. Il est cependant réaliste d'affirmer que la majorité des gens seront affectés et connaîtront un certain degré de déséquilibre ou de malaise. Ce déséquilibre n'est pas une « réaction anormale » ; il est normal et même utile. S'il est négligé par la gestion, il peut se transformer en résistances ou en forces d'inertie.

S'il est canalisé, il peut donner naissance à des idées productives et à une mobilisation.

Le déséquilibre associé à la transition comporte habituellement trois caractéristiques, qui ont déjà été mentionnées dans le module 5, mais qu'il convient de rappeler :

- un degré de fatigue plus élevé,

- un état de confusion inhabituel,

- un sentiment d'incompétence plus ou moins prononcé.

La fatigue

L'être humain compte normalement sur des automatismes pour économiser son énergie. L'adoption d'un comportement nouveau l'oblige à lutter contre ces automatismes et à mobiliser beaucoup d'attention et d'énergie pour exécuter des gestes non familiers. La présence simultanée de ces deux sources d'effort provoque une surconsommation d'énergie, qui entraîne beaucoup de fatigue. Cette fatigue se traduit souvent par une augmentation des congés de maladie, des accidents de travail et des cas d'épuisement professionnel.

La confusion

Les gens s'appuient sur des comportements « appris » pour accomplir leur travail. Leur demander d'adopter de nouvelles façons de faire, c'est leur demander en fait de « désapprendre » et de « réapprendre » ; il se produit alors une sorte d'entre-deux, où le cerveau vit l'expérience *de ne plus savoir*... Cette situation irrite souvent les gestionnaires, qui estiment que leurs employés font preuve de mauvaise foi ou d'infantilisme. Bien qu'il y ait parfois effectivement de la mauvaise foi, en règle générale, il s'agit d'une réaction normale et prévisible.

Le fait que plusieurs personnes se sentent déroutées peut créer une impression de confusion dans l'organisation. Parce que l'on observe une confusion croissante, on en conclut parfois à l'inefficacité du changement en cours et on cherche à revenir aux pratiques antérieures. Dans plusieurs cas, cependant, il est alors trop tôt pour tirer une telle conclusion. Il faut s'efforcer de dissocier les difficultés d'adaptation de l'individu et les effets réels du nouveau mode de fonctionnement sur la performance de l'organisation. Cette adaptation peut demander des mois.

Le sentiment d'incompétence

Dans le monde contemporain, les gens sont très valorisés par leur compétence. Lorsqu'on leur demande de faire des choses qu'ils ne maîtrisent pas, on les expose en fait à des situations pour lesquelles ils ont moins de compétence, ce qui peut constituer pour eux une expérience désagréable. Cette expérience répétée portera de durs coups à plusieurs, qui seront en « manque de renforcements », sans compter les désagréments d'une certaine inefficacité personnelle conjuguée à l'inefficacité des autres collègues. Il ne leur reste qu'un pas à faire pour tenir le changement responsable de leur désarroi et pour le critiquer.

11.2.2 Les difficultés liées aux contenus du changement

Il est illusoire de penser avoir la formule parfaite du premier coup. Il faut habituellement apporter des correctifs aux nouveaux modes de fonctionnement introduits pour en corriger les dysfonctions. Celles-ci peuvent provenir soit d'erreurs de conception, soit de variantes que l'on trouve d'une situation à l'autre et qui obligent à faire des ajustements. Des correctifs peuvent aussi être nécessaires pour mieux harmoniser les nouvelles pratiques avec le reste de l'organisation des services ou du cadre de travail.

Les dysfonctions ainsi que les limites qui apparaissent pendant l'implantation ne font qu'accentuer l'état de déséquilibre que l'on connaît dans l'organisation et elles alimentent le scepticisme des opposants.

11.2.3 Les réactions de l'entourage (clients, pairs, partenaires)

Des changements qui modifient la nature des services ou les pratiques des acteurs de l'organisation produiront éventuellement des effets sur les autres sous-systèmes que sont les clients, les fournisseurs, les collaborateurs, sans parler des observateurs et des groupes de pression. Même dans les situations où l'on escompte des effets positifs pour eux, ils risquent de subir les contrecoups de la période de transition : ralentissement du service, nouvelles façons d'entrer en relation, maîtrise imparfaite des nouvelles façons de faire, nouveau langage à acquérir, etc. L'entourage sera donc lui aussi déséquilibré dans une certaine mesure, et ses réactions vont constituer une source de pression supplémentaire qui pourra nuire à l'efficacité de l'organisation et au succès de l'opération de changement.

On peut utiliser le tableau 11.2 pour organiser ses idées en rapport avec les mesures à prendre pour faciliter la gestion de la transition.

11.3 LES PRINCIPES GÉNÉRAUX DE LA GESTION DU CHANGEMENT

Pour favoriser une période de transition qui soit la moins turbulente et la plus productive possible, les gestionnaires doivent veiller aux trois points qui viennent d'être relevés, à savoir les correctifs à apporter aux contenus, les réactions de l'entourage et celles des membres de l'organisation.

En fait, ils doivent adopter une approche de gestion différente de celle qui est utilisée dans les activités courantes. De façon générale, il s'agit d'un style comportant à la fois :

- **beaucoup de détermination quant aux résultats à atteindre, mais aussi beaucoup de sensibilité aux réactions des membres de l'organisation ;**

- **beaucoup de souplesse dans les ajustements à faire, mais aussi beaucoup de fermeté quant à l'importance d'aller de l'avant ;**

- **beaucoup d'attention aux efforts consentis, mais aussi beaucoup de persévérance pour relancer continuellement les efforts.**

Pour mettre en pratique ce style efficacement, il faut :

- *Recueillir périodiquement les réactions des clients, des destinataires, des pairs et des partenaires.*

  Cela permet de se tenir bien informé de l'évolution de la situation, et aussi de maintenir un lien précieux pour discuter des solutions à apporter aux problèmes.

- *Faire des évaluations périodiques.*

  Des évaluations « simples, ciblées et ponctuelles[1] », fournissent une information factuelle permettant de faire le partage entre les impressions et la réalité.

- *Déceler les dysfonctions et les corriger.*

  Plus vite sont détectées et corrigées les dysfonctions, plus la crédibilité des gestionnaires y gagne, plus les acteurs sont rassurés et meilleurs sont les résultats.

- *Diffuser régulièrement des rapports d'étape[2].*

  Les destinataires surtout, mais aussi les clients, pairs et partenaires seront très vulnérables à la confusion et auront besoin qu'on leur fournisse des points de repère montrant les aspects sur lesquels on progresse et ceux sur lesquels on stagne.

- *Rappeler* continuellement *les objectifs du changement aux destinataires, clients et partenaires.*

  En situation de turbulence, les gens ont tendance à perdre de vue les buts et à se concentrer sur les questions mécaniques et immédiates. Il faut que les motifs de l'effort consenti pour le changement soient rappelés régulièrement, de même que les résultats recherchés.

- *Ajuster le rythme d'introduction aux circonstances.*

  En dépit de la qualité des plans adoptés, on arrive souvent à des périodes où il faut ralentir le rythme pour éviter l'éclatement, ou encore à des moments où il faut accélérer, car les solutions aux

---

1. Il faut éviter de mettre en place un appareillage lourd et complexe, qui fournira les données dans des délais trop longs pour les besoins d'ajustement pendant le processus.
2. En général, la franchise est plus avantageuse que la distorsion de l'information. Elle demande plus de courage, mais elle établit des bases de communication plus efficaces. Les gens ne sont pas dupes et détectent habituellement l'information biaisée ; ils s'en prennent alors à la crédibilité du gestionnaire, qui voit ainsi sa marge de manœuvre réduite.

problèmes éprouvés découleront des changements qui restent à introduire. Il faut donc accélérer le rythme pour arriver à ces solutions nouvelles.

♦ *Assurer une présence régulière.*

Les imprévus seront nombreux et le niveau d'insécurité élevé. Voilà deux bonnes raisons pour que les gestionnaires soient très présents dans leurs unités de travail. C'est paradoxalement une période où ils ont généralement tendance à se retrancher, pour éviter les heurts...

♦ *Accorder de l'attention et souligner les efforts.*

Les personnes sont exposées à de nombreuses sources de tension durant cette période et ont besoin de voir leurs efforts récompensés. Comme les effets du changement ne peuvent être probants à court terme, il est nécessaire de leur consacrer plus d'attention qu'à l'habitude.

♦ *Apporter du soutien pour maintenir la motivation et limiter les effets de la fatigue.*

Les destinataires du changement sont vulnérables à l'essoufflement si on ne leur apporte pas un soutien suffisant non seulement pour faire ce qui est attendu d'eux, mais également pour être créatifs et entreprenants.

Le tableau 11.1 de la page 210 propose une grille permettant de déterminer si les gestionnaires mettent en application ces principes. Elle peut être utilisée de diverses façons :

♦ comme outil d'autoévaluation pour un gestionnaire donné ou pour une équipe de gestion ;

♦ comme questionnaire de sondage auprès des destinataires ; on compile les résultats pour détecter les points forts et les lacunes dans l'approche de gestion ;

♦ comme outil pour superviser (*coaching*) d'autres gestionnaires.

Tableau 11.1   GRILLE D'ANALYSE DE L'APPROCHE DE GESTION DE LA TRANSITION

1) Le gestionnaire s'implique activement durant la période d'implantation.

D'accord	Plutôt d'accord	Plus ou moins d'accord	Plutôt en désaccord	En désaccord
5	4	3	2	1

2) Le gestionnaire sollicite des réactions de la part dès clients quant à l'impact du changement sur eux.

D'accord	Plutôt d'accord	Plus ou moins d'accord	Plutôt en désaccord	En désaccord
5	4	3	2	1

3) Le gestionnaire sollicite des réactions de la part des destinataires quant à l'impact du changement sur eux.

D'accord	Plutôt d'accord	Plus ou moins d'accord	Plutôt en désaccord	En désaccord
5	4	3	2	1

4) Le gestionnaire sollicite des réactions de la part des partenaires/pairs quant à l'impact du changement sur eux.

D'accord	Plutôt d'accord	Plus ou moins d'accord	Plutôt en désaccord	En désaccord
5	4	3	2	1

5) Le gestionnaire évalue périodiquement les résultats du changement.

D'accord	Plutôt d'accord	Plus ou moins d'accord	Plutôt en désaccord	En désaccord
5	4	3	2	1

6) Le gestionnaire informe régulièrement les destinataires, les clients, les pairs et les partenaires de l'évolution de la mise en œuvre.

D'accord	Plutôt d'accord	Plus ou moins d'accord	Plutôt en désaccord	En désaccord
5	4	3	2	1

7) Le gestionnaire est ouvert aux commentaires et s'efforce d'y donner suite pour faciliter l'implantation du changement.

D'accord	Plutôt d'accord	Plus ou moins d'accord	Plutôt en désaccord	En désaccord
5	4	3	2	1

8) Le gestionnaire s'efforce de corriger les problèmes au fur et à mesure qu'il en prend connaissance.

D'accord	Plutôt d'accord	Plus ou moins d'accord	Plutôt en désaccord	En désaccord
5	4	3	2	1

Tableau 11.1   GRILLE D'ANALYSE DE L'APPROCHE DE GESTION DE LA TRANSITION *(suite)*

9) Le gestionnaire permet aux personnes touchées par le changement de participer activement à sa mise en œuvre.

D'accord	Plutôt d'accord	Plus ou moins d'accord	Plutôt en désaccord	En désaccord
5	4	3	2	1

10) Le gestionnaire rappelle régulièrement les objectifs du changement en cours.

D'accord	Plutôt d'accord	Plus ou moins d'accord	Plutôt en désaccord	En désaccord
5	4	3	2	1

11) Le gestionnaire assure une présence régulière auprès des destinataires.

D'accord	Plutôt d'accord	Plus ou moins d'accord	Plutôt en désaccord	En désaccord
5	4	3	2	1

12) Le gestionnaire apporte au personnel l'encouragement dont il a besoin pour traverser la période de mise en œuvre.

D'accord	Plutôt d'accord	Plus ou moins d'accord	Plutôt en désaccord	En désaccord
5	4	3	2	1

13) Le gestionnaire se montre compréhensif à l'égard des difficultés éprouvées par le personnel.

D'accord	Plutôt d'accord	Plus ou moins d'accord	Plutôt en désaccord	En désaccord
5	4	3	2	1

14) Le gestionnaire se montre tolérant devant les erreurs commises involontairement par le personnel.

D'accord	Plutôt d'accord	Plus ou moins d'accord	Plutôt en désaccord	En désaccord
5	4	3	2	1

15) Le gestionnaire souligne au personnel les succès obtenus.

D'accord	Plutôt d'accord	Plus ou moins d'accord	Plutôt en désaccord	En désaccord
5	4	3	2	1

16) Le gestionnaire exprime clairement ses attentes au personnel.

D'accord	Plutôt d'accord	Plus ou moins d'accord	Plutôt en désaccord	En désaccord
5	4	3	2	1

Tableau 11.1   **GRILLE D'ANALYSE DE L'APPROCHE DE GESTION DE LA TRANSITION** *(suite)*

17) Le gestionnaire répond clairement aux questions du personnel sur le changement.

D'accord	Plutôt d'accord	Plus ou moins d'accord	Plutôt en désaccord	En désaccord
5	4	3	2	1

18) Le gestionnaire revoit l'organisation du travail dans l'unité pour tenir compte du changement.

D'accord	Plutôt d'accord	Plus ou moins d'accord	Plutôt en désaccord	En désaccord
5	4	3	2	1

19) Le gestionnaire clarifie le rôle de chacun en rapport avec le changement.

D'accord	Plutôt d'accord	Plus ou moins d'accord	Plutôt en désaccord	En désaccord
5	4	3	2	1

20) Le gestionnaire exprime clairement son opinion quant aux points forts et aux faiblesses du projet de changement en voie d'implantation.

D'accord	Plutôt d'accord	Plus ou moins d'accord	Plutôt en désaccord	En désaccord
5	4	3	2	1

21) Les moyens fournis par le gestionnaire pour faciliter l'implantation du changement (formation, soutien, information, participation, etc.) sont dans l'ensemble adéquats.

D'accord	Plutôt d'accord	Plus ou moins d'accord	Plutôt en désaccord	En désaccord
5	4	3	2	1

22) Les moyens fournis par le gestionnaire pour faciliter l'implantation du changement (formation, soutien, information, participation, etc.) sont dans l'ensemble suffisants.

D'accord	Plutôt d'accord	Plus ou moins d'accord	Plutôt en désaccord	En désaccord
5	4	3	2	1

23) Le rythme d'introduction est adéquat.

D'accord	Plutôt d'accord	Plus ou moins d'accord	Plutôt en désaccord	En désaccord
5	4	3	2	1

Pour déterminer si vous êtes actif ou passif dans la gestion du changement en cours, additionnez vos scores à chacun des indicateurs et inscrivez la somme ci-dessous :

Score total : _____ /115.

◆ Si votre score est près de 115, vous faites une gestion active de la période de transition en cours.

◆ Si votre score est près de 84, vous faites une gestion modérée de la période de transition en cours.

◆ Si votre score est près de 54, vous faites une gestion passive de la période de transition en cours.

◆ Si votre score est près de 23, vous ne gérez pas la période de transition en cours.

Au-delà de ces principes généraux, il faut que l'approche de gestion utilisée soit adaptée au contexte particulier de l'organisation. Le module 12, portant sur le monitorage du changement, décrit six configurations organisationnelles ainsi que les approches de gestion qui y sont associées.

11.4 LES MÉCANISMES DE GESTION DU CHANGEMENT DURANT LA TRANSITION

Le style adopté par la gestion doit être appuyé et complété par un certain nombre de mécanismes ou de moyens qui serviront à soutenir les efforts.

11.4.1 Un groupe de suivi/pilotage du changement

L'expérience montre qu'en général les mécanismes de coordination usuels ne suffisent pas pour assurer la gestion efficace d'un changement. Ces mécanismes sont très sollicités par les exigences du quotidien, et il ne reste habituellement pas assez de temps pour faire le point sur la progression du changement et ajuster les approches.

De façon générale, **on a avantage à mettre en place (de façon provisoire) un «groupe de suivi» ou un «groupe de pilotage» du changement, dont le rôle consistera à recueillir de l'information sur l'état d'avancement, sur les succès et sur les difficultés qui se présentent ainsi que sur les réactions des acteurs.** Afin de constituer un microcosme de l'organisation, le comité sera composé de membres de divers services de l'organisation et de différents niveaux hiérarchiques. Il relèvera du gestionnaire qui pilote l'opération de changement et lui fera régulièrement rapport de sa lecture de la situation ainsi que de ses recommandations pour faciliter la poursuite du changement. Si le comité n'est pas présidé par le «gestionnaire-pilote», il devra l'être, autant que possible, par un de ses proches, ayant lui-même le statut de gestionnaire. Il faudra maintenir ce comité jusqu'à la disparition des soubresauts causés par l'introduction du changement.

Dans le module 10, «Le plan d'action», on a défini des mécanismes de coordination pour la mise en œuvre du plan d'action. Ces mécanismes devraient servir aux besoins de coordination courants. Le mécanisme proposé ici constitue, quant à lui, une mesure d'exception qui fonctionne de façon sporadique dans le temps et qui permet d'avoir une vision globale des choses. Il vient donc compléter les mécanismes de coordination courants et ne doit en aucune façon les remplacer.

11.4.2 Des opérations de «bilan provisoire»

Un autre mécanisme souvent très utile consiste à réaliser des «bilans provisoires» avec les clients, les destinataires, les pairs et les partenaires[3]. Pour être efficaces, ces opérations doivent être simples. Elles peuvent prendre la forme d'une rencontre où les gens concernés sont invités à faire part de leurs observations. On les invite à relever autant les aspects qui vont bien que ceux qui présentent des défaillances.

Après avoir pris connaissance des observations, les gestionnaires tiennent une rencontre spéciale pour traiter l'information recueillie et déterminer les mesures à prendre pour protéger les acquis et corriger les lacunes. Le tableau 11.2 de la page 217 propose une façon de traiter l'information recueillie. Pour que de telles opérations soient utiles et efficaces, il faut respecter certaines conditions :

- ◆ l'ensemble de l'opération doit se dérouler rapidement (quelques jours), avec une mécanique légère ;

- ◆ dans les jours qui suivent la collecte de l'information, une rétro-action officielle doit être transmise aux personnes concernées sur les mesures adoptées ;

- ◆ les mesures adoptées doivent porter sur des points importants.

11.4.3 Des moyens d'information spéciaux

Durant une période de changement, les gens ont énormément besoin d'une information de qualité et fiable. S'ils en manquent, ils auront souvent tendance à laisser courir leur imagination. De plus, l'insta-

---

3. Les syndicats sont définis ici comme des partenaires.

bilité d'une période de changement crée un milieu très favorable aux rumeurs de toutes sortes, dont les effets peuvent parfois être très nuisibles à la santé et à l'efficacité de l'organisation. Pour ces raisons, **il est souvent utile de se doter d'un mécanisme simple et régulier pour diffuser de l'information sur l'état d'avancement du changement, sur les résultats atteints et sur les mesures adoptées pour soutenir l'effort.** Dans certains cas, il peut s'agir d'un feuillet d'une page publié toutes les deux semaines; dans d'autres, on utilisera une page spéciale du journal de l'organisation; dans d'autres cas encore, on tiendra des séances d'information. L'important est de s'assurer que les destinataires, les clients, les pairs et les partenaires reçoivent *régulièrement une bonne information, non censurée, bien ciblée.*

11.4.4 Des rencontres éclair

Pour être capable d'agir rapidement sur les événements, il faut s'appuyer sur des mécanismes de coordination simples et rapides, qui tiennent presque de l'ajustement mutuel.

À tous les niveaux de l'organisation, **les gestionnaires devraient tenir avec leurs collaborateurs des rencontres éclair (15 à 20 minutes), surtout au début des quarts de travail, afin de prendre le pouls des gens et de mettre en place les ajustements nécessaires pour faciliter l'intégration du changement.** Il s'agit donc de rencontres assez informelles, où le gestionnaire s'informe de l'état de la situation, solutionne les problèmes, clarifie les ambiguïtés et coordonne les efforts. Ces rencontres sont très importantes car elles procurent aux gestionnaires un lieu de ralliement et de répit, à un moment où ils risquent d'être souvent mis à l'épreuve dans leurs unités de travail.

Des rencontres de la sorte devraient être assez fréquentes au début de la démarche de changement, pour être graduellement espacées par la suite.

11.4.5 Des activités de soutien

Autant pour maintenir l'attention que pour fournir les moyens d'intégrer le changement, on a avantage à offrir aux destinataires et aux gestionnaires une série d'activités liées au changement. On peut, bien sûr, penser à **des activités sociales qui permettent de ventiler et de renforcer des liens** parfois éprouvés par le quotidien, mais on doit surtout penser à **des activités de ressourcement directement utiles** (nouvelles compétences, effets du changement sur les personnes, outils pour réduire son stress, trucs pour être créatif, etc.).

Parfois, le fait de maintenir les cerveaux alertes produit plus d'effet que le contenu même des activités.

11.4.6 De la supervision individuelle

Un certain nombre d'individus, de toutes les catégories d'emplois, sont susceptibles d'avoir de la difficulté à intégrer correctement les changements nécessaires. Pour ceux-là, **il est souvent utile de recourir à de la supervision individuelle, pour leur fournir l'orientation et le soutien dont ils ont besoin pour intégrer le changement.** Certains gestionnaires sont réfractaires à cette pratique, qu'ils jugent trop «thérapeutique». Pourtant, on peut très bien faire de la supervision individuelle (*coaching*) en se concentrant sur les façons de s'acquitter du travail attendu, sans entrer dans les dynamiques psychologiques.

11.4.7 Des séances de résolution de problèmes

On peut périodiquement regrouper les personnes ayant à travailler ensemble pour des séances de résolution de problèmes. On peut le faire dans une perspective de prévention ou pour résoudre des difficultés. Dans un premier temps, on identifie les problèmes vécus dans la mise en œuvre du changement ou dans le contenu du changement, après quoi on examine les solutions qui seraient les mieux adaptées. De telles rencontres permettent d'introduire des ajustements et empêchent qu'une *surcharge* de tension ne se produise. Ces rencontres ne devraient normalement pas dépasser une heure.

11.4.8 La délégation

Pendant l'implantation, toutes sortes d'aménagements, d'ajustements, de correctifs seront introduits. Pour en assurer un suivi adéquat et éviter que le gestionnaire ne porte tout sur ses épaules, **celui-ci devrait prendre l'habitude de confier des mandats à ses collaborateurs et de leur demander de faire rapport périodiquement.** Du même coup, il leur permettra de s'approprier le changement.

11.4.9 Des outils de collecte d'information

Si on s'engage dans un changement d'une certaine importance, il est souvent utile de se doter de quelques outils de collecte d'information auprès des clients, des destinataires, des pairs et des partenaires. Pour ce qui est des clients, des pairs et des partenaires, de simples sondages, portant sur leur degré de satisfaction sont habituellement suffisants pour fournir des informations permettant de déterminer les aspects sur lesquels investir davantage. Pour ce qui est des destinataires, il faut utiliser un outil permettant de suivre l'évolution de leurs réactions (« monitorage ») ; un tel outil est proposé au module 12. On peut aussi utiliser la grille d'analyse de l'approche de gestion (tableau 11.1, page 211).

Il est habituellement avantageux de faire circuler rapidement les informations recueillies au moyen de ces outils. En procédant de la sorte, on maintient l'attention sur le changement à réaliser et on accroît le sens du partenariat.

Tableau 11.2   GRILLE DE BILAN PROVISOIRE ET DES MESURES DE SOUTIEN

▶ Cette grille peut être utilisée pour organiser l'information à des fins de gestion.

	Aspects positifs	*Mesures de consolidation*	*Lacunes ou problèmes*	*Mesures correctrices*
Le contenu du changement				
Les réactions des clients				
Les réactions des destinataires				
Les réactions des pairs et des partenaires de l'organisation				

11.5 LES RÉACTIONS TYPES

Selon l'importance des efforts de gestion consentis par le gestionnaire, on observera des réactions différentes.

L'expérience montre que, dans les cas de changements importants où les gestionnaires ont fait peu (ou pas) d'efforts pour gérer méthodiquement le changement, celui-ci a été peu ou mal intégré et la qualité de l'organisation s'est dégradée, parfois considérablement. Il en résulte souvent des organisations en conflit, des organisations léthargiques, des organisations où on « fait semblant ».

Dans les cas où les gestionnaires ont fait des efforts pour gérer méthodiquement le changement, celui-ci s'est mieux intégré et mieux harmonisé aux autres dimensions de l'organisation. On observe également que le milieu tendait à devenir plus dynamique et plus novateur. Ce sont des organisations où l'apprentissage est continu et où la gestion du changement devient un mode de fonctionnement.

11.6 L'APPROPRIATION DU CHANGEMENT

Pour qu'un changement s'introduise de façon durable et soit intégré aux habitudes, il faut que les destinataires se l'approprient. On espère toujours qu'ils le feront le plus tôt possible ; en général, cependant, c'est là une illusion. En effet, il est illusoire de croire que des gens qui n'ont pas demandé de changer s'approprieront rapidement les idées de quelqu'un d'autre. L'expérience montre, au contraire, qu'il faut habituellement attendre un certain temps avant que les destinataires soient réceptifs au changement et encore plus longtemps pour qu'ils en deviennent « propriétaires ». Cela a une conséquence très importante : *les initiateurs du changement auront à le porter durant presque toute la période de transition.* C'est donc dire qu'ils devront en faire une gestion active et un suivi attentif, sinon les destinataires trouveront des moyens pour y échapper ou pour le neutraliser.

Dans les cas où les gens accueillent le changement favorablement, la période d'appropriation est évidemment plus courte, mais il faut néanmoins qu'une gestion active soit assurée. En matière de changement, il faut se rappeler que les habitudes anciennes restent longtemps incrustées et reviennent sans même qu'on l'ait voulu. **Dans les cas où les gens sont réfractaires au changement proposé, la direction doit tenir pour acquis qu'elle devra en assumer la gestion durant « toute » la période de transition.**

11.7 GÉRER PLUSIEURS CHANGEMENTS SIMULTANÉS

11.7.1 Les effets de multiples changements simultanés

Avec l'arrivée du vingt et unième siècle la plupart des organisations, publiques comme privées, doivent faire face en même temps à un nombre important de changements de toutes sortes. Cela suscite des réactions particulières dans les organisations et impose aux gestionnaires d'ajouter la gestion du changement à celle des activités courantes. Examinons d'abord les réactions qui apparaissent habituellement...

Dans l'organisation en général

L'organisation, sous la pression des multiples changements, se trouve passablement ébranlée et tend à se désintégrer. On observe moins de cohésion entre les acteurs et moins de cohérence dans les actions. Le nombre de conflits s'accroît et on ne trouve pas le temps de les résoudre. On va au plus pressé et on néglige certaines fonctions, de sorte qu'une certaine désorganisation apparaît. Les problèmes non résolus se multiplient et influent sur le fonctionnement des activités courantes. On a parfois recours à la clandestinité pour prendre des raccourcis dans le traitement des situations problèmes. Les décisions sont prises à la hâte et parfois sans perspective globale. On perd de vue chacun des changements et on a l'impression d'une organisation en éclatement.

En somme, la situation est proche de la crise (et y sombre parfois). L'organisation, comme système, est déstabilisée à plusieurs niveaux, et désormais on n'est plus en présence d'un changement à implanter, mais d'une organisation en voie de se regénérer. Ce ne sont plus des changements qui s'additionnent; c'est une nouvelle organisation qui se crée. Toute la dynamique organisationnelle est affectée. **Ce ne sont plus des changements qu'il faut gérer, mais bien la turbulence de l'organisation, elle-même caractérisée par de multiples objets en changement.**

Chez les destinataires

Les réactions des destinataires sont habituellement les mêmes que celles qui ont déjà été évoquées pour la période de transition, c'est-à-dire fatigue, confusion et sentiment d'incompétence, sauf qu'elles sont particulièrement aiguës et qu'elles produisent des effets secondaires importants. **Ayant l'impression d'une désorganisation et d'un éclatement, les destinataires ont souvent tendance à perdre confiance en leurs dirigeants et à adopter une position passive, voire cynique.**

Inutile de dire qu'ils cessent alors d'être des membres actifs dans l'implantation du changement et qu'au contraire ils contribuent à l'éclatement de l'organisation. En fait, souvent ils cherchent continuellement à se décharger de leurs responsabilités et à laisser leurs problèmes à la gestion. Si elle n'est pas encadrée adéquatement, c'est une situation difficile à vivre pour eux, mais elle peut devenir une aventure enrichissante si la gestion réussit à canaliser les énergies.

Chez les gestionnaires

Les gestionnaires sont débordés. Les problèmes à résoudre sont nombreux et plusieurs sont nouveaux, de sorte que les solutions ne sont pas évidentes et celles qui sont trouvées sont souvent imparfaites. À cause de l'instabilité de la situation, il faut réagir rapidement et on manque de temps pour avoir une perspective globale dans la prise de décision. Les gestionnaires sont assaillis par des gens qui se plaignent de la précarité de la situation, mais qui eux-mêmes ont peu de choses à proposer, sinon de ralentir le rythme. Il semble que tout soit important et que même l'essentiel soit négligé. Les gestionnaires sont souvent essoufflés et ont l'impression d'être démunis face à cette mouvance. Certains deviennent alors hyperactifs, d'autres versent dans la passivité.

Chez les clients, les partenaires et les pairs

Si la situation n'est pas bien maîtrisée, les clients, les partenaires et les pairs en arrivent à souffrir de la désorganisation et à perdre confiance. Dans certains cas, **ils ajoutent de la pression pour retrouver un niveau de service satisfaisant, ce qui amplifie la tension dans l'organisation**; dans d'autres cas, ils cherchent des solutions de rechange, ce qui peut avoir des effets dommageables pour l'avenir de l'organisation.

11.7.2 La gestion de changements simultanés

Les principes généraux de gestion du changement qui ont été proposés plus haut s'appliquent également dans ce cas et sont même encore plus importants. Il faut cependant introduire quelques variantes.

D'abord, plutôt que de gérer de multiples changements, on s'emploie à gérer une organisation en état de choc. C'est donc cette forme de traumatisme que l'on doit traiter. En d'autres termes, on s'intéresse à la dynamique d'ensemble de l'organisation, mais en agissant sur des éléments particuliers.

Ensuite, on adopte une approche de «désordre». En effet, il serait illusoire de penser faire les choses avec ordre. Le désordre est déjà installé, et ce n'est d'ailleurs pas l'effet d'une erreur : c'est le résultat naturel de la présence simultanée de plusieurs sources de déséquilibre. Recourir à une logique de désordre suppose que, dans un premier temps, on établisse clairement, avec les destinataires comme avec les partenaires, que la réalité est désormais à l'enseigne du désordre et que les approches usuelles de gestion seront remplacées provisoirement par des mécanismes plus fluides, mieux adaptés à l'instabilité. Le rôle de la gestion consiste alors à orienter le désordre et à canaliser les énergies sur des cibles précises. C'est donc une gestion qui s'apparente à la gestion de crise, à cette différence que l'objet d'attention n'est pas une urgence, mais une grande vulnérabilité.

On trouve au tableau 11.3 les principales cibles qui devraient mobiliser l'attention du gestionnaire ainsi que des mesures qui peuvent être prises pour gérer efficacement des changements simultanés. Ces mesures n'épuisent pas l'éventail de celles qui peuvent être utilisées, mais elles indiquent l'orientation générale à privilégier. Dans l'ensemble, elles sont facilement accessibles à tous les gestionnaires, mais elles demandent une discipline personnelle soutenue.

Il reste que la gestion de multiples changements simultanés est une opération exigeante pour les gestionnaires et éprouvante pour l'organisation. Il n'y a pas de formule magique, mais le recours aux mesures suggérées peut faciliter grandement la période de transition. Mieux encore, ces mesures permettent dans certains cas de donner aux membres de l'organisation la compétence pour composer avec la turbulence, de susciter un état d'esprit favorisant l'apprentissage et un dynamisme novateur.

Tableau 11.3   MESURES POUR GÉRER DES CHANGEMENTS SIMULTANÉS

Zones de vulnérabilité	Mesures
Tendance à l'éclatement dans l'organisation	→ Accroître les mécanismes de communication formels et informels ainsi que les occasions d'échange entre niveaux hiérarchiques et entre services. → Adopter une approche relativement directive et rapide dans la définition des priorités et le règlement des litiges. → Tenir plusieurs rencontres « brèves » pour coordonner les mesures et ajuster le fonctionnement.
Compétition entre les changements en cours	→ Déterminer les changements qui rendent l'organisation plus vulnérable et concentrer les efforts sur eux. → Chercher à agir sur plusieurs aspects en même temps en regroupant les mesures qui peuvent être convergentes. → Accepter que certaines cibles soient négligées.
Confusion dans le fonctionnement	→ Diffuser régulièrement des informations sur l'état de la situation et sur les ajustements faits pour s'adapter à l'évolution. → Rappeler régulièrement les objectifs poursuivis. → Réviser régulièrement les responsabilités des gens pour s'assurer qu'elles demeurent adaptées à la situation.
Essoufflement des membres de l'organisation	→ Souligner régulièrement les succès. → Corriger les principaux irritants. → Prévoir plusieurs activités de ressourcement de courte durée. → Assurer une présence régulière auprès des destinataires et avoir des échanges directs avec eux.
Pressions de la clientèle, des pairs et des partenaires	→ Organiser des rencontres brèves pour échanger avec eux sur l'état de la situation et sur les ajustements à faire pour l'améliorer.

MODULE 12

LE MONITORAGE[1] D'UN CHANGEMENT

L'intégration du changement progresse-t-elle ?

CE MODULE TRAITE DES QUESTIONS SUIVANTES :

Quelles sont les six principales configurations organisationnelles relatives au changement ?

◆

Comment établir la configuration d'une organisation ?

◆

Quelles sont les approches de gestion particulières à chaque configuration ?

---

1. Le terme « monitorage » est donné par le Petit Robert comme équivalent du terme médical anglais « *monitoring* ». Il est utilisé ici, par extension, dans le sens de « suivre méthodiquement l'évolution d'une situation et ajuster périodiquement les mesures de gestion ».

Pendant la mise en œuvre du changement, le gestionnaire a besoin d'informations de qualité pour ajuster son approche ; c'est pourquoi il a avantage à faire un «monitorage» du changement. Le monitorage d'un changement comprend l'ensemble des opérations qui visent à mesurer, à évaluer et à apprécier la façon dont les destinataires réagissent au changement durant la période d'implantation. Il s'agit d'une méthode qui vise à situer le degré d'intégration du changement chez les destinataires et à déterminer, le cas échéant, les ajustements à apporter à l'approche choisie pour la mise en œuvre.

Pour gérer efficacement un changement, il importe d'être attentif à l'évolution de la situation et aux réactions des acteurs touchés. On peut le faire de façon informelle, mais on peut également procéder de façon méthodique, tout au moins pour établir l'état de la situation et pour examiner l'approche de gestion utilisée. Ce module présente des indicateurs pour le faire et propose des approches à privilégier selon les circonstances. Pour avoir une lecture plus fiable de l'état d'avancement du projet de changement et de son impact, il faut aussi évaluer les résultats atteints ; c'est l'objet du module 13.

12.1 QUI DOIT FAIRE DU MONITORAGE ?

Il appartient à chaque gestionnaire et à chaque équipe de gestion de faire son analyse et de déterminer l'approche optimale correspondant à sa situation, et cette analyse peut mettre à contribution plusieurs membres de l'organisation. Un outil d'analyse est présenté plus loin.

Par ailleurs, répétons que l'initiative de procéder à une réflexion sur l'approche de gestion et de la réviser périodiquement devrait revenir au **gestionnaire qui a piloté le projet de changement**.

12.2 LA RÉACTION D'UNE ORGANISATION DEVANT UN CHANGEMENT EN COURS

Très peu de recherches ayant été réalisées sur les réactions d'une organisation durant la période de transition, on en connaît mal les particularités. Noël Tichy[2] estime qu'une organisation réagit à trois niveaux lors d'un changement : aux niveaux technique, politique, et culturel.

---

2. N.M. TICHY. *Managing Strategic Change : Technical, Political and Cultural Dynamics.* J. Wiley, New York, 1983.

Nos propres travaux[3] nous amènent à des résultats qui s'approchent de cette conception. Selon nous, quatre types de facteurs internes à l'organisation contribueraient positivement ou négativement à l'intégration du changement; ce sont:

♦ la dimension idéologique,

♦ la dimension cognitive,

♦ la dimension fonctionnelle,

♦ la dimension psychosomatique.

La dimension *idéologique* concerne la position des acteurs quant à la valeur intrinsèque du changement en voie d'implantation. Il est donc question ici de l'adhésion aux idées nouvelles, de la volonté d'en faire la promotion, de la volonté de contribuer à leur mise en œuvre. On est ici dans l'univers des valeurs individuelles et de groupe.

La *dimension cognitive* concerne la compréhension que les gens ont du projet de changement, des effets recherchés, de ses modalités de fonctionnement et des modalités d'implantation.

La *dimension fonctionnelle* est liée à la perception que les gens ont de l'efficacité du changement en cours, sur le plan personnel comme sur le plan organisationnel.

La *dimension psychosomatique* concerne les réactions des personnes devant le changement et traite donc essentiellement des processus d'adaptation au changement: le stress ressenti, l'énergie disponible, la santé, le degré de sécurité.

La réaction d'une organisation face à chacune de ces dimensions fait apparaître une configuration particulière qui peut aller du soutien total au rejet systématique.

12.3 LES CONFIGURATIONS ORGANISATIONNELLES LIÉES AU CHANGEMENT EN COURS

L'observation des organisations nous a amenés à conclure qu'il existe six grandes configurations correspondant à autant de façons particulières de réagir pendant l'implantation d'un changement. La notion de configuration est dérivée de la théorie du champ de forces et elle suppose que la situation particulière d'un système, à un moment

---

3. Il faut souligner la contribution de Mario Roy, qui nous a aidé à réviser et à raffiner ces dimensions

donné, est le résultat conjugué de forces opposées qui agissent sur lui. Chacune des configurations représente donc un rapport de forces particulier, qui conditionne la progression du changement. **C'est sur ce champ de forces que doit agir le gestionnaire désireux de favoriser la progression du changement.**

Il est important de noter que la configuration d'un système n'est pas le résultat de la somme des positions individuelles. La psychologie des groupes a bien montré qu'un groupe a sa dynamique propre ; pour cette raison, sa réaction devant une situation donnée résulte d'une chimie complexe. Par exemple, un individu peut être en faveur du changement mais, à l'invitation de collègues éprouvant des difficultés avec les nouvelles méthodes, peut faire campagne pour un retour à l'ancienne façon de faire. Ainsi, **il faut s'intéresser aux réactions de l'ensemble du groupe et des sous-groupes pour saisir la « chimie » particulière du système et ensuite adapter l'approche de gestion en conséquence.**

Les six configurations sont :

* l'adhésion marquée,

* l'adhésion limitée,

* la polarisation ou l'ambivalence,

* l'opposition limitée,

* l'opposition marquée,

* l'indifférence.

La frontière entre ces configurations n'est pas étanche. Il faut plutôt voir là des positions sur un axe dynamique, positions qui changent au gré des événements et des étapes.

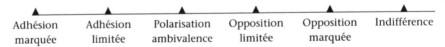

| Adhésion | Adhésion | Polarisation | Opposition | Opposition | Indifférence |
| marquée | limitée | ambivalence | limitée | marquée | |

Les sections qui suivent décrivent les caractéristiques de chacune des configurations ainsi que les approches de gestion les plus appropriées à chacune. Évidemment, les approches proposées doivent être vues comme des suggestions. En effet, chaque situation est particulière et a ses exigences propres. Néanmoins, les approches proposées indiquent la méthode qui est habituellement la plus fructueuse. L'approche proposée pour une configuration donnée devrait permettre d'abord de maximiser les gains dans cette configuration et ensuite de progresser vers la configuration suivante, si c'est possible. Ainsi, de proche en proche, on peut se rendre jusqu'à l'adhésion marquée. Si la gestion du changement est déficiente, on observera au contraire une régression vers l'opposition marquée ou, pire encore, vers l'indifférence. Normalement, la progression se fait à raison d'un échelon à la fois, tout comme la régression d'ailleurs, sauf que celle-ci s'opère en général plus rapidement.

Le tableau 12.1 présente une synthèse des approches de gestion associées à chaque configuration. Les sections qui suivent fournissent une description plus détaillée.

Tableau 12.1 APPROCHES DE GESTION SELON LES CONFIGURATIONS ORGANISATIONNELLES

Configuration	Approche générale	Mesures de gestion
Adhésion marquée	Gestion du développement leadership	– Canaliser les énergies vers les objectifs poursuivis ; – coordonner les efforts pour éviter l'éparpillement et les tensions ; – prévenir la fatigue et l'essoufflement ; – prévenir l'aveuglement ; – s'assurer que les opposants sont entendus ; – faire des évaluations d'impact et diffuser les résultats ; – réagir vite pour éviter les déceptions.
Adhésion limitée	Résolution de problèmes leadership	– S'appuyer principalement sur les supporteurs du changement ; – travailler sur les aspects pouvant leur faciliter la tâche ; – faire en sorte de démontrer l'efficacité du changement ; – rester aux aguets pour détecter les lacunes et les irritants ; – les corriger rapidement, avec le concours des intéressés ; – encourager les gens et souligner régulièrement les succès ; – accorder de l'attention aux opposants, sans que ce soit de façon démesurée ; – convenir avec eux de certains accommodements pouvant leur rendre le changement moins irritant.

**Tableau 12.1   APPROCHES DE GESTION
SELON LES CONFIGURATIONS ORGANISATIONNELLES** *(suite)*

Configuration	Approche générale	Mesures de gestion
Ambivalence	Petits succès	– Chercher à accroître la masse critique de supporteurs en les rassurant et en faisant la démonstration de l'efficacité du changement ; – miser sur de petits succès pour améliorer la crédibilité du projet ; – éviter les grandes discussions qui ne mènent à rien, de même que les projets très ambitieux ; – favoriser une approche lente, mais constante ; – choisir de petites cibles sur lesquelles faire travailler des personnes volontaires ou plus audacieuses ; – leur donner un bon soutien et être attentif pour leur faciliter la tâche ; – faire connaître les résultats positifs et valoriser les acteurs associés ; – encourager l'expérimentation de nouvelles idées ou projets, et appuyer ceux qui le font ; – éviter de négliger les opposants, mais aussi éviter d'en faire le centre d'attraction ; – écouter leurs réactions et problèmes ; – tenter de convenir avec eux d'aménagements qui leur rendraient le changement moins irritant ; – orienter les échanges vers des cibles précises sur lesquelles on peut agir concrètement ; – la balle est dans le camp de la gestion : celle-ci doit entraîner l'organisation dans son sillon ; – elle prend les initiatives, encourage les gens, résout les problèmes, etc. – c'est une approche de longue haleine ; – il faut beaucoup de patience et de détermination.

Tableau 12.1 APPROCHES DE GESTION SELON LES CONFIGURATIONS ORGANISATIONNELLES *(suite)*

Configuration	Approche générale	Mesures de gestion
Polarisation	Petits succès	– Éviter les longues discussions qui ne mènent à rien, de même que les projets très ambitieux ; – éviter de donner au projet beaucoup de visibilité ; – adopter une approche discrète, lente, mais constante ; – choisir de petites cibles de changement, sur lesquelles faire travailler des personnes volontaires ou peu réfractaires ; – leur donner du soutien et leur faciliter la tâche ; – faire connaître les résultats positifs et valoriser les acteurs associés ; – solliciter des idées ou des projets, et appuyer ceux qui en proposent ; – avec les opposants, éviter les grands débats de fond et s'orienter vers les cibles précises qui font l'objet de difficultés ; – chercher avec eux des accommodements pouvant rendre le changement moins irritant ; – il faut beaucoup de patience et de détermination pour relancer continuellement le travail sur de petites cibles ; – recourir à l'autorité (l'imposition) peut hérisser davantage les opposants et les rendre très actifs dans le rejet ; – faire usage de son leadership pour appuyer, encourager, orienter les gens qui prennent des initiatives ; – faire usage de son autorité pour traiter les situations litigieuses qui ne progressent pas.

Tableau 12.1   **APPROCHES DE GESTION**
SELON LES CONFIGURATIONS ORGANISATIONNELLES *(suite)*

Configuration	*Approche générale*	*Mesures de gestion*
Opposition limitée	Autorité	Option autorité, conditions: – soutien du supérieur hiérarchique; – changement faisant peu appel à la participation des destinataires; – pouvoir démontrer rapidement les effets positifs du changement; – mettre de la pression et la maintenir; – accepter des résultats limités.
	Par étapes et compromis	Option par étapes (renoncer, à court terme, à un changement d'envergure): – découper le changement en cibles restreintes; – choisir quelques cibles importantes, où il y a possibilité de succès; – concentrer les énergies sur ces cibles; – refaire le cycle et graduellement se rapprocher de la situation souhaitée; – transiger avec les opposants pour tenter de concilier les vues; – faire preuve de ténacité; – s'appuyer sur son autorité, mais garder la porte ouverte au compromis.
Opposition marquée	Autorité	Option autorité, conditions: – soutien du supérieur hiérarchique; – changement faisant peu appel à l'implication des destinataires; – changement affectant peu les attitudes; – pouvoir démontrer rapidement les effets positifs du changement; – mettre de la pression et la maintenir; – accepter des résultats limités.
	Retrait stratégique	Option retrait stratégique: – mettre en veilleuse le projet de changement; – travailler à rendre l'organisation réceptive au changement (voir module 5 sur «Les enjeux du changement chez l'individu»); – agir sur les facteurs qui empêchent l'organisation d'être ouverte; – ce peut être frustrant pour le gestionnaire, mais c'est une approche à long terme.

Tableau 12.1 APPROCHES DE GESTION
SELON LES CONFIGURATIONS ORGANISATIONNELLES *(suite)*

Configuration	*Approche générale*	*Mesures de gestion*
Indifférence	Retrait stratégique et petits succès	Enjeux : la qualité de l'organisation elle-même. – Mettre en veilleuse le projet de changement ; – travailler à rendre l'organisation réceptive au changement (voir le module 5 sur « Les enjeux du changement chez l'être humain ») ; – mettre en pratique l'approche des petits succès (présentée plus haut) ; – faire vivre des expériences de succès ; – recréer la confiance dans l'organisation ; – ultérieurement, relancer le projet de changement.

12.4 LES CONFIGURATIONS ET LES APPROCHES DE GESTION

12.4.1 L'adhésion marquée

Dans l'adhésion marquée, l'organisation est manifestement favorable au changement et l'exprime. On en parle beaucoup et on organise régulièrement des activités, officielles et informelles, pour chercher des façons d'assurer le succès du projet, pour se perfectionner, pour échanger des idées, pour corriger des lacunes. C'est un vent d'enthousiasme qui souffle.

Le langage est coloré par **la nouveauté, l'innovation, l'originalité, l'expérimentation.** L'énergie investie est à son maximum ; le travail est presque devenu une cause... Si on ressent de la fatigue ou de l'insécurité, on les met au compte de l'effort accru que requiert toute innovation. On échange souvent sur les moyens les plus appropriés pour traduire l'esprit du nouveau mode de fonctionnement. Les leaders du groupe se montrent favorables et collaborent bien entre eux et avec les gestionnaires.

Habituellement, on a tendance à nier et même à mépriser l'opposition. Si on tolère les individus qui expriment des réserves, on ridiculise ceux qui sont négatifs ; on les considère comme mésadaptés.

L'équilibre des forces favorise une progression rapide de la mise en œuvre du nouveau mode de fonctionnement. **Les risques sont surtout l'aveuglement, l'épuisement et la démobilisation**, si les espoirs devaient être déçus par des résultats qui ne seraient pas à la mesure des attentes.

▶ *L'approche de gestion optimale*

L'approche proposée ici s'apparente à la **gestion du développement** et se fonde principalement sur **le leadership du gestionnaire**.

Il s'agit pour le gestionnaire de canaliser les énergies vers les objectifs poursuivis et de coordonner activement les efforts afin d'éviter l'éparpillement et l'apparition de foyers de tension.

Étant donné la mobilisation qui existe dans l'organisation, le gestionnaire a avantage à miser surtout sur son leadership, s'il en a, ou encore à s'associer aux leaders naturels, si c'est possible.

En plus d'orienter et de coordonner les choses, **il faut prévenir deux risques. Le premier est la fatigue et l'essoufflement** qui peuvent s'installer dans le système à cause d'un surinvestissement de la part des acteurs. Pour y arriver, on peut ralentir les ardeurs, fournir régulièrement du ressourcement, ajuster le fardeau de travail périodiquement. **Le second est lié à l'aveuglement.** La présence d'un grand nombre de supporteurs peut faire baisser le niveau de vigilance, de sorte que des erreurs peuvent être commises sans qu'on s'en rende compte. Il convient, en conséquence, de s'assurer que les opposants ont voix au chapitre, afin que les supporteurs demeurent prudents. Il convient également de faire régulièrement des évaluations de répercussions auprès des clients, pairs et partenaires, et de diffuser les résultats dans l'organisation afin de rester conscient des limites ou des difficultés du mode de fonctionnement.

Cette configuration est certes la plus facile à gérer, mais il ne faut cependant pas négliger les risques d'essoufflement, qui peuvent conduire en droite ligne à la désillusion, puis à la démobilisation. La tâche de la gestion consiste donc, entres autres, à «gérer» la fébrilité dans l'organisation et à réagir vite pour éviter les sources de déception.

À éviter...

Comme les gens sont mobilisés et proactifs, la gestion doit éviter d'introduire des contraintes qui pourraient contrarier les efforts et ainsi nuire à la progression du changement.

12.4.2 L'adhésion limitée

Dans l'adhésion limitée, l'organisation réagit plutôt favorablement au changement, mais on ne sent pas d'enthousiasme, bien que la mise en œuvre progresse. On peut voir deux grandes tendances : un sous-groupe majoritaire, qui se montre positif à l'égard du nouveau mode de fonctionnement, et un autre, minoritaire, qui y réagit défensivement. Les débats se font sur le ton de la prudence. Les « pro-changement » défendent suffisamment les mérites du changement pour assurer le maintien de sa mise en œuvre. Les « contre » s'expriment suffisamment pour signifier leur dissidence et semer des doutes sur les qualités du nouveau mode de fonctionnement, mais ils ne disposent pas de la force nécessaire (nombre, appuis) pour arrêter la mise en œuvre. Ils en ralentissent la progression, tout en évitant d'être accusés de sabotage.

Les « contre » tentent habituellement de négocier des aménagements, soit quant à la façon d'introduire le changement, soit quant au changement lui-même, pour en faciliter l'acceptation et l'intégration. Les efforts des membres qui sont sympathiques au changement, quant à eux, sont consacrés à faire une expérimentation éclairée où l'on ne cherche pas à cacher les lacunes observées.

Habituellement, les gens ont tendance à revenir aux gestionnaires ou aux concepteurs pour demander de corriger les lacunes décelées. En somme, **on accepte le changement, mais on ne s'approprie pas la responsabilité de le réussir et on s'attend à ce que les « responsables » fassent le nécessaire pour en faciliter l'intégration.** Les gens sont disposés à faire des suggestions pour améliorer le « produit » et le rendre plus agréable, mais ils ne sont pas prêts à investir beaucoup d'énergie pour le mettre au point.

Les « prochangement » ont tendance à s'allier pour échanger sur les mérites et les limites du nouveau mode de fonctionnement. Ils s'encouragent et s'entraident mutuellement. Ils conviennent de mesures pour minimiser l'influence de ceux qui s'opposent et cherchent des façons de maintenir une certaine paix sociale dans l'organisation. Ils collaborent avec la gestion, mais ne s'y associent pas ouvertement pour faire obstacle aux opposants. S'ils réagissent aux opposants, ils le font discrètement et en vue de diminuer la portée de leur action.

Les « contre », pour leur part, ont tendance à s'allier pour résister au changement, pour se protéger et pour se négocier des conditions considérées comme moins pénalisantes (faire des gains). Comme ils se savent minoritaires, donc vulnérables, ils ont tendance à se chercher des alliés externes pour rééquilibrer les rapports de force. Ils peuvent chercher des appuis qualitatifs, par exemple des personnalités prestigieuses qui les défendraient (un membre de la gestion supérieure), ou des appuis légaux, comme des mesures syndicales (griefs, négociation de clauses), ou encore des appuis quantitatifs, par exemple s'associer avec des membres d'autres services en vue de créer un groupe suffisamment important pour inquiéter la direction et menacer la mise en œuvre du changement ou tout au moins en limiter l'application. Il arrive qu'ils tentent d'obtenir la sympathie des clients en leur faisant part des répercussions négatives qu'ils entrevoient pour eux.

L'équilibre des forces entraîne une progression lente de la mise en œuvre. Un des risques de cette configuration est la marginalisation et la polarisation des opposants. Si cela se produit, on peut détériorer le tissu social de l'organisation et on peut consacrer beaucoup d'énergie à résoudre les différends plutôt qu'à travailler au succès du projet. De plus, **la fatigue, le stress, l'insécurité peuvent ébranler les membres qui sont sympathiques** et entraîner graduellement un refroidissement de leur ardeur et même un retrait pur et simple.

▶ *L'approche de gestion optimale*

Cette configuration comporte de bonnes chances de réussite, et on propose ici une approche de **résolution de problèmes**. Ici encore, le gestionnaire devrait compter surtout sur **son leadership** pour maintenir la mobilisation des supporteurs. S'il est légitime d'user de son autorité, surtout pour résoudre les litiges avec les opposants, ce doit être avec circonspection, car des effets indésirables pourraient s'ensuivre. On trouve, dans le milieu, des supporteurs disposés à tenter l'expérience, bien qu'ils demeurent prudents. Cette combinaison d'intérêt et de prudence doit être vue comme un atout. C'est d'abord sur les supporteurs du changement qu'il faut s'appuyer, et le plus gros des énergies devrait être consacré à travailler à ce qui peut leur faciliter la tâche. En procédant ainsi, on accroît les chances de pouvoir démontrer l'efficacité du changement et, en même temps, on maintient la présence d'une masse critique de gens favorables. Toutefois, les supporteurs sont vulnérables à la fatigue, à la désillusion et à la critique des opposants. Aussi faut-il être très actif pour leur faciliter les choses, notamment en étant constamment aux aguets pour détecter les lacunes et les irritants, pour ensuite les corriger aussi rapidement que possible avec le concours des intéressés. On comprendra que, dans pareil contexte, le gestionnaire doit voir à encourager les gens et à souligner régulièrement les succès.

En ce qui concerne les opposants, ce serait une erreur de les négliger, mais c'en serait une également de leur accorder une trop grande attention. Leurs réserves et leurs critiques sont susceptibles de mettre en lumière des obstacles réels au changement proposé, et c'est pourquoi il faut les écouter sérieusement. De plus, ils sont susceptibles d'exercer un effet d'attraction sur les ambivalents ainsi que sur les supporteurs passifs, ce qui pourrait diminuer la masse critique. Pour éviter cela, il n'est pas rare que l'on puisse convenir avec eux de certains aménagements qui rendent le changement moins irritant pour eux et les amènent à plus de tolérance. Mais en voulant éviter de les négliger, on peut aussi leur accorder une importance telle que l'on créera l'impression que les choses vont mal. En parlant abondamment des problèmes, on les amplifie et on passe sous silence les succès. En conséquence, on a avantage à éviter de consacrer beaucoup d'énergie à l'opposition, pour «alimenter» plutôt le succès et ceux qui y travaillent.

À éviter...

Il faut éviter de tenir les choses pour acquises parce que l'on dispose d'une masse critique favorable au changement. Celle-ci est fragile et peut se désagréger rapidement, surtout si on offre peu de soutien et d'encadrement durant la mise en œuvre. Il faut également ne pas trop miser sur la volonté des gens de prendre en main la réussite du changement. Au contraire, il faut plutôt s'attendre à ce qu'ils soient un peu passifs et qu'ils comptent sur la gestion pour prendre les initiatives et entretenir la «flamme». Enfin, on devra éviter de consacrer beaucoup d'énergie aux opposants, sans pour autant les marginaliser.

12.4.3 La polarisation ou l'ambivalence

Si on trouve ici deux termes pour traduire la même position, c'est que, dans la réalité, les deux réactions existent et se situent entre l'adhésion et l'opposition. **Dans le cas de la polarisation**, l'organisation est nettement divisée en deux camps (les «pour» et les «contre»), de force comparable et qui se neutralisent. **Dans le cas de l'ambivalence**, un grand nombre de personnes (peut-être sous l'inspiration des leaders) hésitent face au changement; elles y voient autant d'avantages que d'inconvénients et ne réussissent pas à prendre parti. Au fond, c'est chaque individu qui vit intérieurement la polarisation et se trouve dans un état d'ambivalence. Ce cas apparaît habituellement dans les premiers stades de l'implantation du changement; avec l'expérience, les positions deviennent plus fermes, et c'est alors que se dessine la véritable configuration du système.

A. La polarisation

L'organisation est polarisée entre le camp qui appuie le changement et celui qui s'y oppose. On se neutralise et on frôle l'éclatement. Les alliances sont claires et le climat est très tendu. Les «prochangement» s'emploient à mettre en valeur les mérites du changement et à contrer les reproches des opposants; ils ont cependant soin de ne pas en exagérer les qualités afin de ne pas prêter flanc à la critique et se faire discréditer. Les «contre» adoptent la même attitude, mais parlent des inconvénients du changement. Ils sont cependant plus agressifs, car ils «se défendent»; ils ont le sentiment de défendre une cause afin d'éviter une erreur grave...

Les «contre» ont tendance à attaquer la gestion ainsi que les concepteurs du nouveau mode de fonctionnement. Ils s'en prennent également aux défenseurs du changement, à qui ils reprochent de s'associer aux dirigeants pour les écraser. Les «prochangement», pour leur part, évitent de s'en prendre ouvertement aux opposants et, le cas échéant, le font en privé. Ils évitent également de s'identifier à la gestion et s'efforcent de ramener les discussions sur le contenu du changement.

On assiste à des tractations entre les leaders des deux camps pour essayer de dénouer la situation, chacun en sa faveur. En parallèle, on cherche de part et d'autre des appuis externes pour tenter de faire basculer la masse critique de son côté. Selon le camp, on cherche à trouver des exemples d'expériences analogues qui ont échoué ou qui ont réussi. On cherche des mécanismes dans la convention collective ou dans la réglementation pour faire obstacle; on cherche des personnalités prestigieuses qui prendraient position pour ou contre. De partout, on cherche des alliances qui changeraient l'équilibre des forces en sa faveur.

On dépense beaucoup d'énergie en discussions, en échange de correspondance; c'est une véritable saga. Les relations s'empoisonnent, et des conflits surgissent régulièrement. En parallèle, chacun des deux camps devient de plus en plus uni. Des personnes qui se connaissaient peu, nouent des liens d'amitié. De part et d'autre, on tente d'obtenir des appuis externes, notamment de la part des clients.

On perd de vue le changement lui-même, au profit d'enjeux plus stratégiques. L'implantation est boiteuse, et la gestion est continuellement sollicitée pour régler les problèmes. Les supporteurs manquent d'encadrement et de renforcement, de sorte que la fatigue et la vulnérabilité s'installent graduellement. Il s'en faudrait de peu pour qu'ils décrochent («après tout, ce n'est pas ma cause...»).

▶ *L'approche de gestion optimale*

Cette configuration est sans doute la plus difficile à gérer, car on est continuellement en présence de paradoxes et de tensions insolubles. De toute évidence, on peut difficilement compter sur une mobilisation générale dans l'organisation et, de plus, les gens ou les équipes qui pourraient vouloir se mobiliser pour faire des choses novatrices se font critiquer par les opposants, qui parfois vont même jusqu'au sabotage. Cela explique d'ailleurs que, dans de telles situations, les supporteurs se font souvent connaître en privé, mais refusent de s'afficher en public.

L'approche proposée pour une telle configuration est celle des **petits succès**. On évite les grandes discussions sans issue, de même que les projets de grande envergure. Même s'il s'agit d'un grand projet, on évite de lui donner beaucoup de visibilité. On adopte plutôt une approche discrète, lente mais constante. On choisit de petites cibles de changement, sur lesquelles on fait travailler des personnes volontaires ou peu réfractaires. On leur donne un bon soutien, mais sans publicité. On veille à leur faciliter la tâche, mais sans grand déploiement de moyens. Au fur et à mesure que des résultats positifs sont obtenus, on les fait connaître et on valorise les acteurs qui y sont associés. On invite les gens intéressés à proposer des idées ou des projets, et on soutient ceux qui le font. Graduellement, on élargit ainsi le cercle des personnes actives et on bâtit une masse critique de gens qui s'engagent dans la nouvelle façon de faire.

Souvent, l'approche des petits succès évolue en deux temps. Un premier temps, qui peut durer plusieurs mois, où les choses ne semblent pas bouger mais où les expressions d'opposition diminuent peu à peu. Un deuxième temps où lentement des initiatives discrètes commencent à se concrétiser, sans créer de heurts importants dans l'entourage.

Que fait-on face aux opposants? On agit à peu près de la même façon que dans la configuration de l'adhésion limitée, à la différence qu'on n'axe pas les échanges sur de grands débats de fond, mais plutôt sur les cibles spécifiques qui sont source de difficultés. Comme on l'a mentionné plus haut, ce serait une erreur de négliger les opposants, mais ce serait aussi une erreur de leur accorder une trop grande attention. Leurs réserves et leurs critiques peuvent mettre en évidence les lacunes réelles du changement proposé, et c'est pourquoi il faut les écouter. Par ailleurs, ils peuvent exercer une influence négative sur les ambivalents ainsi que sur les supporteurs passifs, ce qui peut diminuer la masse critique. Une des façons de faire, est de chercher avec eux des accommodements pour leur rendre le changement moins irritant.

Dans une large mesure, le gestionnaire doit tenter de faire usage **autant de son leadership que de son autorité.** Dans ce genre de situation, plusieurs sont tentés de recourir à l'autorité et donc à l'imposition. Si, en cas d'urgence, on peut le faire sans trop de problèmes, dans les autres situations, c'est habituellement plus problématique. On risque en effet de hérisser les opposants, de les rendre très actifs et de rendre alors les supporteurs encore plus vulnérables. Le gestionnaire se sert de son leadership pour soutenir, encourager, orienter les gens qui ont le courage de prendre des initiatives ; il utilise son autorité pour régler les situations litigieuses qui n'évoluent pas vers des solutions mutuellement adoptées.

C'est une approche de gestion très difficile et très exigeante pour le gestionnaire. Non seulement on reçoit très peu de gratifications à court terme, mais on a longtemps l'impression que les choses n'avancent pas, ce qui est d'ailleurs le cas au début. Aussi, il faut beaucoup de patience, mais également beaucoup de détermination pour relancer continuellement le travail sur de petites cibles. De plus, il faut souvent établir un réseau de soutien à l'extérieur de l'unité de travail, car on y trouve peu d'encouragement.

À éviter...

On devrait éviter de proposer aux gens un projet de grande envergure ; on ne dispose pas de l'énergie suffisante pour escompter réussir. On devrait plutôt proposer de petits projets ayant de bonnes possibilités de réussite. On évite d'entraîner les gens dans des débats en profondeur, qui risquent d'accroître les tensions. Ou, si on le fait, il faut prévoir y consacrer beaucoup de temps. On évite de donner beaucoup de visibilité aux supporteurs du changement, car cela les rend très vulnérables face aux opposants. Il faut plutôt les appuyer discrètement. Enfin, on n'attend pas de résultats concluants à court terme.

B. L'ambivalence

Dans cette configuration, **nombreux sont les gens qui hésitent entre les arguments favorables et défavorables** ; ils sont tout au moins assez nombreux pour donner le ton. En général, dans cette configuration, **on trouve peu de véritables opposants**, car autrement ils réussiraient à entraîner de leur côté bon nombre des ambivalents. En fait, on observe souvent chez les ambivalents un intérêt pour les idées proposées, mais également soit de la méfiance à l'endroit de la gestion, soit des inquiétudes à l'égard de l'inconnu.

À cause de leur hésitation, **les gens ont tendance à se placer en situation d'attentisme**: on attend de voir les résultats et on s'engagera si c'est probant. Il en résulte un climat où les volontaires sont peu nombreux. Les gens prennent peu d'initiatives et attendent que la gestion définisse les attentes et les modalités. Ils posent des questions pour tenter de se faire une opinion, ils soulèvent des problèmes possibles, ils expriment leurs craintes, mais sont peu actifs pour proposer des solutions. Ils attendent les réponses ou solutions qu'on leur fournira.

Il n'est pas rare que l'on observe des regroupements spontanés, non pas pour faire obstacle, mais pour trouver un milieu où échanger des opinions sans avoir à s'engager. On trouve souvent cette configuration dans les situations où les leaders naturels ne prennent pas position. Les gens se trouvent alors privés de leurs «repères» habituels et ne savent pas quelle position adopter.

C'est un contexte propice à l'émergence du cynisme; sans faire obstacle au changement, on tourne en ridicule ce à quoi on ne sait pas comment réagir.

Bien que, dans pareil contexte, la mise en œuvre du changement soit lente et qu'il faille la porter sur ses épaules, on ne rencontre pas vraiment d'hostilité. En dépit de sa lourdeur, cette configuration demeure propice à l'implantation du changement, mais la marge de manœuvre est étroite et les acquis fragiles.

▶ *L'approche de gestion optimale*

Dans cette configuration, on suggère également une approche de petits succès, mais cette fois pour des raisons différentes de celles invoquées à propos de la configuration précédente. En effet, ici l'enjeu consiste à accroître la masse critique de supporteurs en les rassurant et en leur faisant la démonstration de la pertinence et de l'efficacité du changement proposé. De petit succès en petit succès, on cherche à améliorer la crédibilité du projet et à multiplier le nombre de personnes qui y sont activement associées.

Concrètement, on évite les grandes discussions qui ne mènent à rien, de même que les projets trop ambitieux. Même s'il s'agit d'un projet d'envergure, on évite de lui donner beaucoup de visibilité. On opte plutôt pour la discrétion, le travail lent mais constant. On choisit de petites cibles de changement auxquelles on fait travailler des personnes volontaires ou un peu plus audacieuses. On leur donne un bon soutien et on est attentif à leur faciliter la tâche. Au fur et à mesure que des résultats positifs sont obtenus, on les diffuse et on valorise les acteurs qui y sont associés. On invite les intéressés à proposer des idées ou des projets, et on soutient ceux qui le font. Graduellement, on élargit ainsi le cercle des personnes actives dans le changement et on bâtit une masse critique de gens qui s'engagent dans la nouvelle façon de faire.

Avec les opposants, on agit à peu près de la même façon que dans la configuration de l'adhésion limitée, c'est-à-dire qu'on évite de les négliger, mais aussi de leur accorder une attention démesurée. Leurs réserves et leurs critiques peuvent mettre en lumière les lacunes réelles du changement proposé, et il faut les écouter. Toutefois, ils sont susceptibles d'exercer un effet d'attraction sur les personnes ambivalentes ainsi que sur les supporteurs passifs, ce qui pourrait diminuer encore davantage la masse critique. Pour éviter cela, on peut tenter de convenir avec eux de certains aménagements qui leur rendraient le changement moins irritant. Si on leur accorde une grande importance, on peut créer l'impression que les choses vont mal et minimiser du même coup les acquis et les succès. En conséquence, on évitera de consacrer beaucoup d'énergie au traitement de l'opposition, pour «alimenter» plutôt le succès et les gens qui y travaillent. De façon générale, dans cette configuration, on oriente les échanges vers des cibles précises sur lesquelles on peut agir concrètement.

Rappelons que, souvent, l'approche des petits succès évolue en deux temps. Dans un premier temps, qui peut durer plusieurs mois, les choses ne semblent pas bouger et l'hésitation est visible, mais les idées nouvelles font peu à peu leur chemin. Dans un deuxième temps, des initiatives discrètes commencent lentement à se concrétiser, sans créer de heurts importants dans l'entourage.

C'est une approche de gestion assez lourde à porter pour le gestionnaire, car on a longtemps l'impression que les choses n'avancent pas, ce qui est d'ailleurs le cas au début, et que les gens n'en finissent plus d'avoir peur. Dans une large mesure, la balle est dans le camp de la gestion. Elle doit entraîner l'organisation dans son sillage, sans trouver beaucoup d'encouragement. Elle doit prendre les initiatives, encourager les gens, résoudre les problèmes, etc. C'est une approche de longue haleine, où l'on construit petit à petit le nouveau mode de fonctionnement. Il faut donc beaucoup de patience, mais également beaucoup de détermination pour relancer continuellement le travail sur de petites cibles.

Ici aussi, le gestionnaire devrait tenter de faire usage autant de son leadership que de son autorité. Dans ce genre de situation, plusieurs sont tentés de recourir à l'autorité pour accélérer le rythme. Si, en cas d'urgence, on peut le faire sans trop de problèmes, dans les autres situations, c'est habituellement plus difficile. On risque, d'une part, de hérisser les opposants et de les rendre très actifs et, d'autre part, d'effrayer les sympathisants qui hésitent. On se sert du leadership pour aider, encourager, orienter les gens qui ont le courage de prendre des initiatives; on utilise son autorité pour régler les situations litigieuses qui ne trouvent pas de solution.

À éviter...

La principale chose à éviter est certainement de commettre des erreurs graves, qui pourraient rebuter le grand nombre d'ambivalents. On évite également d'entretenir des ambiguïtés quant à la nature du changement, car cela viendrait amplifier un climat général déjà incertain. Enfin, sans les ignorer, on devrait éviter de braquer les opposants, car ils en profiteront pour se comporter en victimes et obtenir la sympathie des ambivalents.

12.4.4 L'opposition limitée

Une légère majorité ou une minorité de gens actifs, ou encore quelques leaders réagissent négativement au projet de changement, alors qu'une minorité s'y montre favorable. L'équilibre des forces joue en faveur des opposants et se caractérise par un climat de méfiance prononcé. Si deux camps existent, celui des opposants tend à être mieux organisé et plus bruyant. Les «contre» discutent des stratégies à mettre en œuvre pour empêcher le changement. Leurs efforts sont dirigés principalement vers la gestion, dans le but de mettre un terme au projet, mais une partie est dirigée vers les supporteurs, pour tenter de les faire changer de camp, sinon pour les faire taire, souvent au nom de la solidarité. Une partie de leur énergie est souvent utilisée aussi pour attirer l'attention des clients et leur faire voir les inconvénients qu'ils subiront si le changement est introduit.

Les supporteurs du changement, quant à eux, ne sont généralement pas regroupés dans un camp. Ils se rencontrent parfois pour s'encourager, mais ils sont plutôt discrets. En fait, ils se sentent assez vulnérables et craignent d'être identifiés à la gestion s'ils affichent leur intérêt pour le nouveau mode de fonctionnement. Ils sont, en effet, exposés aux agressions de leurs collègues et, comme ils sont en minorité, les risques sont élevés pour eux; la pression pour qu'ils se conforment est forte. Ils font un effort raisonnable de mise en œuvre du programme, mais en parlent peu; c'est individuellement et en privé qu'ils le font.

Les discussions entre la gestion et les membres de l'organisation sont difficiles. Elles portent presque uniquement sur les difficultés liées au nouveau mode de fonctionnement. Au début, les échanges portent sur le mode de fonctionnement, mais on perd rapidement de vue cette question, et les interventions deviennent alors de plus en plus stratégiques. On alimente régulièrement la gestion en problèmes, qu'on lui demande de résoudre. Les gens sont très peu disponibles pour tenter des expériences ou faire des suggestions d'amélioration. D'ailleurs la performance est faible. Les clients, eux, se plaignent de la qualité des services. Les gens manifestent du stress, de l'insécurité et se disent fatigués ; le taux d'absentéisme est élevé.

Les relations avec la gestion deviennent distantes et froides. Les gestionnaires cherchent des appuis et en trouvent surtout chez leurs collègues de même niveau. Ils sont sur la défensive et ont tendance à éviter les rencontres avec leur personnel. Ils se sentent démunis et souffrent de voir la situation stagner. Le changement leur paraît mal engagé ; ils doivent le soutenir par la pression et les menaces. Ils se voient confinés dans un rôle de surveillance et doivent négliger leurs autres tâches de gestion.

▶ ## *L'approche de gestion optimale*

Sans être particulièrement propice à la mise en œuvre du changement, cette configuration comporte néanmoins un certain potentiel. En fait, deux grandes solutions se présentent. L'une consiste à recourir à **l'imposition** pour avoir raison des opposants. Comme nous l'avons mentionné dans d'autres modules, cette solution peut être efficace, mais à certaines conditions. Parmi elles, mentionnons la nécessité d'un excellent soutien du supérieur hiérarchique, un projet de changement qui fait peu appel à la participation des intéressés, la capacité de démontrer rapidement les effets positifs du changement introduit. Si ces conditions ne sont pas réunies, on devra mobiliser beaucoup d'énergie, maintenir constamment la pression et se contenter de résultats minces.

L'autre solution consiste à renoncer, à court terme, à un changement d'envergure et à envisager plutôt une **approche par étapes, misant sur le compromis**. On découpe le changement recherché en cibles plus restreintes, pour ensuite en choisir quelques-unes qui sont importantes, pour lesquelles on peut mobiliser un nombre raisonnable de gens et qui présentent une probabilité raisonnable de succès. On travaille alors à la mise en œuvre des mesures liées à ces cibles, pour ensuite refaire le cycle et graduellement se rapprocher de la situation désirée. Cette approche prend souvent la forme d'une série d'ajustements ou de correctifs, successifs et orientés dans la même direction.

Ici, c'est vraiment avec les opposants que l'on travaille pour tenter de trouver des moyens susceptibles de concilier les vues. Cette façon de procéder peut être frustrante pour le gestionnaire, qui voit nettement que sa vision des choses est amputée d'éléments importants. Par ailleurs, il peut avoir la satisfaction de voir des aspects de son projet progresser. C'est, bien sûr, un rythme de progrès qui est lent et qui peut être mis à profit par les opposants pour entraver l'effort. Il faut donc beaucoup de ténacité de la part du gestionnaire.

Dans cette approche, le gestionnaire s'appuie évidemment sur son autorité pour agir, mais il s'emploie à le faire en gardant la porte ouverte au compromis afin d'éviter que l'opposition ne se cristallise davantage.

À éviter...

On peut être tenté d'éviter les opposants, mais on ne peut le faire, sous peine de s'exposer à un éclatement. On peut aussi être tenté d'encourager les quelques supporteurs à se placer à l'avant-scène pour convaincre les opposants, mais peu accepteront et ceux qui le feront seront marginalisés. À moins de disposer d'un pouvoir important ou d'une cause indiscutable, on évitera de paraître intransigeant.

12.4.5 L'opposition marquée

Le changement est manifestement impopulaire. S'il se trouve des supporteurs, ils sont peu nombreux et s'efforcent d'être discrets (ou leurs collègues font le nécessaire pour qu'ils le soient). **L'opposition est ouverte, systématique et organisée. C'est un mouvement de masse et les leaders collaborent ensemble pour compromettre le projet de changement.** Tous les aspects du nouveau mode de fonctionnement sont visés : ses objectifs, son matériel, son implantation, etc. On observe une forte solidarité entre les membres de l'organisation et les gens s'emploient à entretenir cette solidarité. Dans les discussions, les propos sont peu nuancés et sont marqués par le cynisme. On s'adresse aux clients pour leur faire part des problèmes que l'on prévoit et on cherche à obtenir leur aide. La gestion est sur la défensive et cherche des arguments derrière lesquels se retrancher.

Les opposants cherchent des moyens officiels pour stopper la mise en œuvre du changement, ou encore organisent des activités pour montrer activement leur opposition. Ils s'emploient à tourner le projet en dérision, à relever ses lacunes et à démontrer son inefficacité.

Les rapports avec la gestion sont agressifs et distants. On crie à l'incompétence et au non-professionnalisme. Les gens investissent très peu dans la mise en œuvre du nouveau mode de fonctionnement et tentent de s'y soustraire de toutes sortes de façons, ou encore ils l'appliquent de façon tellement légaliste qu'ils réussissent à le rendre inefficace. La gestion déploie beaucoup d'énergie à tenter de soutenir le changement, mais ne réussit qu'à faire le pompier. Le nouveau mode de fonctionnement est peut-être en place, mais il n'est pas intégré; l'implantation s'est faite au prix d'une démobilisation généralisée des membres du service.

▶ L'approche de gestion optimale

Cette configuration est nettement défavorable à une mise en œuvre facile du changement. Ici aussi deux grandes solutions se présentent. La première est identique à l'opposition limitée et elle consiste à recourir à **l'imposition** pour forcer l'implantation du changement. Le gestionnaire doit donc s'appuyer essentiellement sur son autorité. Comme il a été mentionné plus haut, cette option peut réussir à certaines conditions: un excellent appui du supérieur hiérarchique, un projet de changement qui fait peu appel à la participation des intéressés et qui, dans les faits peut être imposé, la capacité de démontrer rapidement les effets positifs du changement introduit. Si ces conditions ne sont pas réunies, il faudra constamment maintenir la pression et se contenter de résultats minimes.

S'il s'agit d'un aspect important du fonctionnement de l'organisation, il faut prévoir une détérioration du tissu organisationnel, tout au moins à court terme, ainsi que des tensions qui pourront nuire à l'efficacité du fonctionnement dans son ensemble. Il arrive assez souvent que le gestionnaire, qui a ainsi mené une épreuve de force pour introduire un changement, voie son image en souffrir longtemps après, surtout si les résultats sont peu probants.

La deuxième option consiste à opérer un **retrait stratégique**, c'est-à-dire à retirer le projet, pour éviter un échec éventuel, et à travailler à rendre l'organisation plus réceptive au changement. Pour ce faire, on peut revenir aux idées qui sont proposées dans le module 5 intitulé «Les enjeux du changement chez l'individu». En d'autres termes, on agit sur les facteurs qui empêchent l'organisation d'être réceptive au changement afin qu'éventuellement on puisse proposer l'idée de nouveau et obtenir des réactions plus favorables. C'est, bien sûr, une solution décevante pour le gestionnaire qui estime le changement utile mais ce peut aussi être une solution sage si on veut mettre en place les conditions du succès.

À éviter...

Dans un tel contexte, il serait hasardeux de «foncer», bien que dans certains cas il faille le faire pour en finir avec le modèle en place; mais il faut alors s'attendre à des réactions vives et à une forte tendance à l'inertie. On devrait aussi éviter les approches «naïves», où on fait semblant de ne pas voir les réactions défensives: il peut en découler soit une indifférence généralisée, soit une contestation généralisée.

12.4.6 L'indifférence

À première vue, il est difficile de croire que les membres d'une organisation peuvent réagir avec indifférence à un changement important. C'est cependant ce que l'on observe dans certains cas, entres autres lorsque l'organisation est devenue complètement apathique[4] et que les gens sont défaitistes.

Dans les organisations devenues apathiques, la passivité s'est installée, et les gens limitent le plus possible l'énergie qu'ils investissent. Ils ne cherchent pas de gratifications et sont sceptiques quant à l'utilité même de tenter d'améliorer les choses. Tenter un changement, dans un tel contexte, exige de la part de la gestion des efforts considérables, qui se traduisent par l'impression de traîner un boulet. On pose des questions et on n'obtient pas de réponses; on propose des choses et on n'obtient pas de réactions; on sollicite des idées et il n'en vient pas. En provoquant, on obtient des réactions, mais elles portent sur les états d'âme plutôt que sur le contenu.

Dans les organisations défaitistes, les réactions sont semblables, mais avec quelques nuances. Ici, **les gens ne croient plus; ils ont perdu espoir.** Souvent, cette perte de confiance résulte de tentatives antérieures qui ont échoué et qui ont fait perdre confiance dans la compétence des gestionnaires ou dans la capacité de la «machine» à changer. En clair, les gens sont désabusés et ne sentent pas l'utilité de

---

4. Parfois sous l'effet de la domination.

mobiliser leurs énergies autour d'un changement. Ils pensent que, «de toute façon, ça ne fonctionnera pas»!

▸ *L'approche de gestion optimale*

Le véritable problème, dans ce type d'organisation, n'est pas le changement, mais bien la qualité de l'organisation elle-même.

À cause du très faible potentiel de succès dans ce type de configuration, **le retrait stratégique** représente certainement une solution à considérer sérieusement. En effet, on ne peut compter sur la mobilisation des acteurs concernés, et le recours à l'autorité ne ferait que renforcer la passivité déjà installée. Il faut toutefois que le retrait stratégique soit suivi de deux types de mesures pour pouvoir éventuellement revenir à la charge. D'une part, comme dans la configuration de l'opposition active, il faut travailler à **rendre l'organisation plus réceptive** au changement. Les idées proposées dans le module 5 peuvent aider à y arriver.

D'autre part, on devrait mettre en pratique **l'approche des petits succès**, déjà présentée plus haut, pour faire vivre aux gens des expériences de succès et ainsi recréer la confiance dans l'organisation. Si on réussit à dynamiser le milieu, on pourra ultérieurement relancer le projet de changement, avec plus de chances de succès.

À éviter...

Il faut éviter de se lancer dans une vaste opération de changement; on ne dispose manifestement pas des conditions minimales pour réussir. On doit également éviter les tactiques de harcèlement, qui habituellement ne font que rendre les gens plus défensifs. On doit plutôt d'abord réactiver le tissu organisationnel, pour ensuite mettre sur pied de petits projets, à moins que l'on soit en présence d'une occasion qui peut constituer un défi motivant pour un grand nombre de membres de l'organisation.

12.5 DÉTERMINER LA CONFIGURATION D'UNE ORGANISATION

Le tableau 12.2 propose un questionnaire composé de 12 indicateurs permettant de situer une organisation à un moment donné sur l'axe des configurations. Une grille de compilation est ensuite présentée. Un questionnaire différent devrait être utilisé pour chaque unité de travail, de façon à choisir des approches de gestion différenciées.

On peut utiliser ce questionnaire de diverses façons :

- Si on connaît bien son organisation, on peut soi-même répondre à chacune des questions et ainsi rapidement faire une lecture de la situation pour adapter en conséquence l'approche de gestion.

- Si on veut être assuré d'une information précise et fiable, on peut utiliser le questionnaire à la manière d'un sondage. On modifie quelque peu le vocabulaire pour personnaliser chacune des questions et on demande aux destinataires d'y répondre. En général, l'anonymat des répondants accroît la qualité de l'information recueillie ainsi que le taux de réponse. Une variante consiste à utiliser un échantillon représentatif plutôt que la totalité des répondants. La compilation d'un tel type de sondage est simple et rapide. Il est habituellement fructueux de diffuser ensuite les résultats de la consultation dans l'organisation.

- Le recours à la formule du sondage est particulièrement approprié pour les cas où le changement touche un grand nombre de personnes ou de services.

- On peut aussi en faire un outil pour réfléchir en équipe de gestion au choix de l'approche de gestion. On demande à chaque membre de remplir le questionnaire, après quoi on met en commun les scores obtenus pour dégager une image globale. On peut alors examiner les facteurs qui contribuent positivement ou qui nuisent à la progression du changement, pour ensuite réviser en conséquence les mesures de gestion de même que l'approche à adopter.

Tableau 12.2   Questionnaire pour déterminer la configuration organisationnelle pendant le changement

▶ Pour chaque énoncé, encerclez la réponse qui s'approche le plus de la situation dans votre organisation (ou votre service).

1) Les objectifs poursuivis par l'implantation du nouveau mode de fonctionnement semblent-ils clairs pour les destinataires ?

1	2	3	4	5	6
Très clairs	Plutôt clairs	Parfois clairs, parfois ambigus	Plutôt ambigus	Très ambigus	Ils ne s'y intéressent pas

2) Dans quelle mesure les destinataires adhèrent-ils aux objectifs du nouveau mode de fonctionnement ?

1	2	3	4	5	6
Totalement	Partiellement	Avec certaines réticences	Avec beaucoup de réticences	Aucunement	Ils ne s'y intéressent pas

3) Le rôle de chacun dans le nouveau mode de fonctionnement semble-t-il clair pour les destinataires ?

1	2	3	4	5	6
Très clair	Plutôt clair	Parfois clair, parfois ambigu	Plutôt ambigu	Très ambigu	Ils ne s'y intéressent pas

4) L'organisation du travail dans le nouveau mode de fonctionnement semble-t-elle claire pour les destinataires ?

1	2	3	4	5	6
Très claire	Plutôt claire	Parfois claire, parfois ambiguë	Plutôt ambiguë	Très ambiguë	Ils ne s'y intéressent pas

5) À cette étape-ci de l'implantation, que pensent les destinataires de l'efficacité du nouveau mode de fonctionnement ?

1	2	3	4	5	6
Efficace	Plutôt efficace	Plus ou moins efficace	Plutôt inefficace	Innefficace	Ils ne s'y intéressent pas

6) À cette étape-ci de l'implantation, dans quelle mesure les destinataires maîtrisent-ils les nouvelles compétences requises ?

1	2	3	4	5	6
Très bien	Bien	Plus ou moins	Peu	Très peu	Pas du tout

7) À cette étape-ci de l'implantation, les destinataires considèrent-ils le nouveau mode de fonctionnement comme adapté à la mission du service ?

1	2	3	4	5	6
Adapté	Plutôt adapté	Plus ou moins adapté	Plutôt inadapté	Inadapté	Ils ne s'y intéressent pas

Tableau 12.2   QUESTIONNAIRE POUR DÉTERMINER LA CONFIGURATION ORGANISATIONNELLE PENDANT LE CHANGEMENT *(suite)*

8) Ces jours-ci, comment se manifeste le stress des destinataires vis-à-vis des exigences du nouveau mode de fonctionnement?

1	2	3	4	5	6
Enthousiasme	Enthousiasme modéré	État mi-enthousiaste, mi-anxieux	Anxiété modérée	Anxiété	Apathie

9) Ces jours-ci, les destinataires semblent-ils détendus ou irritables par rapport au nouveau mode de fonctionnement?

1	2	3	4	5	6
Détendus	Plutôt détendus	D'humeur inégale	Plutôt irritables	Irritables	Apathiques

10) Ces jours-ci, les destinataires du changement semblent-ils en forme ou fatigués?

1	2	3	4	5	6
En forme	Plutôt en forme	Fragiles	Plutôt fatigués	Fatigués	Abattus

11) Jusqu'à quel point les gens semblent-ils disposés à poursuivre l'effort de mise en œuvre du nouveau mode de fonctionnement?

1	2	3	4	5	6
Très disposés	Plutôt disposés	Mi-disposés, mi-réticents	Plutôt réticents	Réticents	Ils ne s'y intéressent pas

12) Quelle est la participation actuelle des gens dans la mise en œuvre du nouveau mode de fonctionnement?

1	2	3	4	5	6
Active	Modérée	Réservée	Passive	Négative	Nulle

Le tableau 12.3 permet d'établir la configuration de l'organisation ou du service concerné et de compiler le score particulier de chacune des quatre dimensions: cognitive, idéologique, fonctionnelle et psycho-somatique.

Le questionnaire devrait être utilisé régulièrement durant la mise en œuvre du changement, de façon à ajuster l'approche de gestion utilisée. On devrait aussi faire une analyse différente pour chaque unité de travail afin d'adopter une approche de gestion adaptée à chaque situation.

Tableau 12.3 GRILLE DE COMPILATION POUR ÉTABLIR LA CONFIGURATION

Pour établir la configuration de votre organisation, vous devez d'abord faire la somme des scores obtenus aux questions du tableau 12.2, page 249. Ensuite, divisez cette somme par le nombre de questions auxquelles vous avez répondu. Enfin, encerclez dans la section grisée le chiffre s'approchant le plus de votre résultat.

▶ **Configuration :**   (_____) ÷ *n* = _____ /6
                          somme des scores

1	2	3	4	5	6
adhésion marquée	adhésion limitée	polarisation, ambivalence	opposition limitée	opposition marquée	indifférence

▶ **Score cognitif :** (somme des questions 1, 3, 4, =) ÷ 3 = _____ /6

Ce score porte sur la compréhension que les gens ont du changement. Comprennent-ils les objectifs, les nouveaux rôles, le mode de fonctionnement ?

◆ Si le score est près de 1, c'est une indication que les gens comprennent bien la nature du changement. Il vous suffit de maintenir l'approche de gestion actuelle par rapport aux clarifications sur le changement.

◆ Si le score est près de 6, c'est une indication que les gens comprennent mal la nature du changement ou ses modalités. Vous devriez revoir votre approche de gestion afin de mieux expliquer les objectifs et les modalités du changement. La grille « d'analyse de l'approche de gestion de la transition » (11.1) peut vous y aider.

▶ **Score idéologique :** (somme des questions 2, 11, 12 =) ÷ 3 = _____ /6

Ce score porte sur la réaction des gens au changement même. Sont-ils d'accord, le soutiennent-ils ouvertement, s'impliquent-ils ?

◆ Si le score est près de 1, c'est une indication que les gens acceptent bien la nature du changement. Il vous suffit de maintenir l'approche de gestion actuelle relative aux motifs qui justifient le changement.

◆ Si le score est près de 6, c'est une indication que les gens acceptent mal le changement. Vous devriez revoir votre approche de gestion afin de rendre plus évidents les motifs qui le justifient. La grille « d'analyse de l'approche de gestion de la transition » (11.1) peut vous y aider.

▶ **Score fonctionnel :** (somme des questions 5, 6, 7 =) ÷ 3 = _____ /6

Ce score porte sur l'opinion que les gens ont de l'efficacité du changement. Est-il adapté, produit-il les résultats attendus, le maîtrise-t-on ?

◆ Si le score est près de 1, c'est une indication que les gens trouvent le changement adapté et fonctionnel. Il vous suffit de maintenir l'approche de gestion actuelle quant aux correctifs à apporter pour accroître l'efficacité.

◆ Si le score est près de 6, c'est une indication que les gens trouvent le changement peu efficace ou inadapté. Vous devriez revoir votre approche de gestion afin d'introduire des ajustements qui en amélioreraient la fonctionnalité. La grille « d'analyse de l'approche de gestion de la transition » (11.1) peut vous y aider.

Tableau 12.3 GRILLE DE COMPILATION POUR ÉTABLIR LA CONFIGURATION *(suite)*

▶ **Score psychosomatique**; (somme des questions 8, 9, 10 =) ÷ 3 = _____ /6

Ce score porte sur la réaction affective et physique des gens au changement. Réussissent-ils à s'adapter à la nouveauté, quel niveau de stress vivent-ils?

◆ Si le score est près de 1, c'est une indication que les gens s'adaptent bien au changement. Il vous suffit de maintenir l'approche de gestion actuelle quant au soutien et à l'encadrement.

◆ Si le score est près de 6, c'est une indication que les gens s'adaptent mal au changement ou qu'ils vivent des tensions importantes. Vous devriez revoir votre approche de gestion afin d'intensifier les mesures de soutien et d'encadrement que vous offrez. La grille «d'analyse de l'approche de gestion de la transition» (11.1) peut vous y aider.

Après avoir relevé les points forts et les lacunes dans l'évolution du projet de changement, il reste à choisir les mesures à prendre pour rectifier le tir. Il s'agit, d'une part, de déterminer quels sont les aspects sur lesquels des progrès doivent être faits et, d'autre part, d'adopter des mesures de gestion pour réaliser ces progrès, sans pour autant négliger les mesures déjà en place qui ont donné des résultats satisfaisants. Le tableau 12.4 de la page 252 permet de dresser ce «plan de monitorage». Il peut servir d'outil de coordination à une équipe de gestion.

Tableau 12.4 Tableau-synthèse du plan de monitorage

	Aspects à corriger	*Mesures à prendre*
Dans l'ensemble		
Sur la dimension cognitive		
Sur la dimension idéologique		
Sur la dimension fonctionnelle		
Sur la dimension psychosomatique		

MODULE 13

L'ÉVALUATION DES RÉSULTATS

Les résultats recherchés ont-ils été atteints?

CE MODULE TRAITE DES QUESTIONS SUIVANTES :

Les effets recherchés par le changement ont-ils été atteints?

◆

La position de l'organisation s'est-elle améliorée,
compte tenu de l'évolution de la conjoncture (interne et externe)?

◆

Les coûts associés au changement ont-ils été raisonnables
au regard des bénéfices réels?

Le suivi[1] d'un effort de changement est très important pour en assurer la mise en œuvre efficace et efficiente. Outre le monitorage de la situation, l'*évaluation des résultats* est un des moyens qu'on peut prendre pour assurer le suivi. **L'évaluation des résultats consiste à mesurer la nature et la qualité des effets réels du changement poursuivi.** Elle peut constituer l'étape terminale dans une démarche de gestion du changement, mais on peut aussi y recourir pendant l'implantation pour faire le point et corriger le tir. En fait, pour les projets d'une certaine envergure, on devrait procéder régulièrement à des évaluations simples et rapides.

Il arrive très fréquemment, au sein des organisations, que cette étape soit banalisée et même complètement négligée. L'évaluation se fait alors de façon implicite, informelle et intuitive. Or il y a là un certain paradoxe : c'est par cette étape que non seulement l'organisation parvient à revoir l'équation entre les coûts auxquels elle s'est soumise et les bénéfices réels obtenus, mais qu'elle parvient également à « ajuster » de façon éclairée sa stratégie ainsi que ses plans d'action. C'est donc par cette opération que l'organisation « apprend » sur son fonctionnement.

La **première étape** de l'évaluation consiste à choisir une stratégie de gestion pour réaliser l'évaluation. La **deuxième étape** consiste à choisir les indicateurs qui correspondent aux particularités du changement en cause. La **troisième étape** consiste à procéder à l'évaluation elle-même, et **la quatrième**, à décider des suites à donner, s'il y a lieu.

13.1   LA STRATÉGIE DE GESTION POUR RÉALISER L'ÉVALUATION

Dans le cours normal d'un processus de changement, la « gestion » de l'évaluation comporte pour le gestionnaire des enjeux qui sont, bien souvent, aussi importants que le contenu de l'évaluation elle-même. La stratégie à laquelle le gestionnaire aura recours pour la conduite de cette étape est donc centrale.

De façon générale, on aura avantage à adopter, au cours de cette étape, la même stratégie que celle qui a été utilisée au moment de la gestion du changement (voir le module 9 sur le choix de l'approche de gestion). La liste suivante donne un certain nombre d'exemples.

---

1. *Follow-up* en anglais.

Stratégie de gestion du changement ↓	*Stratégie de gestion de l'évaluation* ↓
Le gestionnaire a fait appel à une stratégie plutôt participative (négociation) pour procéder à la conception et à l'implantation du changement. En outre, des partenaires externes et des clients ont été associés à l'opération.	L'évaluation se fait de façon partagée. Le gestionnaire et ses partenaires (internes et externes) conviennent des principaux indicateurs pour les besoins de l'analyse, procèdent conjointement à la collecte de l'information nécessaire et interprètent ensemble les résultats.
Le gestionnaire a favorisé une stratégie de consultation tout au long de l'implantation du changement. Sa démarche a été transparente, mais il s'est réservé le pouvoir de décision à chacune des étapes.	C'est le gestionnaire qui assume l'initiative de l'opération : il détermine comment, quand et sur quoi l'évaluation sera menée. C'est également lui qui interprète les conclusions de l'exercice. Il associe cependant le personnel, en lui permettant d'exprimer ses réactions sur deux objets : le format de l'évaluation et ses conclusions.
La gestion du changement s'est réalisée de façon directive. C'est le gestionnaire qui a assumé, seul, le pilotage complet de l'opération. Il s'est limité à informer le personnel et les partenaires de ses intentions ainsi que de la nature et du déroulement des différentes étapes.	L'évaluation se fait de façon centralisée. Le gestionnaire assume l'ensemble de l'opération. Il informe le personnel du format qu'il a choisi et des conclusions de l'opération. Il s'efforce d'en faire une situation d'apprentissage pour l'organisation.

Dans certains cas, le recours à des acteurs indépendants de l'organisation peut accroître la crédibilité des résultats et en faciliter ensuite l'utilisation pour apporter des correctifs.

Reportez à la case 2 du tableau 13.1, page 260, la stratégie de gestion que vous choisissez pour réaliser l'évaluation.

13.2 LE PROCESSUS D'ÉVALUATION

L'évaluation, faut-il le rappeler, **est une démarche qui consiste à déterminer si la situation nouvelle correspond aux objectifs qui étaient poursuivis au départ** : en d'autres termes, le projet de changement a-t-il permis de faire évoluer la situation de départ dans le sens désiré ?

Elle consiste également à déterminer si l'ensemble des coûts[2] directs et indirects engendrés par la mise en œuvre du changement ont été conformes aux prévisions. Enfin, elle consiste à examiner si le changement a entraîné des effets secondaires indésirables.

Le gestionnaire qui désire procéder à une évaluation devra d'abord répondre aux deux questions suivantes :

- Quels sont **les indicateurs** qui serviront à mesurer l'évolution de la situation ?

- Quels sont **les moyens concrets** auxquels on aura recours pour obtenir et traiter l'information requise ?

Un *indicateur* est un type d'information auquel une organisation a recours pour évaluer les répercussions d'une mesure ou d'une action. Le nombre de plaintes, les délais, le temps d'attente, le nombre de rejets, la progression du prix unitaire des services, le nombre de griefs constituent des exemples d'indicateurs qui peuvent être utilisés dans une opération d'évaluation.

Les *moyens* sont les outils qui sont utilisés pour obtenir l'information nécessaire et pour interpréter les résultats. L'analyse des états financiers, les groupes cibles, les enquêtes internes et externes ainsi que les tests par échantillonnage sont des exemples de moyens souvent pris dans une évaluation.

13.3 LE CHOIX DES INDICATEURS

De façon générale, les indicateurs qui sont nécessaires pour faire l'évaluation d'un changement portent sur les quatre points suivants :

- *Les résultats* : les résultats recherchés par le changement ont-ils été atteints ?

- *Les coûts* : le rapport prévu entre les coûts et les bénéfices a-t-il été respecté ?

- *La conjoncture* : compte tenu de l'évolution de la conjoncture (externe et interne), le changement a-t-il permis d'améliorer la position de l'organisation ?

- *Les effets secondaires* : la mise en œuvre du changement a-t-elle provoqué des effets négatifs imprévus dans l'organisation ?

---

2. Coûts financiers, humains, politiques, etc.

Opération 1: Rappel de la situation souhaitée

Pour choisir les indicateurs qui serviront à l'évaluation, il faut retourner à la description de la situation souhaitée.

▶ *Reportez dans la case 1 du tableau 13.1, page 260, la description de la situation souhaitée que vous aviez faite au module 4 ou que vous avez faite au début de la présente partie.*

Opération 2: Le choix des indicateurs relatifs aux résultats

Les indicateurs sur les résultats portent sur les «produits» réels (extrants) du changement. Ils cherchent à déterminer si les opérations du plan d'action ont permis d'atteindre les objectifs qui étaient poursuivis.

▶ *Reportez à la case 3 du tableau 13.1, page 260, au moins un indicateur pour chacun des résultats que comportait la situation souhaitée. Les exemples qui suivent illustrent cette opération.*

Situation souhaitée ↓	*Indicateurs* ↓
Réduire les frais d'exploitation	– Évolution du prix unitaire
Améliorer la qualité des services	– Évolution du nombre de plaintes – Évolution de la satisfaction des clientèles – Niveau de couverture des services
Accroître le degré d'autonomie	– Évolution de la perception des destinataires – Origine des initiatives – Temps consacré à la supervision
Mettre en œuvre un nouveau système de traitement des demandes	– Évolution de la capacité de réponse – Évolution de la perception des utilisateurs – Nombre de rejets

Opération 3: Le choix des indicateurs relatifs aux coûts

Les indicateurs relatifs aux coûts portent sur les dépenses directes et indirectes que l'organisation a dû assumer au moment de l'implantation du changement. Il s'agit de déterminer, en somme, si les coûts réels du changement ont respecté les prévisions.

▶ *Reportez à la case 4 du tableau 13.1, page 260, les indicateurs qui permettront de mesurer les coûts associés au projet. Les exemples qui suivent illustrent cette opération.*

Catégorie ↓	Indicateurs ↓
Immobilisations, équipements	– Coûts réels des équipements, des installations
Formation, remplacement	– Coûts directs et indirects de la formation
Consultation externe	– Coûts réels des contrats de consultation
Pertes	– Coûts réels associés aux pertes de revenus durant la phase d'implantation

Opération 4: Le choix des indicateurs relatifs à la conjoncture

Les indicateurs relatifs à la conjoncture servent à déterminer si le changement est parvenu à améliorer la position de l'organisation face à son environnement externe et à son environnement interne. Il s'agit en somme de déterminer si la configuration originale de l'organisation s'est effectivement améliorée.

▶ *Reportez à la case 5 du tableau 13.1, page 260, au moins un indicateur portant sur la position stratégique de l'organisation. Les exemples qui suivent illustrent cette opération.*

Catégorie ↓	Indicateurs ↓
Adaptation de l'organisation à son environnement externe	– Amélioration de la capacité de réponse – Amélioration de la position relative de l'organisation face aux autres – Couverture des besoins – Amélioration de la notoriété – Satisfaction de la clientèle
Adaptation de l'organisation à son environnement interne	– Amélioration de la productivité – Amélioration du niveau de satisfaction

▶ Pour compléter ce niveau d'analyse, il suffit généralement de retourner aux conclusions de l'analyse stratégique qui a été réalisée au module 3 et, en utilisant les mêmes paramètres, de vérifier si la position de l'organisation s'est effectivement améliorée.

Opération 5: L'analyse des effets secondaires

Qu'est-ce qu'un effet secondaire[3] ? C'est un effet provoqué par la mise en œuvre du changement, généralement difficile à prévoir et qui entraîne des conséquences indésirables. Les effets secondaires, lorsqu'ils se produisent, apparaissent habituellement à l'intérieur d'une zone qui n'était pas liée directement à la nature du changement. C'est ce qui explique pourquoi il est si difficile de les prévoir et, souvent même, de les déceler. La liste suivante en fournit un certain nombre d'exemples.

Objectif recherché ↓	*Effets secondaires* ↓
Implantation d'un nouveau système de traitement des demandes.	Quelques erreurs s'introduisent au cours de la mise en œuvre. Les médias s'emparent de l'affaire, qui dégénère en une véritable confrontation mettant en cause l'ensemble des services de l'organisation.
Création d'équipes multidisciplinaires au sein de l'organisation.	Certains professionnels perdent complètement le sens de l'appartenance, et le taux d'absentéisme grimpe de façon importante.
Une Direction des communications révise son mode de fonctionnement avec les centres régionaux.	Les régions adhèrent avec enthousiasme au changement. Elles en viennent à remettre en cause ouvertement leurs relations avec les autres directions de service, notamment la Direction des systèmes. Un conflit survient entre les deux directions.

Étant donné que les effets secondaires sont imprévisibles et qu'ils peuvent, en outre, emprunter plusieurs voies, il est difficile de concevoir une méthode d'évaluation qui soit parfaitement sûre. Les quatre points suivants devraient cependant permettre de couvrir les principales possibilités.

Le changement a-t-il comporté des conséquences indésirables dans :

♦ les réactions de la clientèle face au service ?

♦ les autres systèmes de l'organisation ?

---

3. Parfois appelé « effet pervers ».

♦ les relations avec les partenaires de l'organisation?

♦ le comportement des personnes au sein de l'organisation?

▶ *Reportez vos réponses à ces questions à la case 6 du tableau 13.1.*

Tableau 13.1   Les indicateurs de l'évaluation et la stratégie de gestion

1) La situation souhaitée	
2) La stratégie de gestion de l'évaluation	
3) Indicateurs relatifs aux résultats obtenus	
4) Indicateurs relatifs aux coûts associés à la mise en œuvre du changement	
5) Indicateurs relatifs à la position stratégique de l'organisation	

6) Les effets secondaires...
 	
   – liés à la clientèle
   – liés aux autres systèmes
   – liés aux partenaires
   – liés au personnel	

13.4 L'ANALYSE ET LE TRAITEMENT DES RÉSULTATS DE L'ÉVALUATION

Passons maintenant aux résultats proprement dits de l'évaluation et des conclusions qui se dégagent de l'analyse.

L'observation des organisations révèle qu'il existe trois grands groupes de conclusions au terme d'une évaluation portant sur les effets d'un changement. Le tableau 13.2 présente ces grands groupes de conclusions.

Tableau 13.2   LES CONCLUSIONS TYPIQUES D'UNE ÉVALUATION

▶ **Parmi les trois groupes de conclusions qui suivent, choisissez celui qui correspond le mieux aux résultats de votre évaluation. Allez ensuite au tableau 13.3, page 262, pour prendre connaissance de la stratégie proposée.**

Groupe 1	☐ L'opération a parfaitement réussi; les résultats recherchés ont été atteints, et la position stratégique de l'organisation s'est améliorée.	→ Le changement a-t-il produit des effets secondaires?	☐ Oui ☐ Non
		→ Le changement a-t-il nécessité des dépenses conformes aux prévisions?	☐ Oui ☐ Non
Groupe 2	☐ L'opération a partiellement réussi. Les objectifs ont été atteints en partie.	→ Le changement a-t-il produit des effets secondaires?	☐ Oui ☐ Non
		→ Le changement a-t-il nécessité des dépenses conformes aux prévisions?	☐ Oui ☐ Non
Groupe 3	☐ L'opération n'a pas réussi. La plupart des objectifs poursuivis n'ont pas été atteints.	→ L'opération a-t-elle produit des effets secondaires?	☐ Oui ☐ Non
		→ L'opération a-t-elle entraîné des dépenses conformes au devis initial?	☐ Oui ☐ Non

Compte tenu de la situation changeante des organisations et, par conséquent, des difficultés auxquelles on se heurte quand on veut faire des prévisions, il est rare que les objectifs d'un changement soient parfaitement atteints. C'est particulièrement vrai dans les cas où le changement comportait des enjeux complexes. L'évaluation devient alors une opération où le gestionnaire est invité à revoir non seulement la stratégie à laquelle il a eu recours, mais les objectifs mêmes du changement.

Le tableau 13.3 présente, pour chacune des options, un certain nombre de réactions possibles.

Tableau 13.3   STRATÉGIES POSSIBLES POUR DIFFÉRENTS RÉSULTATS D'ÉVALUATION

▶ Vis-à-vis des résultats de l'évaluation correspondant à votre situation, voyez la stratégie qui est proposée.

Résultats de l'évaluation	*Stratégie proposée*
Les résultats de l'évaluation sont positifs. Les objectifs du changement ont été atteints.	Profiter de la situation pour mettre en valeur les facteurs qui ont contribué à sa réussite. Reconnaître explicitement la contribution de ceux et celles qui ont participé à l'opération. Donner de la visibilité à l'événement, à l'interne et à l'externe.
Si certains effets secondaires sont apparus...	Rechercher des solutions susceptibles d'atténuer l'impact de ces effets secondaires.
Si les coûts réels ont dépassé le niveau prévu...	Si le projet a été géré de façon rigoureuse, il est vraisemblable que la planification de départ ait été trop optimiste. Dans ces circonstances, il existe peu de correctifs possibles. Il faut essayer de voir quels sont les facteurs qui ont joué et éviter qu'ils ne se reproduisent.

Tableau 13.3 STRATÉGIES POSSIBLES POUR DIFFÉRENTS RÉSULTATS D'ÉVALUATION *(suite)*

▶ Vis-à-vis des résultats de l'évaluation correspondant à votre situation, voyez la stratégie qui est proposée.

Résultats de l'évaluation	*Stratégie proposée*
Les résultats de l'évaluation sont partagés : plusieurs objectifs ont été atteints.	Si le projet a des incidences majeures sur la position de l'organisation, engager immédiatement une seconde opération, conçue cette fois spécifiquement en fonction des cibles qui n'ont pas été atteintes.
	Si le projet n'a pas d'incidence majeure sur la position stratégique de l'organisation, examiner l'écart qui est en cause et les facteurs qui ont contribué à cette situation ; se demander s'il est utile de poursuivre. Le cas échéant, considérer la possibilité d'entreprendre une autre démarche pour les objectifs qui n'ont pas été atteints.
Si des effets secondaires sont apparus...	Examiner les facteurs qui ont joué ; envisager immédiatement des mesures susceptibles sinon d'éliminer, du moins d'atténuer et de contrôler ces effets secondaires.
Si les coûts réels ont dépassé le niveau prévu...	Déceler les carences de la planification et explorer la possibilité de récupérer les sommes dépensées en trop.
Les résultats de l'évaluation sont plutôt négatifs : l'opération n'a pas réussi.	Si le projet a des incidences majeures sur la position stratégique de l'organisation, engager immédiatement une opération qui relance le projet de changement sur d'autres bases (nouvelle définition du problème, nouvelle stratégie, nouveau plan d'action, etc.).
	Si le projet n'a pas d'incidence majeure sur la position stratégique de l'organisation, constater l'échec, déterminer quels sont les facteurs qui ont contribué à cette situation, explorer la possibilité de relancer l'opération sur une autre base. À défaut, cesser d'investir dans ce changement.
Si des effets secondaires sont apparus...	Engager de façon urgente et prioritaire une série de mesures afin de contrôler les effets secondaires.
Si les coûts réels ont dépassé le niveau prévu...	Engager de façon urgente et prioritaire une série de mesures afin de réduire les impacts négatifs de cette dépense sur l'organisation.

On peut se servir du tableau 13.4 pour inscrire les mesures que l'on entend prendre pour assurer un suivi efficace à l'évaluation et ainsi soutenir l'effort de changement.

Tableau 13.4   SOMMAIRE DES MESURES À PRENDRE
POUR ASSURER LE SUIVI DE L'ÉVALUATION

▶ Vis-à-vis des résultats d'évaluation correspondant à votre situation, indiquez la stratégie que vous choisissez pour assurer le suivi de l'évaluation.

Résultats de l'évaluation	*Stratégie choisie*

Les résultats de l'évaluation sont :
 	
   ◆ positifs
 	
   ◆ partagés
 	
   ◆ négatifs
 	
Si certains effets secondaires sont apparus...
 	
Si les coûts réels ont dépassé le niveau prévu...	

MODULE 14

L'INTERVENTION EN CONTEXTE DE « CRISE »

Quelle approche utiliser en situation de survie?

CE MODULE TRAITE DES QUESTIONS SUIVANTES :

Comment faire la différence entre une situation de crise
et les autres situations de changement?

◆

Comment aborder les différentes étapes du changement
dans un contexte de crise?

◆

Qu'est-ce qui doit caractériser l'approche de gestion
en contexte de crise?

La turbulence que connaissent actuellement les organisations prend
parfois l'allure d'un véritable typhon, dont l'intensité et l'ampleur ont
pour effet de menacer, sinon leur survie, du moins leur intégrité. Face
à une telle menace, la pratique du changement prend la forme d'une
intervention en situation de crise. Les phénomènes décrits dans les
modules précédents sont alors présents, mais leur séquence et leur

acuité obligent les gestionnaires à faire appel à des pratiques de gestion particulières.

Ce module est destiné aux gestionnaires qui ont à gérer des changements en contexte de crise. Il comprend deux parties : la première porte sur l'évaluation de la situation, dont il faut d'abord mesurer la gravité, et la seconde présente une série de mesures adaptées à la gestion des changements en contexte de crise.

14.1 LA NOTION DE CRISE

«Crise» est un terme qui fait partie du langage courant des organisations et de leurs dirigeants. Au sein des organisations, il s'agit même d'un terme très courant : on parle de la *crise* des compressions budgétaires, de la *crise* déclenchée par un dossier de presse, de la *crise* associée à l'implantation d'un nouveau système, de la *crise* provoquée par un conflit de travail, de la *crise* liée à un délai serré de production. La notion de crise devient alors synonyme de perturbation et d'urgence.

Bien qu'on l'utilise couramment, la notion de crise est difficile à cerner avec précision. Pour y parvenir, il faut tenir compte de trois paramètres : **la tolérance du système à la pression, sa capacité à trouver des solutions pour y réagir et la conscience des enjeux en cause.**

Nous avons choisi ici une définition utilitaire de la notion de crise plutôt qu'une définition conceptuelle :

La crise est une situation où les pressions entraînent une rupture, ce qui a pour effet de compromettre à court terme sinon la survie, du moins l'intégrité de l'organisation, et face à laquelle il n'existe pas de solutions immédiatement ou facilement accessibles dans l'organisation.

▶ Le questionnaire du tableau 14.1 permet d'évaluer la nature «critique» d'une situation et, par conséquent, de distinguer les véritables situations de crise des autres situations de changement.

Tableau 14.1   QUESTIONNAIRE POUR ÉTABLIR LA GRAVITÉ D'UNE SITUATION

▶ À chaque élément, cochez la case de l'énoncé correspondant le mieux à votre situation ; reliez ensuite les cases cochées par une ligne.

Enjeux	☐ La situation comporte des enjeux importants pour l'organisation, mais la survie et l'intégralité de celle-ci ne sont pas mises en cause, du moins à court terme.	☐ À moins d'une action immédiate, la situation comporte des enjeux qui peuvent compromettre à court terme la survie et l'intégrité de l'organisation.	☐ La situation actuelle met en cause l'intégralité et la survie de l'organisation.
Pression	☐ La pression se manifeste de telle sorte qu'il faut planifier la mise en œuvre d'une action à court terme et considérer cette action comme prioritaire. Cette action cependant n'est pas une priorité absolue et exclusive.	☐ La pression se manifeste de telle sorte qu'il faut engager une action immédiate et considérer cette action comme hautement prioritaire.	☐ L'organisation n'a pas le choix ; la pression se manifeste de telle sorte qu'elle doit délaisser de façon temporaire ses activités courantes et envisager immédiatement une intervention majeure.
Incertitude	☐ Le degré d'incertitude est modéré. L'organisation dispose de ressources qui lui permettent de concevoir et de mettre en œuvre les mesures nécessaires.	☐ Le degré d'incertitude est élevé. Les mesures requises ne sont pas évidentes et l'organisation dispose de ressources limitées pour s'attaquer à la situation.	☐ Le degré d'incertitude est très élevé. L'organisation ne dispose pas des ressources nécessaires à la conception et à la mise en œuvre des mesures requises.
Latitude	☐ L'organisation dispose d'une certaine marge de manœuvre dans le choix des mesures.	☐ La marge de manœuvre de l'organisation est réduite : elle est nulle par rapport à la nature des mesures requises, mais ouverte quant aux modalités de mise en œuvre.	☐ La marge de l'organisation est nulle. Elle n'a aucune latitude, ni par rapport à la nature des mesures nécessaires, ni par rapport à leurs modalités de mise en œuvre.
Alliances	☐ L'organisation peut compter sur un certain nombre d'alliances externes et internes, bien qu'elles soient limitées.	☐ L'organisation ne dispose pas d'alliances, ni à l'interne, ni à l'externe (ou elles sont très fragiles).	☐ L'organisation doit composer avec une coalition externe qui lui est adverse et les alliances internes ne sont pas suffisantes pour être considérées comme un actif sur lequel elle pourrait compter.
	État d'alerte	**État d'urgence**	**État de crise**

La partie inférieure du tableau 14.1 présente trois configurations : l'état d'alerte, l'état d'urgence et l'état de crise. Pour un observateur qui connaît peu la réalité des organisations, la distinction entre ces trois états peut paraître mince. Ce sont pourtant des états fort différents. Parce qu'ils reposent sur des dynamiques distinctes, ils font appel à des stratégies d'intervention particulières.

▶ À partir de la tendance centrale qui se dégage de la ligne que vous avez tracée dans le questionnaire du tableau 14.1, choisissez la configuration qui vous est propre :

☐ état d'alerte :   → passez à la section 14.1.1 ;

☐ état d'urgence :   → passez à la section 14.1.2 ;

☐ état de crise :   → passez à la section 14.1.3.

14.1.1 L'état d'alerte

L'état d'alerte regroupe les situations qui mettent en cause un des aspects de la pratique de l'organisation et qui nécessitent un ajustement parfois majeur, mais surtout rapide. La fragilité de la situation tient au fait que les sources de cette « pression à l'ajustement » sont généralement externes et qu'elles constituent donc une menace appréhendée pour l'organisation. Par contre, ni la survie ni l'intégrité de l'organisation ne sont en cause ; le défi, c'est d'arriver à limiter et à faire cesser la pression avant qu'elle ne s'accentue.

▶ Bien que cette situation soit préoccupante, on ne devrait pas la traiter comme une situation de crise. En effet, une approche de crise serait démesurée et risquerait de dramatiser inutilement les choses. Votre crédibilité et votre légitimité pourraient en souffrir, et il serait difficile de mobiliser les membres de l'organisation.

Vous devriez suivre la démarche normale d'analyse et de préparation du changement. Ainsi, vous devriez utiliser l'analyse préliminaire (module 1) ou l'analyse organisationnelle (module 2). Si vous êtes pressé par le temps, vous devriez au moins préparer convenablement votre approche de gestion (module 8).

14.1.2 L'état d'urgence

En état d'urgence, l'intensité monte d'un cran ; d'une part, parce que la pression est plus intense et, d'autre part, parce que l'objet même de la pression est plus critique. Contrairement à l'état d'alerte, la menace n'est plus appréhendée ; elle est présente et s'exprime de façon vive. Il faut donc s'y intéresser immédiatement et, en outre, agir d'une façon relativement vigoureuse au sein de l'organisation.

▶ Cette situation est grave, mais il ne s'agit pas d'une véritable situation de crise. En fait, il faut agir rapidement et vigoureusement pour l'empêcher de se détériorer et d'atteindre l'état de crise. À ce stade-ci, une approche de crise serait probablement excessive. Elle pourrait créer un contexte où on néglige les opérations courantes, ce qui pourrait rendre l'organisation encore plus vulnérable. En plus, si la situation devait évoluer vers la crise, on aurait épuisé l'éventail des approches de gestion et ce serait difficile de convaincre les gens qu'il faut faire autre chose.

Vous devriez suivre une démarche assez méthodique d'analyse et de préparation du changement, mais vous devriez le faire rapidement, en allant aux éléments les plus vulnérables, en vous associant les leaders les plus influents et en évitant de bureaucratiser les choses. Un petit groupe de pilotage regroupant des gens pour la valeur de leurs compétences serait probablement approprié, du moins pour sortir de la situation d'urgence. Une fois l'urgence passée, on devrait revenir à un mode de fonctionnement usuel, mais néanmoins continuer l'effort de changement amorcé, peut-être en élargissant le cercle des partenaires pour accroître « l'appropriation », tout en évitant d'alourdir les mécanismes mis en place.

De façon générale, il serait sans doute utile de faire une analyse préliminaire pour bien cerner la situation (module 1). Si ce n'est déjà fait, une rapide analyse organisationnelle (module 2) permettra d'ajuster l'intensité des efforts à consacrer à chaque cible de changement. Si vous manquez de temps, vous devriez au moins préparer convenablement votre approche de gestion (module 8) et ensuite gérer la démarche méthodiquement afin de limiter les séquelles (module 11). En situation d'urgence, parce qu'on néglige les préparatifs, il est important d'avoir une approche de gestion très encadrante durant la mise en œuvre des mesures adoptées.

14.1.3 L'état de crise

En situation de crise, c'est la survie même de l'organisation qui est menacée. La « pression à l'ajustement » prend généralement la forme d'un ultimatum qui s'exprime de la façon suivante : à moins d'une action immédiate visant à répondre convenablement aux pressions, c'est la survie même de l'organisation qui est en cause. L'organisation n'a donc plus de latitude; elle doit non seulement se conformer aux délais, mais aussi s'adapter aux exigences imposées par les pressions. En outre, elle doit s'y conformer dans un contexte externe qui lui est sinon adverse, du moins peu sympathique, ainsi que dans un contexte interne peu favorable.

▶ Ces conditions commandent une approche du changement qui est particulière. Les principales caractéristiques en sont décrites dans la section 14.2.

14.2 GESTION DU CHANGEMENT EN SITUATION DE CRISE

En situation de crise, on doit procéder par «raccourcis», c'est-à-dire qu'il faut consacrer peu de temps aux préparatifs, pour passer rapidement à l'action en vue de sortir de l'état de crise. Parce qu'on néglige la préparation, on devra plus tard travailler davantage à réparer les séquelles et à faire en sorte que le changement soit bien intégré. La démarche typique d'un changement géré efficacement en situation de crise comporte les trois étapes suivantes:

◆ une analyse préliminaire, au cours de laquelle on procède à une *évaluation limitée* de la conjoncture;

◆ l'intervention de crise, au cours de laquelle on se concentre exclusivement sur les *zones essentielles à la protection* de l'organisation;

◆ le suivi du changement, au cours duquel on tente de corriger les effets secondaires et de cicatriser les inévitables «blessures» causées par la situation de crise.

Les tableaux 14.2, 14.4 et 14.6 décrivent les principaux points de ces trois étapes.

Tableau 14.2   L'analyse préliminaire en situation de crise

	Gestion du changement en situation de crise *L'analyse préliminaire*	
	À faire...	*À éviter...*
Analyse préliminaire	La plupart du temps, seuls les grands enjeux de base sont connus ; plus la situation évolue, plus le rapport de force se précise et plus les enjeux se clarifient. L'analyse préliminaire a donc avantage à se limiter aux niveaux de base : la signification précise de la pression, la marge de manœuvre, les délais, les conséquences pour l'organisation. Une fois ces données précisées, on a avantage à engager l'action le plus rapidement possible et à la ponctuer de plusieurs courtes séances d'analyse du contexte.	Vouloir à tout prix une carte complète des forces et des enjeux qui sont en cause et concevoir un plan élaboré.
Esquisse de la stratégie	L'intervention en situation de crise nécessite le recours à des compétences multiples et variées. Il est essentiel que le pilotage soit fait de façon relativement directive, mais aussi qu'il soit alimenté par plusieurs points de vue éclairés. On a souvent le réflexe, en état de crise, de ne pas diffuser l'information à l'interne de peur que cela n'amplifie la gravité de la situation. Cependant, en plus de contribuer à la multiplication des rumeurs, l'absence d'information prive l'organisation de contributions qui pourraient être utiles et crée des tensions entre les employés et la direction. On a donc avantage à diffuser toute l'information et, bien sûr, la nature des mesures qui sont envisagées.	Gérer seul. Cacher l'information.
Équipe de pilotage	L'intervention en situation de crise fait appel non pas à des compétences administratives mais à des compétences sur le contenu. On devrait donc constituer cette équipe de personnes qui détiennent ce type de compétences et ne pas hésiter à s'adjoindre, le cas échéant, des ressources externes.	Constituer une équipe de pilotage composée d'individus choisis sur la base du statut qu'ils détiennent au sein de l'organisation.
Gestion du quotidien	L'intervention en situation de crise mobilise très souvent toute l'énergie du gestionnaire. Étant donné, en outre, que la crise met en cause la survie même de l'organisation, il est préférable que ce dernier assure lui-même le pilotage des opérations et qu'il conçoive un mécanisme d'exception pour traiter les activités courantes de l'organisation. Il est indiqué, également, que le gestionnaire *informe clairement* les membres de son organisation de ses intentions et de son retrait temporaire des activités courantes.	Laisser de côté les activités courantes et se consacrer exclusivement au traitement de la crise.

Le tableau 14.3 peut servir à élaborer l'approche utilisée pour faire une analyse préliminaire simple, rapide et juste.

Tableau 14.3 APPROCHE POUR L'ANALYSE PRÉLIMINAIRE EN SITUATION DE CRISE

	Gestion du changement en situation de crise *Approche adoptée pour l'analyse préliminaire*
Objets à considérer dans l'analyse préliminaire	
Esquisse de la stratégie	
Équipe de pilotage	
Gestion du quotidien	

Tableau 14.4   L'INTERVENTION EN SITUATION DE CRISE

	Gestion du changement en situation de crise L'intervention	
	À faire...	À éviter...
Nature des mesures	L'organisation est en état de choc. En pareilles circonstances, le temps ne résout rien ; il ne peut au mieux (et rarement) que maintenir la situation. On a avantage à concentrer son action sur un nombre limité de cibles très précises, avant tout pour stabiliser la situation. Si jamais on y parvient, alors on pourra s'adresser aux dysfonctions qui ont contribué à l'émergence de la crise.	Laisser faire : le temps se chargera d'arranger les choses... Profiter de l'occasion pour s'attaquer à d'autres problèmes au sein de l'organisation.
Gestion du projet	En état de crise, les tensions sont tellement vives et les perceptions tellement aiguës, qu'il est à peu près impossible de dégager des consensus au sein de l'organisation ; de plus, on ne dispose pas du temps requis pour créer ces consensus, sans compter que la situation évolue de jour en jour, et parfois même d'heure en heure. Le gestionnaire a besoin du maximum d'éclairage possible, mais c'est à lui qu'il revient de décider ; il a avantage, cependant, à le faire de façon transparente et à *informer régulièrement* les membres de son équipe de l'évolution de la situation et de ses décisions.	Rechercher des consensus au sein de l'organisation. Éviter les « vraies » questions afin de ne pas heurter les personnes.
Coordination des opérations	Étant donné la gravité de la situation, le phénomène du changement prend souvent une courbe d'accélération dont l'évolution est peu prévisible. On a donc avantage à se doter de plusieurs mécanismes de microcoordination ; des mécanismes simples (rencontres informelles, conférences téléphoniques), mais très fréquents (deux ou trois fois par semaine).	Gérer les opérations du changement comme s'il s'agissait d'activités courantes.
Monitorage	La conception d'un « tableau de bord » s'avère généralement très utile en pareilles circonstances. Après avoir mis en lumière les paramètres critiques, on évalue et on compare de façon quotidienne leur évolution.	Négliger le monitorage. Baser son information uniquement sur les rumeurs, les perceptions, les impressions.
Information	On a avantage à informer le plus souvent possible (et généralement de façon informelle) les principaux partenaires externes et internes. Une telle pratique a pour effet de neutraliser les rumeurs et, sinon d'atténuer, du moins de canaliser l'anxiété.	Refuser à tout prix d'informer les gens, à l'interne comme à l'externe, de l'évolution de la situation.

Le tableau 14.5 peut servir à élaborer l'approche utilisée pour gérer efficacement l'intervention de changement.

Tableau 14.5 APPROCHE POUR GÉRER L'INTERVENTION EN SITUATION DE CRISE

	Gestion du changement en situation de crise *Approche pour gérer l'intervention*
Nature des mesures à prendre	
Mécanismes pour gérer l'intervention	
Coordination des opérations	
Mécanismes pour le monitorage	
Mécanismes et pratiques relatifs à la diffusion de l'information	

Tableau 14.6 LE SUIVI DU CHANGEMENT EN SITUATION DE CRISE

	La gestion du changement en situation de crise Le suivi du changement	
	À faire...	**À éviter...**
Cicatrisation	L'intervention en situation de crise crée des tensions importantes au sein de l'organisation et contribue souvent à exacerber les conflits latents. On a avantage à recenser les aspects où l'organisation a le plus souffert et à imaginer des solutions simples, mais néanmoins réelles, qui sont susceptibles de les atténuer.	Refuser de tenir compte des « blessures » qui ont été causées lors du traitement de la crise.
Effets secondaires	L'émergence d'une crise au sein d'une organisation comporte inévitablement des effets secondaires sur les autres aspects de sa vie courante : certains projets ont été reportés, la qualité des services s'est détériorée, la production accuse du retard. On a avantage, ici encore, à recenser les aspects sur lesquels l'organisation a le plus souffert et à imaginer des solutions simples, mais néanmoins efficaces, susceptibles de les atténuer.	Présumer que la crise étant résorbée, tout est revenu à la normale.
Image de l'organisation	Dans un contexte caractérisé par une forte concurrence et d'importantes tensions entre les organisations, il est à peu près certain que la « crise » sera récupérée d'une façon ou d'une autre à l'externe. Il est donc prudent de concevoir une stratégie de communication (interne et externe) qui replace les événements dans leur perspective et qui relate non seulement la nature précise des mesures adoptées, mais leurs effets.	Négliger les effets de la crise sur l'image de l'organisation.
Quotidien	Une crise, c'est une expérience de rupture qui a pour effet de perturber toutes les dimensions au sein d'une organisation. Certains auteurs prétendent même qu'il s'agit d'un phénomène d'adaptation presque inévitable dans l'état actuel des organisations. Peu importe l'issue de la crise, le quotidien de l'organisation sera différent, ne serait-ce qu'à cause de l'évolution de la conjoncture. Il est essentiel que le gestionnaire prenne le temps de « formuler la signification » de l'événement à l'intention des membres de son organisation et qu'il examine avec eux les possibilités de réduire l'apparition de nouvelles crises ; en somme, en faire aussi une situation d'apprentissage.	Reprendre la gestion du quotidien là où on l'avait laissée.

Le tableau 14.7 peut servir à élaborer l'approche utilisée pour faire le suivi de l'intervention de changement.

Tableau 14.7   LE SUIVI DU CHANGEMENT EN SITUATION DE CRISE

	La gestion du changement en situation de crise *Approche pour assurer le suivi du changement*
Quels blessures doivent être cicatrisées ?	
Quels effets secondaires faut-il corriger ?	
Mesures pour refaire l'image de l'organisation	
Quoi réorganiser dans le quotidien ?	

14.3   CONSIDÉRATIONS GÉNÉRALES

Face à la turbulence que l'on connaît en cette fin de décennie, les organisations sont exposées à des crises fréquentes, et de nombreux indices portent à croire que cette conjoncture pourrait durer plusieurs années.

Ce module cherche à mettre en relief deux points importants relativement à la gestion d'un changement en contexte de crise.

Le premier point, c'est qu'**il est possible de « gérer » une crise.** L'approche est différente des autres situations; les étapes prennent une forme particulière, la raison y paraît bousculée et la dynamique de crise se manifeste de façon aiguë; toutefois, il demeure possible de garder une certaine cohérence et une certaine intelligence dans l'intervention visant à amener l'organisation à s'adapter aux pressions qui l'assaillent.

Le deuxième point porte sur **le caractère particulier de la crise.** Contrairement à ce que l'on entend dans le langage contemporain des organisations, les situations de tension ou d'urgence ne sont pas nécessairement des situations de crise. Certains dirigeants ont tendance à considérer les situations difficiles comme des situations de crise et à recourir rapidement à des approches qui créent beaucoup d'agitation autour d'eux, sans pour autant contribuer à la santé de l'organisation. Recourir à une approche de crise lorsque ce n'est pas nécessaire provoque du cynisme chez les membres de l'organisation, qui voient là de la démesure, en plus de banaliser cette approche de gestion, qui aura perdu son sens lorsqu'on en aura besoin pour réagir à une vraie situation de crise.

Le recours à une approche de résolution de crise est souvent tentant quand on est face à une situation présentant un niveau d'inertie élevé, ou encore quand on est pressé d'obtenir des résultats[1]. Il faut bien comprendre, cependant, que ce ne sont pas là de véritables « crises » et que, si on les traite comme telles, on aura soi-même créé *artificiellement* l'atmosphère de crise. En général, dans ces situations, les gens ne sont pas dupes et interprètent une telle réaction comme un caprice de la gestion (et ils se mobilisent peu) ou comme un manque de discernement de sa part (et ils la discréditent). En fait, dans pareilles situations, une approche confrontante, qui pose les vrais enjeux, est habituellement plus efficace, même si elle est un peu plus lente.

---

1. Pour certains gestionnaires, cela devient une façon de ne pas gérer. En transformant tout problème en situation de crise, ils justifient artificiellement les raccourcis et se contentent de prendre des décisions spectaculaires, qu'ils font appliquer de façon autoritaire.

APPENDICE

Introduction

Cette partie propose des outils et des idées qui viennent compléter la matière des autres parties. Ils sont donc valables et utilisables à toutes les étapes de la préparation et de la gestion d'un changement.

Le module 15 présente des techniques de collecte d'informations qui peuvent être utilisées pour alimenter la préparation et la mise en œuvre d'un changement. Ces techniques sont simples et d'utilisation rapide.

Suit une courte section intitulée «Réflexions», qui attire l'attention sur l'importance de réinvestir dans l'organisation les apprentissages réalisés à l'occasion d'un changement. On y soulève également un certain nombre de préoccupations relatives à l'influence sur les gestionnaires de la gestion d'un changement.

Enfin, une liste de références sur l'analyse stratégique et sur la gestion du changement est donnée à l'intention des personnes qui souhaitent faire des lectures supplémentaires sur le sujet.

MODULE 15

RECUEIL D'OUTILS DE COLLECTE DE DONNÉES

CE MODULE TRAITE DES QUESTIONS SUIVANTES :

Quels outils peut-on utiliser pour recueillir simplement
et efficacement des données sur l'état de l'organisation ?

◆

Quelles sont les modalités et les conditions d'utilisation
de ces outils ?

Dans un grand nombre d'opérations de changement, on doit procéder
à des collectes de données pour s'informer adéquatement des perceptions, des opinions, des idées, des réactions des personnes touchées
par le changement, qu'il s'agisse des clients, des pairs, des partenaires
ou du personnel. **Une information de qualité aura un effet sur la
qualité des décisions et, en conséquence, sur le succès du projet de
changement.**

La collecte d'informations se fait pratiquement à toutes les étapes du processus : pour vérifier la perception de la problématique, pour choisir des mesures de redressement, pour trouver des idées sur les conditions nécessaires à la mise en œuvre, pour adapter le processus aux difficultés éprouvées, pour évaluer l'impact des efforts déployés et les résultats atteints. À chacune des étapes, la quantité et la qualité de l'information recueillie vont orienter les décisions et l'action. L'absence de clairvoyance ou une mauvaise interprétation de la situation conduiront à une analyse incomplète ou erronée.

Plusieurs approches peuvent être utilisées pour recueillir des données auprès d'une organisation, de ses clients ou de ses pairs. Le recours **à une technique particulière devrait tenir compte de la nature de l'information recherchée, de sa provenance (ses détenteurs), du temps dont on dispose, des enjeux et des éléments de logistique (tel le nombre de personnes à consulter).** Dans ce guide, nous avons retenu quelques méthodes simples qui habituellement peuvent être utilisées rapidement et avec des moyens *légers*.

Les techniques retenues sont les suivantes :

- ◆ la technique du groupe nominal,

- ◆ le groupe de consultation,

- ◆ le groupe de réaction,

- ◆ le forum d'informateurs clés,

- ◆ l'entrevue de groupe semi-structurée,

- ◆ le tableau de données.

Certaines de ces techniques recourent à la formule du « un à un » : de façon individuelle, la personne sollicitée fournit de l'information. La plupart, toutefois, utilisent le regroupement de personnes. Cela signifie qu'une attention particulière doit être apportée à la dynamique et à l'animation des groupes, entre autres à l'objectif de la rencontre et aux relations entre les membres du groupe. Négliger l'un ou l'autre de ces aspects compromettra la réussite. L'animateur doit utiliser avec régularité et discernement les fonctions suivantes : définir des termes, reformuler, faire des résumés, expliciter, accorder la parole, encourager ou refréner la participation, sensibiliser au temps, extérioriser, focaliser, faire diversion et objectiver[1].

---

1. On peut obtenir plus d'informations sur l'une ou l'autre de ces fonctions en consultant l'ouvrage : *Les petits groupes, participation et communication* ; ST-ARNAUD, Yves ; Les Presses de l'Université de Montréal, Les Éditions du CIM, deuxième édition, 1989, pages 123 et suivantes.

15.1 TECHNIQUE DU GROUPE NOMINAL

Née de la nécessité de réguler l'influence exercée par les leaders au cours de la prise de décision en groupe, la technique du groupe nominal (TGN) a été conçue avec la préoccupation d'équilibrer la participation des membres d'un groupe.

La TGN est une méthode structurée qui permet de produire et de sélectionner des idées dans un processus de résolution de problème, de prise de décision, de définition de priorités ou de besoins. Cette technique permet à un groupe d'individus ayant des opinions sur un sujet donné d'adopter une vision commune et globale de ce sujet.

Utilité

La TGN permet de recueillir et d'approfondir les opinions et les idées des membres d'un groupe. Son approche structurée assure un bon encadrement des discussions. La TGN se révélera particulièrement efficace :

- pour explorer un problème ou prendre une décision dans un contexte d'utilisation optimale des ressources humaines ;
- pour explorer les connaissances dans un domaine particulier ;
- pour établir des priorités ;
- pour concevoir ou évaluer un programme.

Ses points forts

- Cette technique permet d'approfondir un sujet en peu de temps.
- Elle assure aux participants une vision globale du sujet.
- Elle tient compte des opinions de chacun et équilibre la participation.
- Elle limite l'influence exercée par certains.
- Elle rend possible le consensus parmi des personnes dont les expériences sont variées.
- Elle assure un classement systématique des idées ou des mesures à retenir.
- C'est une méthode peu coûteuse.

Ses points faibles

- La TGN nécessite une procédure structurante, rigoureusement mise en œuvre.

- La complexité du processus s'accroît au même rythme que l'augmentation du nombre de participants[2].

- La représentativité peut être difficile à assurer en ce qui a trait à la participation.

- La procédure entraîne la perte de certains éléments du contenu.

- Cette méthode nécessite des aptitudes pour l'animation.

Procédure

1. Préparation de la rencontre

- Circonscrire les objectifs et définir la question à l'étude.

- Établir les éléments de logistique (date, heure, durée, lieu de la rencontre, ressources matérielles nécessaires).

- Préciser le groupe cible, choisir et inviter les participants.

2. Déroulement de la rencontre

- Accueil : présentation des objectifs et explication du processus.

- L'animateur présente la question à explorer. Dans une atmosphère propice à la réflexion, les participants établissent individuellement la liste de leurs éléments de réponse.

- On fait une série de tours de table afin de recueillir les idées. L'animateur les note sur de grandes feuilles (tableau de conférence) qu'il numérote. On évite la critique ou la discussion des idées à cette étape.

- On procède à la clarification des idées, puis à leur évaluation selon des critères déterminés par l'animateur.

- On définit la priorité des idées :
  a) vote préliminaire (selon la méthode de mise en rang ou de pointage des idées : chaque participant choisit 4 ou 5 idées);
  b) discussion, reclarification et redéfinition des idées;
  c) vote final.

- Les idées retenues sont placées par ordre de priorité.

3. Clôture

- L'animateur présente les conclusions de la rencontre et le suivi qui sera fait.

---

2. La taille du groupe peut varier de 6 à 20 personnes.

FICHE TECHNIQUE
Technique du groupe nominal

Date et heure de la rencontre : _____

Préparation de la rencontre

◆ Objectif(s)

_____

_____

◆ Question à l'étude

_____

_____

◆ Durée de la rencontre : _____

◆ Lieu de la rencontre : _____

◆ Participants invités :

_____

_____

_____

◆ Ressources matérielles nécessaires :
  – tableau au mur _____ sur pied _____   quantité : _____
  – feuilles de 8 ½ × 11 (215 mm × 280 mm)   quantité : _____
  – fiches de 3 ½ × 5 (90 mm × 127 mm)   quantité : _____
  – animateur(s)   nombre : _____
  – autre(s) : _____

Synthèse de la rencontre

1. Critères pour établir les priorités

_____

_____

2. Idées mises en priorité

1)   4)

2)   5)

3)   6)

3. Suivi à faire :

_____ responsable : _____

_____ responsable : _____

Fiche remplie par : _____ (animateur)

15.2 LE GROUPE DE CONSULTATION

Le groupe de consultation permet de recueillir des renseignements précis et de qualité sur un sujet donné. Il peut s'agir d'opinions, de faits observables ou d'idées nouvelles. Cette technique permet de rassembler des personnes choisies, pour qu'elles puissent discuter entre elles.

Utilité

Cette technique permet de recueillir le point de vue de clients, d'employés, de partenaires ou de toute autre personne concernée par le sujet exploré. Elle permet de vérifier ou de trouver des informations générales ou particulières.

Considérations particulières

♦   Cette technique propose la tenue d'une discussion.

♦   La discussion doit être guidée par un animateur qui pose des questions ouvertes aux participants et qui oriente le groupe dans l'exploration du sujet.

♦   On choisira une salle fermée. Les sièges seront disposés de façon à ce que tous puissent se voir (autour d'une table ronde de préférence).

♦   L'information recueillie doit être traitée dans les meilleurs délais. Elle n'est en effet valable que pour une courte période, en raison de la rapidité avec laquelle les choses évoluent à notre époque.

♦   Cette technique vise à comprendre les différentes positions et les exigences de chacun. Par conséquent, le consensus n'est pas recherché.

♦   Il sera utile de demander aux participants des exemples pour illustrer leurs propos.

Ses points forts

♦   L'information recueillie est d'une utilité certaine : elle est obtenue auprès de personnes intéressées.

♦   Le processus permet la collecte d'informations générales ou particulières.

◆ Le processus encourage les participants à s'exprimer librement et à fournir un grande nombre d'informations.

Ses points faibles

◆ La qualité des informations recueillies varie largement en fonction de la qualité de l'animation et des propos des participants.

◆ Le fait que le participant ait à s'exprimer devant un groupe peut l'amener à se censurer.

Procédure

1. **Préparation de la rencontre**

    ◆ Déterminer quelle information est recherchée et l'usage qui en sera fait.

    ◆ Déterminer les éléments de logistique : nombre de participants (de 6 à 12, idéalement), le lieu, la date, l'heure, la durée (2 heures, environ), etc.

    ◆ Dresser la liste des participants et faire les invitations.

    ◆ Rédiger une liste de 5 à 6 questions ouvertes qui permettront de recueillir de l'information par rapport aux objectifs fixés. Les questions devront être classées pour répondre à un ordre logique par rapport au déroulement de la rencontre.

    ◆ Prévoir un mécanisme permettant de reproduire l'information recueillie avec un maximum de fidélité.

2. **Déroulement de la rencontre**

    ◆ Une première question très générale est lancée au groupe. Elle doit permettre d'atteindre un double objectif : acclimater le groupe et recueillir de l'information utile sur le contenu.

    ◆ Selon la clarté et la précision de l'information fournie, des sous-questions pourront être posées. Le cas échéant, une seconde question ouverte est posée, et ainsi de suite.

3. **Clôture**

    ◆ Lorsque toutes les opinions ont été entendues et que le sujet est épuisé, on met un terme à la rencontre.

    ◆ Remerciements et explication sur le suivi de la rencontre.

FICHE TECHNIQUE
Le groupe de consultation

Date et heure de la rencontre : _____

But : recueillir des points de vue

Préparation de la rencontre

- ◆ Objectifs (information recherchée et son utilité)

_____

_____

- ◆ Questions ouvertes qui seront posées

_____

_____

_____

- ◆ Durée de la rencontre : _____

- ◆ Lieu de la rencontre : _____

- ◆ Participants invités :

_____

_____

_____

_____

- ◆ Ressources matérielles nécessaires :
  - – feuilles mobiles
  - – autre(s) : _____

Synthèse de la rencontre (brève rétrospective)

_____

_____

_____

Suivi à faire (s'il y a lieu)

_____ responsable : _____

_____ responsable : _____

Fiche remplie par : _____ (animateur)

15.3 LE GROUPE DE RÉACTION

Le groupe de réaction est une technique de confrontation et de stimulation qui permet d'établir comment les gens d'un milieu se situent par rapport à un sujet donné. Le groupe est un microcosme de son milieu ; sa réaction permet de mieux cerner l'opinion des membres de ce milieu.

Utilité

Cette technique peut s'avérer particulièrement utile lorsqu'on a la conviction qu'il faut provoquer les gens pour obtenir leur opinion ou lorsque l'on pense que les gens auront de la difficulté à s'exprimer s'ils n'ont pas devant eux le tableau d'une situation à laquelle réagir. Le groupe de réaction permet également de situer les gens par rapport à certains indicateurs déjà déterminés.

Considérations particulières

◆ Les gens sont exposés à une vision relativement réaliste d'une situation, afin qu'ils y réagissent en indiquant dans quelle mesure leur perception de la réalité diffère de celle qui est présentée.

◆ Le scénario présenté doit être assez réaliste pour que les gens se l'approprient et assez caricatural pour susciter des réactions. Les échanges doivent porter exclusivement sur les indicateurs choisis.

◆ Le scénario est un déclencheur et non une fin.

◆ Le scénario doit mettre en relief les indicateurs choisis, de façon à attirer l'attention sur les éléments appropriés.

◆ Le vocabulaire choisi doit stimuler les participants sans toutefois les blesser.

◆ Des divergences de perception peuvent se présenter. L'animateur devra alors apporter une attention soutenue à la dynamique de groupe afin d'éviter la polarisation.

◆ La taille du groupe devrait se limiter à 20 personnes.

Ses points forts

◆ La nature même de l'approche permet de recueillir des points de vue surprenants.

◆ La technique conduit à une vision globale et intégrée de la question à l'étude.

- Le cadre de référence (scénario) facilite la discussion.
- Cette méthode est peu coûteuse.

Ses points faibles

- La frontière entre un vocabulaire stimulant et un vocabulaire blessant peut être mince.
- Le postulat à la base de cette technique est le silence ou l'inertie de membres du milieu. Il faut prendre garde de mal interpréter ou de sous-estimer les positions ou les rapports de force.

Procédure

1. **Préparation de la rencontre**
   - Il faut élaborer un ou plusieurs scénarios sur l'évolution que pourrait connaître la situation actuelle ou celle que l'on souhaite. Le scénario doit être bâti autour de quelques paramètres significatifs.
   - Déterminer les éléments de logistique: nombre de participants (de 6 à 12, idéalement), le lieu, la date, l'heure, la durée (2 heures, environ), etc.
   - Dresser la liste des participants et faire les invitations.
   - Prévoir un mécanisme permettant de reproduire l'information recueillie avec un maximum de fidélité.

2. **Déroulement de la rencontre**
   - L'animateur explique que l'on cherche à obtenir des réactions au scénario qui sera présenté afin d'en évaluer la valeur (ou la probabilité). Il explique qu'il s'agit d'une hypothèse.
   - Le scénario soumis aux réactions est présenté et expliqué, mais on évite d'en faire une défense systématique.
   - On encourage les participants à formuler leurs réactions aux divers aspects du scénario et on les invite à suggérer des idées pour le rendre plus réaliste, mieux adapté, plus facile à réaliser, etc. On ne recherche pas le consensus; on cherche plutôt à détecter les tendances qui se dégagent.

3. **Clôture**
   - Lorsque toutes les opinions ont été entendues et que le sujet est épuisé, on met un terme à la rencontre.
   - On exprime des remerciements et on explique quel sera le suivi de la rencontre.

FICHE TECHNIQUE
Le groupe de consultation

Date et heure de la rencontre : _____

But : obtenir des réactions sur un projet ou une vision

Préparation de la rencontre

◆ Objectif(s)

_____

_____

◆ Sujet à l'étude

_____

_____

_____

◆ Durée de la rencontre : _____

◆ Lieu de la rencontre : _____

◆ Participants invités :

_____

_____

_____

_____

◆ Ressources matérielles nécessaires :
  – tableau au mur _____ sur pied _____
  – autre(s) : _____

Synthèse de la rencontre (brève rétrospective)

_____

_____

_____

Suivi à faire (s'il y a lieu)

_____ responsable : _____

_____ responsable : _____

Fiche remplie par : _____ (animateur)

15.4   FORUM D'INFORMATEURS CLÉS

Cette technique consiste à recueillir les opinions et les impressions de personnes choisies dans une population, sur un aspect particulier de la vie de cette population. Une question ou un problème est exploré dans une perspective déterminée. La fin recherchée n'est ni d'arriver à un consensus ni de prendre une décision, mais plutôt de prendre le pouls du milieu.

Utilité

La confrontation des propos émis par les participants fournit un panorama global et diversifié de l'état des perceptions. On mise sur le choc des idées pour faire évoluer la qualité des idées exprimées. Le groupe de personnes choisies constitue un microcosme de la population; en stimulant l'expression, on espère pouvoir prendre le pouls de la population assez fidèlement.

Considérations particulières

- Le sujet à débattre doit être assez stimulant pour susciter des échanges.

- Le sujet ne doit pas être trop menaçant (la formulation peut faire toute la différence).

- Les personnes invitées auront une certaine facilité d'expression.

- Le type d'information à recueillir doit demeurer assez général (par opposition au traitement de questions particulières).

- La taille du groupe devrait varier entre 8 et 15 participants.

Ses points forts

- Cette méthode fournit une vision globale de la problématique.

- L'interaction entre les participants provoque une synergie stimulante et productive.

- La simplicité du processus: la fin recherchée étant de prendre le pouls du milieu, tout conflit potentiel causé par la recherche d'un consensus ou par une décision à prendre est écarté.

- La structure est souple et adaptable.

- Cette technique est peu coûteuse.

Ses points faibles

◆ Il peut s'avérer nécessaire de limiter le nombre d'interventions de certains participants qui monopolisent le débat.

◆ La discussion demeure à un niveau parfois trop général.

◆ Strictement exploratoire, le processus ne conduit pas à la résolution des problèmes (bien qu'il favorise la prise de conscience).

Procédure

1. Préparation de la rencontre

◆ Déterminer le sujet à explorer.

◆ Constituer les groupe à partir de personnes qui peuvent refléter l'opinion de divers sous-systèmes[3].

◆ Déterminer les éléments de logistique (date, heure, durée[4], lieu et ressources matérielles nécessaires) et procéder à l'invitation des participants.

2. Déroulement de la rencontre

◆ La rencontre est dirigée par un animateur dont le rôle est de faciliter l'expression des idées, d'encadrer le débat[5] et de stimuler les échanges[6].

◆ Dès le début de la rencontre, les objectifs, le sujet à l'étude et le processus sont présentés aux participants.

◆ Le débat peut être lancé par une question «choc» pour stimuler la discussion.

◆ On doit s'assurer de faire le tour des divers aspects de la question.

3. Clôture

◆ Lorsque le sujet est épuisé ou que le temps est écoulé, on met fin au débat et on fait une rapide rétrospective.

◆ Les participants sont informés du suivi, s'il y a lieu.

---

3. S'assurer de choisir des personnes qui représentent différents points de vue.

4. La durée optimale varie entre une heure et demie et trois heures.

5. L'animateur devra éviter d'orienter les échanges dans une direction donnée et de polariser les positions.

6. Les échanges peuvent être stimulés par des questions que l'on pose, par la provocation, l'humour, le ouïe-dire, les hypothèses ou les suppositions.

FICHE TECHNIQUE
Forum d'informateurs clés

Date et heure de la rencontre : _____

But : exploration d'une problématique

Préparation de la rencontre

- ◆ Objectif(s)

_____

_____

- ◆ Sujet à l'étude

_____

_____

_____

- ◆ Durée de la rencontre : _____
- ◆ Lieu de la rencontre : _____
- ◆ Participants invités :

_____

_____

_____

_____

- ◆ Ressources matérielles nécessaires :
  - – tableau au mur _____ sur pied _____
  - – autre(s) : _____

Synthèse de la rencontre (brève rétrospective)

_____

_____

_____

Suivi à faire (s'il y a lieu)

_____ responsable : _____

_____ responsable : _____

Fiche remplie par : _____ (animateur)

15.5 ENTREVUE DE GROUPE SEMI-STRUCTURÉE

Cette technique permet de recueillir de l'information auprès d'un groupe, d'une manière à la fois structurée et souple. Le recours à un questionnaire (comme soutien à la réflexion) et à un plan d'entrevue donne une structure à l'entrevue. Le processus d'entrevue, quant à lui, permet aux participants d'exprimer des opinions personnelles. Le choc des idées a des effets enrichissants. Essentiellement, cette technique vise à consulter des personnes concernées par une question ou un thème précis.

Utilité

Cette méthode de collecte de données est utile lorsqu'on cherche de l'information sur certains aspects particuliers d'une situation ou d'une question. Elle permet d'avoir accès à une gamme de réponses variées.

L'entrevue de groupe semi-structurée peut être utilisée comme substitut à un questionnaire lorsque la logistique empêche d'y avoir recours (ex.: facteur temps), lorsqu'on craint que les gens n'y répondent pas, ou lorsqu'on cherche des solutions neuves, des idées créatrices. Les situations suivantes sont généralement celles où l'on recourt à cette technique:

◆ évaluation de programme ou de projet,

◆ diagnostic situationnel,

◆ détermination des ajustements à faire à un projet en cours.

Considérations particulières

◆ Cette méthode tire sa richesse de l'apport exhaustif des participants. Par conséquent, il convient d'apporter une attention soutenue à l'animation de l'entrevue. En plus des techniques et des attitudes habituellement utilisées en entrevue (écoute, reformulation, respect...), il sera utile de recourir à des habilités d'animation (synthèses, liens entre les éléments, contrôle des interventions et du temps, etc.).

◆ L'entrevue produira une information abondante. Il faudra avoir prévu une méthode pour la recueillir et l'organiser.

◆ La structure de l'entrevue doit permettre de standardiser l'information dans sa compréhension et son interprétation. Elle doit aussi susciter des échanges d'informations.

◆ La participation devra être limitée à vingt personnes.

Ses points forts

◆ On peut se servir d'un questionnaire écrit que les gens utiliseront comme guide ; cela limite l'influence des personnes qui tentent d'imposer leurs opinions.

◆ Cette méthode rend possible le recours au travail individuel ou à des périodes de réflexion ; elle permet aux participants de rester en contact avec l'évolution de leur pensée et de leurs opinions.

◆ Cette méthode est assez souple pour accueillir une information nouvelle, variée et créatrice, et assez structurée pour permettre d'atteindre des objectifs précis, établis au départ.

◆ Cette méthode est peu coûteuse.

Ses points faibles

◆ Parce que l'opinion de chacun est soumise à l'influence des autres membres du groupe, on perdra peut-être un peu d'authenticité.

◆ L'entrevue doit être dirigée habilement, sinon il peut se produire une importante distorsion de l'information.

Procédure

1. **Préparation de la rencontre**

   ◆ Choisir les cibles qui feront l'objet de l'entrevue et concevoir un plan d'entrevue.

   ◆ Déterminer quelles personnes participeront à l'entrevue et les inviter.

   ◆ Prévoir des moments de réflexion pendant les discussions en groupe, ainsi que des outils qui faciliteront la réflexion.

   ◆ Déterminer si l'entrevue sera faite à partir d'un questionnaire.

2. **Déroulement de la rencontre**

   ◆ Au début de l'entrevue, préciser la thématique, la méthodologie utilisée et les éléments de logistique (ex. : la durée de la rencontre).

   ◆ Lancer la discussion par des questions ouvertes.

   ◆ Faire régulièrement des reformulations et des synthèses des opinions.

   ◆ Lorsque la discussion a évolué de façon significative, passer à une période de réflexion individuelle.

3. **Clôture**

   ◆ L'entrevue se termine par une question qui permet à chacun d'en arriver à une conclusion ou de mettre en évidence un aspect sur lequel poursuivre la réflexion.

FICHE TECHNIQUE
Entrevue de groupe semi-structurée

Date et heure de la rencontre : _____

Préparation de la rencontre

♦ Cible(s)

_____

_____

♦ Plan de l'entrevue

_____

_____

_____

♦ Utilisation d'un questionnaire : _____ oui   _____ non

♦ Durée de la rencontre : _____

♦ Lieu de la rencontre : _____

♦ Participants invités :

_____

_____

_____

_____

♦ Ressources matérielles nécessaires :

  – tableau au mur _____ sur pied _____

  – autre(s) : _____

Synthèse de la rencontre (brève rétrospective)

_____

_____

_____

Suivi à faire (s'il y a lieu)

_____ responsable : _____

_____ responsable : _____

Fiche remplie par : _____ (animateur)

15.6 LE TABLEAU DES DONNÉES

Le tableau de données permet de rassembler en un tout cohérent des données qui sont éparses. Il regroupe l'information dans un tableau structuré de façon à ce que la lecture et l'analyse en soient simplifiées.

Utilité

Les tableaux de données rassemblent des preuves, des données objectivement vérifiables. En cela, ils confirment ou infirment les impressions et les opinions sur une situation. Ces tableaux reconfigurent l'information sous une forme utile et facilitent l'élaboration de représentations graphiques telles que les diagrammes de GANT, les histogrammes, etc.

Considérations particulières

◆ Il est impératif d'accorder une attention particulière à la véracité de chacune des informations reproduites; sinon, le cas échéant, la représentation globale pourrait être brouillée.

◆ Le nombre de données présentées doit être limité. Trop de données rendra l'analyse très complexe et demandera trop de temps. Par contre, un nombre insuffisant de données limitera la validité interne de l'analyse et, par conséquent, son efficacité.

Ses points forts

◆ Il se dresse et s'utilise avec facilité et simplicité.

◆ L'image qu'il renvoie de la réalité améliore la compréhension.

◆ Le classement des données remet l'information en perspective.

Ses points faibles

◆ Pour assurer la clarté de la présentation, le tableau doit limiter les données qu'il met en perspective. Cette limite peut toutefois fausser l'interprétation des résultats.

Procédure

1. Circonscrire la question à l'étude.

2. Préciser les paramètres de l'analyse. Compare-t-on un volume d'activités avec d'autres? Le nombre d'extrants d'un programme par rapport à un autre? Etc.

3. Préciser le laps de temps couvrant la collecte des données et la provenance des informations qui seront traitées.

4. Créer une matrice (un tableau) adaptée à la nature de l'information qu'il présente. Les faits à l'étude seront disposés sous la forme de rangs (à gauche). Les faits correspondent aux paramètres que l'on veut comparer ou analyser; par exemple, les dépenses ou les ratios. Les *catégories* seront disposées sous la forme de colonnes (en haut). Les catégories constituent le cadre de référence des données; par exemple, la période ou l'endroit.

5. Un rang et une colonne supplémentaires doivent être prévus pour établir les totaux.

6. Le tableau doit être mis à jour régulièrement.

Tableau 15.1 UN EXEMPLE: LES PLAINTES DES CLIENTS D'UNE DIRECTION, PAR RÉGIONS

Les plaintes des clients par régions. Période d'observation: avril 1994						
PARAMÈTRES (plaintes des clients)	*Région de l'Atlantique*	*Région du Québec*	*Région de l'Ontario*	*Région des Prairies*	*Région de la Colombie-Britannique*	*Total*
Lenteur	–	6	8	2	3	19
Manque de respect	2	4	7	3	1	17
Erreurs	4	2	1	3	4	14
TOTAL	6	12	16	8	8	50

Réflexions

Autant une expérience de changement peut être source de chaos et de frustration, autant elle peut constituer une expérience enthousiasmante et riche en apprentissages de toutes sortes. Mais, pour que cela soit possible, il faut non seulement que le projet de changement soit géré adéquatement, mais aussi qu'on se donne la peine d'en réinvestir les fruits. Comme c'est le cas pour les individus, l'expérience d'un changement significatif dans une organisation fournit une occasion unique de croissance et d'apprentissage, en dépit des obstacles rencontrés[1].

Ces apprentissages peuvent parfois se situer sur le plan du contenu. En effet, dans plusieurs cas, le projet de changement permet aux membres de l'organisation de réfléchir à la façon de s'acquitter de leur mission, ce qui est de nature à augmenter leur vigilance quant à l'utilité des services offerts, à leur organisation, à leur coût et à leur qualité. Si cette réflexion est mise à profit, elle devrait créer un état d'esprit qui ne peut qu'aider l'organisation dans ses efforts d'adaptation aux

---

1. Et parfois grâce à eux...

pressions de son environnement. Autrement dit, si on a réussi à redynamiser l'organisation (ou, le cas échéant, à venir à bout de l'inertie), il ne faudrait pas laisser les choses revenir à leur état antérieur. Il faut plutôt profiter de l'occasion pour garder une certaine « souplesse » chez les membres de l'organisation et être ainsi en bonne position pour faire face aux nouvelles pressions qui surviendront inévitablement.

Les apprentissages peuvent aussi se situer sur le plan organisationnel. Pour analyser la situation, pour préparer et gérer le changement, il a fallu mettre en place des mécanismes particuliers, mobiliser des gens, stimuler leur sens de l'innovation, faire appel à leur esprit créateur, expérimenter des façons différentes de faire les choses. Ces moyens, techniques, approches ne devraient pas être mis de côté parce que le changement est en voie d'intégration. Du seul fait de les avoir utilisés, l'organisation n'est déjà plus ce qu'elle était[2] : on a commencé à imprimer une nouvelle façon d'être et de faire les choses. Pourquoi faudrait-il revenir aux anciennes façons de faire ? On devrait plutôt profiter de l'expérience pour conserver les moyens qui se sont révélés les plus fructueux, les mieux adaptés, afin de les intégrer aux pratiques courantes et, du même coup, d'abandonner les pratiques devenues désuètes.

En fait, la conjoncture générale est tellement instable que l'on a tout avantage à mettre en place une organisation active, dynamique, capable de s'ajuster aux nouvelles modifications qui lui seront éventuellement demandées. Il ne s'agit donc pas de procéder à un changement pour ensuite stabiliser à nouveau l'organisation. Il s'agit plutôt de mettre en place un type d'organisation qui dispose des compétences nécessaires pour vivre en « état de changement » durant une période prolongée. On parle parfois d'*organisations intelligentes*[3]. Au-delà des modes, il s'agit là d'organisations qui font un effort évident pour que leurs membres :

♦ demeurent attentifs aux changements dans l'environnement, afin d'y trouver des réponses adaptées ;

♦ réutilisent les résultats des expériences pour améliorer continuellement le fonctionnement de l'organisation.

Il s'agit donc d'organisations qui cherchent à apprendre et qui réinvestissent les apprentissages pour favoriser le dynamisme et le sens de l'innovation.

---

2. « Le médium, c'est le message », dit McLuhan, philosophe de la communication.

3. On parle en anglais de « *learning organizations* ».

Divers moyens peuvent être utilisés pour entretenir l'esprit d'apprentissage et d'ouverture au changement. La plupart sont relativement simples, mais, paradoxalement, ils sont peu utilisés. En voici quelques-uns :

- ◆ Faire circuler régulièrement de l'information stratégique portant sur les principaux enjeux et sur l'état des grands dossiers. Il ne faut pas compter sur l'intelligence des gens s'ils sont mal informés ou informés à la dernière minute.

- ◆ Créer des occasions d'échange entre les membres de l'organisation pour tirer profit des expériences des autres.

- ◆ Créer des forums permettant aux membres de l'organisation d'échanger directement avec les clients, ainsi qu'avec les partenaires, sur la nature et l'utilité des services offerts. Cela produit souvent des résultats intéressants.

- ◆ Encourager les formules provisoires (par opposition aux formules permanentes)[4] et le faire explicitement. Les formules permanentes conduisent souvent à l'inertie : elles sont l'antithèse du changement. Les solutions *ad hoc*, les mécanismes qui évoluent, les mandats à durée limitée, les équipes temporaires sont autant de moyens à retenir. S'ils peuvent susciter des réactions défensives au début, ils devraient faire leurs preuves à moyen terme.

- ◆ Favoriser l'émergence de nouveaux leaders, entre autres en encourageant les initiatives.

- ◆ Faire des évaluations simples, axées sur les impacts de l'organisation, et en diffuser les résultats.

- ◆ Valoriser un certain désordre *créateur*, c'est-à-dire un esprit qui non seulement accepte que les choses ne soient pas faites selon des rituels rigides, mais qui encourage cela. Les rituels, les protocoles, les procédures complexes sont autant de freins à l'adaptation. L'expérience montre que les organisations qui maîtrisent l'art de gérer le désordre, sans pour autant verser dans l'anarchie, sont plus productives, plus intelligentes et s'adaptent mieux au changement.

Toutefois, une organisation qui vit beaucoup de changements peut imposer un lourd tribut à ses gestionnaires. Autant l'expérience peut s'avérer enrichissante pour certains, autant elle peut produire des effets indésirables chez d'autres : épuisement professionnel, démission psychologique, échec professionnel, cynisme, saturation intellectuelle.

---

4. À ne pas confondre avec l'instabilité chronique, où on change continuellement d'idée.

Une situation de changement rend les gens, comme l'organisation, très vulnérables, et les gestionnaires le sont tout particulièrement. En fait, ils sont exposés à de nombreuses pressions, et leur santé physique et mentale est mise à rude épreuve. Parmi ceux qui sont susceptibles de les affecter, les facteurs suivants sont habituellement les plus importants :

- la réaction négative des personnes qui contestent la pertinence du changement ou ses modalités ;

- l'incertitude quant aux effets réels du changement et à la voie à suivre pour atteindre les objectifs ;

- l'imprévisibilité de la conjoncture générale ;

- le jeu des alliances stratégiques qui rend les rapports de force délicats ;

- l'instabilité du climat dans l'organisation et l'humeur changeante des gens ;

- l'absence de résultats clairs et tangibles à court terme ;

- la nécessité de maintenir néanmoins un niveau d'efficacité élevé ;

- le mécontentement de ceux qui y perdent au change ;

- la nécessité de concilier des intérêts différents et des pressions divergentes ;

- la nécessité de trouver des façons de compenser les dysfonctions qui apparaissent ;

- etc.

Il ne s'agit pas ici de verser dans le pessimisme, mais plutôt d'être réaliste quant à la nature des défis qui attendent les gestionnaires. Pour que ce défi puisse devenir une expérience professionnelle gratifiante, il faut se donner des moyens appropriés. Voici quelques grands principes qui, s'ils sont suivis, peuvent vous aider à protéger votre santé physique et mentale durant un projet de changement et qui peuvent même rendre l'expérience encore plus enrichissante :

- créer un réseau de soutien, dans l'organisation si le climat y est propice, sinon à l'extérieur ;

- s'engager à fond dans ce que l'on fait, tout en gardant une certaine distance psychologique et une attitude critique face aux projets en cours. Comme le dit l'adage populaire : faire les choses sérieusement, sans se prendre au sérieux ;

◆ trouver des moyens de ressourcement professionnel, autant pour alimenter sa réflexion que pour prendre de la distance et avoir une meilleure perspective ;

◆ prévoir des activités personnelles gratifiantes qui permettent, d'une part, de « s'occuper de soi » et, d'autre part, de refaire le plein d'énergie ;

◆ s'adonner à des activités inhabituelles, qui renforcent l'aptitude à composer avec la nouveauté.

Il appartient évidemment à chacun de choisir les moyens qui lui conviennent le mieux ; il faut toutefois retenir que, si on ne prend pas de tels moyens de prévention, on élève le niveau de risque.

Par ailleurs, il faut bien dire que les gestionnaires ne sont pas tous aptes à gérer le changement efficacement. Tout comme certains individus réussissent mieux dans certains secteurs d'activité, il y a des personnes pour qui il est difficile de faire face aux exigences de la gestion du changement. Parmi elles on trouve habituellement les personnes ayant un style personnel rigide, les personnes très ritualisées, ou encore celles qui ont tendance à bureaucratiser la gestion. À un autre niveau, on trouve aussi des personnes qui croient tellement à la vision des choses héritée du passé, qu'il leur est difficile d'en adopter une nouvelle. Il en est de même pour ceux qui ont contribué à mettre en place et à maintenir le mode de fonctionnement que l'on cherche justement à changer. Il peut leur être difficile de renoncer à des pratiques qui sont devenues pour eux des automatismes.

Si ces personnes devaient gérer des projets de changement, il faut être conscient que ce serait plus difficile pour elles et qu'elles auraient besoin d'un bon encadrement et d'un soutien constant. L'idéal serait qu'elles évitent les situations de changement, mais, de nos jours, cela n'est pas possible.

Parmi les personnes associées aux traditions de l'organisation, on en trouve qui, avec beaucoup de bonne foi, manifestent une volonté ferme de changement, mais qui, sans s'en rendre compte, recourent à des pratiques inspirées du passé. Involontairement, elles réintroduisent elles-mêmes les façons de faire qu'elles tentent de modifier. La tendance à reproduire ce que l'on connaît le mieux est très forte et elle guette tous les gestionnaires, y compris ceux qui se font les promoteurs du changement.

Amener les autres à changer, cela exige parfois que l'on change soi-même...

◆ ◆ ◆ ◆ ◆

Pour terminer, ajoutons quelques mots sur la gestion en situation de crise. Ces années-ci, on entend beaucoup de gestionnaires utiliser le terme de «crise» pour parler des situations qu'ils rencontrent dans leur organisation et pour les gérer.

Il est vrai que bon nombre d'organisations publiques et privées font face, à un moment ou l'autre, à de véritables situations de crise, qui doivent être gérées comme telles. Toutefois, il semble que certains gestionnaires abusent de cette notion. Ils traitent des situations difficiles comme des situations de crise. En fait, ils ont tendance à confondre leurs inquiétudes, et parfois leur panique, avec les caractéristiques d'une véritable crise. Ils font alors appel à des approches de gestion qui non seulement sont inadaptées, mais qui contribuent de plus à déstabiliser davantage l'organisation. C'est à se demander si certains ne se servent pas de la notion de crise pour masquer leur incapacité à agir dans des situations difficiles, qui demanderaient d'autres approches que la gestion de crise.

▶ **Vous pouvez noter ici vos réflexions personnelles sur ce que vous jugez utile de faire pour réussir vos projets de changement et pour en faire des expériences professionnelles positives.**

BIBLIOGRAPHIE

ACKERMAN, L. «Transition Management: An In-depth Look at Managing Complex Change». *Organizational Dynamics*, Été 1982.

BEAUFILS, A. et GUIOT, J.M. *Gestion stratégique et politiques de l'organisation / textes colligés*. Montréal, Gaëtan Morin éditeur, 1987.

BECKARD, R. et HARRIS, R. *Organizational Transitions: Managing Complex Change*. Addison-Wesley, 1977.

BENNIS, W.G. *et al. The Planning of Change*, 3ᵉ édition. New York, Holt, Rinehart and Winston, 1976.

BLOCK, P. *The Empowered Manager: Positive Political Skills at Work*. San Francisco, Jossey-Bass, 1987.

BRIDGES, W. «Managing Organizational Transitions», *Organizational Dynamics*, 15(1), Été 1986.

BRYSON, J. *Strategic Planning for Public Service and Non-profit Organizations: A Guide to Strengthening and Sustaining Organizational Achievement*. San Francisco, Jossey-Bass, 1988.

COLLERETTE, P. *Pouvoir, leadership et autorité dans les organisations.* Québec, Presses de l'Université du Québec, 1991.

COLLERETTE, P. et DELISLE, G. *Le changement planifié : une approche pour intervenir dans les systèmes organisationnels.* Montréal, Les Éditions Agence d'Arc, 1984.

COLLERETTE, P. et TREMBLAY, M. *Le changement organisationnel.* Vidéo produite par l'Université d'Ottawa avec l'Université du Québec à Hull. Durée : une heure. Distribuée par Nuance Multi-Média au Québec et par Omega Film en Ontario.

CÔTÉ, M. *La gestion stratégique d'entreprise : concepts et cas.* Montréal, Gaëtan Morin éditeur, 1991.

HESKETT, J.L. *Managing in the Service Economy.* Boston, Harvard Business School Press, 1986.

KIMBERLY, J.R. et QUINN, R.E. *Managing Organizational Change.* Homewood (Ill.), Irwin, 1984.

KIRKPATRICK, D.L. *How to Manage Change Effectively.* San Francisco, Jossey-Bass, 1985.

LAWRENCE, P.R. et LORSCH, J.W. *Developing Organizations : Diagnosis and Action.* Addison-Wesley, 1969.

LEWIN, K. *Field Theory in Social Science.* New York, Harper, 1951.

LIPPITT, G., LANGSETH, P. et MOSSOP, J. *Implementing Organizational Change.* San Francisco, Jossey-Bass, 1985.

MARTIN, A.P. *La gestion proactive : nouvelles perspectives sur la prise de décision.* Ottawa, Institut supérieur de gestion, 1987.

MINTZBERG, H. et QUINN, J.B. *The Strategy Process : Concepts, Contexts, Cases.* Englewood Cliffs (N.J.), Prentice-Hall, 1991.

MINTZBERG, H. *Le management : voyage au centre des organisations.* Paris, Les Éditions d'Organisation ; Montréal, Les Éditions Agence d'Arc, 1990.

MINTZBERG, H. *Mintzberg on Management.* New York, The Free Press, 1989.

MINTZBERG, H. *Le pouvoir dans les organisations*, traduit par Paul Sager. Paris, Les Éditions d'Organisation ; Montréal, Les Éditions Agence d'Arc, 1986.

MINTZBERG, H. « Patterns in Strategy Formation ». *International Studies of Management and Organizations.* Vol. IX, n° 3, 1979.

MOHRMAN, A.M. *Large Scale Organizational Change*. San Francisco, Jossey-Bass, 1990.

POOLE, P., GIOIA, D. et GRAY, B. «Influence Modes, Scheme Change, and Organizational Transformation». *Journal of Applied Behavioral Science*. Vol. 25, nº 3, 1989.

PORRAS, J. *Stream Analysis: a Powerful Way to Diagnose and Manage Organizational Change*. Addison-Wesley – O.D. Series, 1987.

SCHNEIDER, R. et COLLERETTE, P. «Les modèles organisationnels en mutation». Dans *Nouvelles pratiques en gestion des ressources humaines*. Québec, Presses de l'Université du Québec, 1990. Chapitre 2.

SCHNEIDER, R. *La gestion par la concertation*. Montréal, Les Éditions Agence d'Arc, 1987. 129 p.

TESSIER, R. et TELLIER, Y. *Changement planifié et développement des organisations*. EPI – IFG, 1973.

TESSIER, R. et TELLIER, Y. *Changement planifié et développement des organisations*. Québec, Presses de l'Université du Québec, 1990. 8 tomes.

TICHY, N.M. *Managing Strategic Change: Technical, Political and Cultural Dynamics*. New York, J. Wiley, 1983.

VAN DE VEN, Andrew H., GUSTAFSON, David H. et DELBECQ, Andre L. *Group Techniques for Program Planning: A Guide to Nominal Groups and Delphi Processes*. Glenview (Ill.), Scott, Foresman, 1975.

WIESBORD, M.R. *Organizational Diagnosis: A Workbook of Theory and Practice*. Addison-Wesley, 1978.

WHEELEN, T.L. et HUNGER, J.D. *Strategic Management*. Reading (Mass.), Addison-Wesley, 1990.

COPIES DE TRAVAIL

Fiches sélectionnées

Pour vous faciliter les choses,
nous avons reproduit,
sous forme de feuillets détachables,
certaines grilles d'analyse et de prise de décision.
Nous avons retenu celles
qui sont susceptibles d'être utilisées
le plus souvent, ou encore
qui supposent un traitement quantitatif.

Vous pouvez reproduire ces grilles
pour votre usage personnel ou, encore,
vous en servir pour préparer des transparents
à des fins de présentation.

LISTE DES TABLEAUX

Tableau 1.1 INDICATEURS POUR DÉTERMINER LA VULNÉRABILITÉ **(V)** DE L'ORGANISATION

▶ **Encerclez la lettre associée à l'énoncé qui décrit le mieux la situation.**

> V1 La situation que vous souhaitez changer pose-t-elle des problèmes à la clientèle? (ou en posera-t-elle dans un avenir prévisible?)
> a) beaucoup,
> b) un certain nombre,
> c) peu ou pas.
>
> V2 La situation que vous souhaitez changer pose-t-elle des problèmes de fonctionnement au personnel concerné? (ou en posera-t-elle dans un avenir prévisible?)
> a) beaucoup,
> b) un certain nombre,
> c) peu ou pas.
>
> V3 La situation que vous souhaitez changer pose-t-elle des problèmes à vos partenaires ou à vos pairs? (ou en posera-t-elle dans un avenir prévisible?)
> a) beaucoup,
> b) un certain nombre,
> c) peu ou pas.
>
> V4 La situation que vous souhaitez changer pose-t-elle des problèmes à vos supérieurs hiérarchiques? (ou en posera-t-elle dans un avenir prévisible?)
> a) beaucoup,
> b) un certain nombre,
> c) peu ou pas.
>
> V5 Qu'arriverait-il dans les 12 prochains mois, si le changement n'était pas introduit dès maintenant?
> a) la situation pourrait se dégrader passablement,
> b) la situation pourrait se dégrader un peu,
> c) la situation resterait inchangée.

▶ **Indiquez le nombre de**   a) _____   b) _____   c) _____
et reportez le résultat dans le tableau 1.3, page 323.

Tableau 1.2 INDICATEURS POUR DÉTERMINER LE CONTEXTE : CONTRAINTES (C) ET POSSIBILITÉS (P)

▶ **Encerclez la lettre associée à l'énoncé qui décrit le mieux la situation.**

C1 Votre organisation est-elle aux prises avec un autre problème ou une situation qui accapare l'énergie du personnel ?
   a) Non, ce n'est pas le cas.
   b) Oui, mais cela demande peu d'énergie.
   c) Oui, et cela demande beaucoup d'énergie.

C2 Le temps et les énergies qui seraient consacrés à ce dossier pourraient-ils compromettre d'autres dossiers classés prioritaires ?
   a) Non.
   b) Oui, dans une certaine mesure.
   c) Oui, et significativement.

C3 Disposez-vous du temps nécessaire pour assurer la gestion et le suivi de ce dossier ?
   a) Oui, de beaucoup de temps.
   b) Oui, de juste assez de temps.
   c) De peu ou pas assez de temps.

P1 Le changement que vous souhaitez (ou devez) introduire coïncide-t-il avec les orientations explicites de votre organisation ?
   a) Oui, tout à fait.
   b) Oui, dans une certaine mesure.
   c) Relativement peu ou pas du tout.

P2 La situation financière de votre service ou de votre organisation favorise-t-elle l'introduction d'un tel changement ?
   a) Oui, tout à fait.
   b) Oui, dans une certaine mesure.
   c) Relativement peu ou pas du tout.

P3 Existe-t-il, à votre connaissance, des solutions de rechange plus efficaces à la situation actuelle ?
   a) Oui, de toute évidence.
   b) Probablement.
   c) C'est peu probable.

▶ **Indiquez le nombre de   a) _____   b) _____   c) _____ et reportez le résultat dans le tableau 1.3, page 323.**

Tableau 1.3   L'ANALYSE DU POTENTIEL DE CHANGEMENT

▶ Reportez le nombre de a), de b) et de c) encerclés dans les tableaux 1.1 (page 13) et 1.2 (page 14).

Facteurs	*Scores obtenus aux indicateurs*		
	a)	*b)*	*c)*
Vulnérabilité de l'organisation (résultats du tableau 1.1)	Vulnérabilité élevée	Vulnérabilité modérée	Vulnérabilité faible
Contexte (contraintes et possibilités) (résultats du tableau 1.2)	Contexte favorable	Contexte incertain	Contexte défavorable
Potentiel de changement (*faites le total des cases supérieures*)	Potentiel de changement élevé	Potentiel de changement moyen	Potentiel de changement faible

Tableau 2.3 ÉVALUATION DE L'ENVIRONNEMENT EXTERNE : MÉTHODE SIMPLIFIÉE

▶ Attribuez la cote 1 à un facteur qui exerce une pression très négative sur l'organisation et la cote 6 à un facteur dont l'influence est très positive. Tracez ensuite une ligne verticale entre les scores obtenus.

Niveau immédiat	Négative		⇐Influence⇒			Positive
Clientèles	1	2	3	4	5	6
Marché de la main-d'œuvre	1	2	3	4	5	6
Fournisseurs	1	2	3	4	5	6
Concurrents	1	2	3	4	5	6
Syndicats	1	2	3	4	5	6
Capitaux	1	2	3	4	5	6
	1	2	3	4	5	6
Niveau intermédiaire						
Organisations internationales	1	2	3	4	5	6
Médias / groupes de pression	1	2	3	4	5	6
Lois et règlements	1	2	3	4	5	6
Agences de contrôle	1	2	3	4	5	6
Courants politiques et sociaux	1	2	3	4	5	6
	1	2	3	4	5	6
Niveau des tendances générales						
Évolution technologique	1	2	3	4	5	6
Tendances mondiales	1	2	3	4	5	6
Valeurs sociales	1	2	3	4	5	6
Économie	1	2	3	4	5	6
Évolution démographique	1	2	3	4	5	6
	1	2	3	4	5	6
Tendance centrale	1	2	3	4	5	6

▶ Transcrivez le résultat au tableau 4.1 du module 4, page 63.

Tiré de *Le pilotage du changement – Une approche stratégique et pratique*, Pierre Collerette et Robert Schneider.
© Presses de l'Université du Québec, 1996.

Tableau 2.6 ÉVALUATION DE L'ENVIRONNEMENT EXTERNE : MÉTHODE ÉLABORÉE

Facteurs positifs		*Facteurs négatifs*	
Description sommaire	P^1	*Description sommaire*	*P*
Total des facteurs positifs :		**Total des facteurs négatifs :**	

Total des facteurs positifs = _____ .

Total des facteurs négatifs = _____ .

Total des facteurs positifs / Total de tous les facteurs = _____ .

À partir des indicateurs du tableau 2.4, page 43, déterminez la configuration de l'organisation.

Configuration externe de l'organisation : _____ .

▶ **Transcrivez le résultat au tableau 4.1 du module 4, page 63.**

---

1. Voir le tableau 2.7 de la page 45 pour estimer le poids de chaque facteur.

Tableau 3.3 ÉVALUATION DES CARACTÉRISTIQUES INTERNES : MÉTHODE SIMPLIFIÉE

▶ Attribuez la cote 1 à un sous-système qui exerce une pression très négative sur la capacité de réponse de l'organisation et la cote 5 à un sous-système dont l'influence est très positive. Tracez ensuite une ligne entre les différents scores obtenus.

Niveau immédiat	*Négative*	⇐ *Influence* ⇒			*Positive*
Gamme produits / services	1	2	3	4	5
Culture de l'organisation	1	2	3	4	5
Ressources humaines	1	2	3	4	5
Ressources financières	1	2	3	4	5
Production	1	2	3	4	5
Information	1	2	3	4	5
Architecture	1	2	3	4	5
Processus	1	2	3	4	5
Technologie	1	2	3	4	5
Immeubles	1	2	3	4	5
Frontières-mandat	1	2	3	4	5
Autre :	1	2	3	4	5
Autre :	1	2	3	4	5
Autre :	1	2	3	4	5
Autre :	1	2	3	4	5
Tendance centrale	1	2	3	4	5

▶ Transcrivez le score au tableau 4.1 du module 4, page 63.

Tableau 3.6 ÉVALUATION DES CARACTÉRISTIQUES INTERNES : MÉTHODE ÉLABORÉE

Caractéristiques positives		*Caractéristiques négatives*	
Description	*P*[1]	*Description*	*P*
Total des caractéristiques positives :		**Total des caractéristiques négatives :**	

Total des caractéristiques positives : _____ .

Total des caractéristiques négatives : _____ .

Total des caractéristiques positives / Total de toutes les caractéristiques : _____ .

À partir des repères du tableau 3.4, page 57, établissez la configuration interne de l'organisation.

Capacité de réponse de l'organisation : _____ .

▶ **Transcrivez le résultat au tableau 4.1 du module 4, page 63.**

---

1. Voir le tableau 3.7 de la page 59 pour estimer le poids de chaque caractéristique.

Tableau 5.2   L'ÉTAT DES DÉCLENCHEURS DANS L'ORGANISATION

| La situation dans votre organisation fait-elle vivre un état d'insatisfaction[1] significatif au personnel? Ou encore, le personnel prévoit-il que la situation actuelle pourrait se dégrader et devenir désagréable à vivre? |

Très peu   Beaucoup

1   2   3   4   5   6   7   8   9   10

Les effets escomptés de ce changement permettent-ils au personnel concerné d'espérer que ses sources de satisfaction au travail s'accroîtront significativement?

Très peu   Beaucoup

1   2   3   4   5   6   7   8   9   10

Les personnes qui, dans votre organisation, ont de la crédibilité aux yeux des destinataires sont-elles explicitement favorables aux changements proposés?

Très peu   Beaucoup

1   2   3   4   5   6   7   8   9   10

Score total : _____ /30

Tableau 7.1 MODALITÉS DE MISE EN ŒUVRE

▶ Placez un ✔ vis-à-vis de votre choix

Facteurs	Peu	Un peu	Plutôt	Beaucoup
Votre attitude montre-t-elle que vous avez de l'estime pour les destinataires ou que vous appréciez leur compétence ?				
Les moyens que vous songez à utiliser pour promouvoir le changement sont-ils compatibles avec la culture des destinataires (documents, style, mécanismes, etc.) ?				
Les moyens pour implanter le changement sont-ils adéquats ?				
Le temps accordé aux destinataires pour intégrer le changement est-il suffisant ?				
Votre crédibilité ou celle des promoteurs du changement est-elle grande ?				
Score[1] :	× 4 =	× 3 =	× 2 =	× 1 =
Total A :	( ) ÷ 5 = somme			/ 4

▶ Inscrivez le résultat à la ligne A du tableau 7.8 de la page 341.

1. Pour obtenir le total, additionnez dans chaque colonne le nombre de crochets et multipliez le résultat par le chiffre indiqué dans la case. Ensuite, additionnez les scores obtenus dans chaque case pour avoir la somme. Enfin, divisez la somme obtenue par le nombre de facteurs, soit 5. Le résultat doit être reporté dans la case de droite.

Tableau 7.2 PERCEPTION DES BESOINS ET RÉACTIONS DE LA CLIENTÈLE

▶ Placez un ✔ vis-à-vis de votre choix

Facteurs	Peu	Un peu	Plutôt	Beaucoup
Le changement proposé concorde-t-il avec la perception que les destinataires ont des besoins et des réactions de la clientèle ?				
Score :	× 4 =	× 3 =	× 2 =	× 1 =
Total B :				/ 4

▶ Inscrivez le résultat à la ligne B du tableau 7.8 de la page 341.

Tableau 7.3 FACTEURS IDÉOLOGIQUES

▶ Placez un ✔ vis-à-vis de votre choix

Facteurs	Peu	Un peu	Plutôt	Beaucoup
Les valeurs et les idées sur lesquelles repose le changement proposé s'harmonisent-elles avec celles de la plupart des membres de l'organisation?				
Score:	× 4 =	× 3 =	× 2 =	× 1 =
Total C:				/ 4

▶ Inscrivez le résultat à la ligne C du tableau 7.8 de la page 341.

Tableau 7.4 FACTEURS PSYCHOSOCIAUX

▶ Placez un ✔ vis-à-vis de votre choix

Facteurs	Peu	Un peu	Plutôt	Beaucoup
Les nouvelles façons de faire viendraient-elles modifier les normes sociales (la culture) qui existent dans l'organisation?				
Les nouvelles façons de faire viendraient-elles ébranler l'équilibre existant entre les sous-groupes ou entre les individus?				
Les intérêts ou les privilèges d'individus ou de groupes particuliers sont-ils compromis par le changement projeté?				
Le prestige ou le statut de certains membres de l'organisation seront-ils diminués par le changement?				
Score:	× 1 =	× 2 =	× 3 =	× 4 =
Total D:	( ) ÷ 4 = somme			/ 4

▶ Inscrivez le résultat à la ligne D du tableau 7.8 de la page 341.

Tableau 7.5 FACTEURS MOTIVATIONNELS

▶ Placez un ✔ vis-à-vis de votre choix

Facteurs	Peu	Un peu	Plutôt	Beaucoup
Les destinataires vivent-ils des problèmes ou des insatisfactions dans la situation actuelle?				
Les destinataires peuvent-ils espérer obtenir des gratifications importantes par suite du changement projeté?				
Les leaders d'opinion appuient-ils activement le changement?				
Score:	× 4 =	× 3 =	× 2 =	× 1 =
Total E:	( ) ÷ 3 = somme			/ 4

▶ Inscrivez le résultat à la ligne E du tableau 7.8 de la page 341.

Tableau 7.6 FACTEURS DE PERSONNALITÉ

▶ Placez un ✔ vis-à-vis de votre choix

Facteurs	Peu	Un peu	Plutôt	Beaucoup
Les destinataires ont-ils acquis des habitudes, des automatismes dans le fonctionnement actuel?				
Le projet de changement comporte-t-il des inconnues pour les destinataires?				
Les destinataires maîtrisent-ils les compétences ou habiletés que vous cherchez à modifier?				
Le changement modifierait-il des pratiques qui présentement valorisent les destinataires?				
Les pratiques ou les méthodes que vous voulez modifier ont-elles été instaurées par les personnes qui devront vivre le changement?				
Score:	× 1 =	× 2 =	× 3 =	× 4 =
Total F:	( ) ÷ 5 = somme			/ 4

▶ Inscrivez le résultat à la ligne F du tableau 7.8 de la page 341.

Tableau 7.7 FACTEURS COGNITIFS

▶ Placez un ✔ vis-à-vis de votre choix

Facteurs	Peu	Un peu	Plutôt	Beaucoup
Les membres de l'organisation ont-ils un mode de fonctionnement (structure cognitive) compatible avec le changement proposé ?				
Score :	× 4 =	× 3 =	× 2 =	× 1 =
Total G :				/ 4

▶ Inscrivez le résultat à la ligne G du tableau 7.8 ci-dessous.

TABLEAU 7.8 L'INDICE GÉNÉRAL DE RÉSISTANCE AU CHANGEMENT

▶ Inscrivez les scores que vous avez obtenus aux pages précédentes.

	Scores
A. Les modalités de mise en œuvre	/ 4
B. La perception des besoins et des réactions de la clientèle	/ 4
C. Les facteurs idéologiques	/ 4
D. Les facteurs psychosociaux	/ 4
E. Les facteurs motivationnels	/ 4
F. Les facteurs de personnalité	/ 4
G. Les facteurs cognitifs	/ 4
Total des scores ÷ le nombre de facteurs pondérés	÷ (n) = / 4

Tableau 8.3 ANALYSE DE LA POSITION DES DESTINATAIRES

▶ Choisissez l'énoncé décrivant le mieux la réaction des destinataires à l'endroit du changement projeté. Il faut que les gens aient suffisamment entendu parler du changement pour que cette analyse soit révélatrice.

Question 1 : Lorsque les gens parlent du changement proposé ou lorsqu'ils y font allusion dans les échanges, est-ce qu'ils en parlent comme étant *leur* changement ou *votre* changement ?

- La plupart en parlent comme étant « leur » changement. ☐ 5 points
- Une majorité en parle comme étant « leur » changement, mais une minorité en parle comme étant « votre » changement. ☐ 4 points
- Lorsqu'ils le font, les gens en parlent en termes neutres, sans vraiment parler de « leur » ou de « votre » changement. ☐ 3 points
- Une majorité dit « votre » changement, même si une minorité parle de « leur » changement. ☐ 2 points
- La plupart disent « votre » changement. ☐ 1 point
- La plupart ne parlent pas du changement proposé. ☐ 0 point

Question 2 : Ces derniers temps, comment se font les regroupements informels lorsque les gens discutent du changement proposé ?

- Beaucoup de gens se regroupent autour d'individus qui s'affichent comme plutôt favorables au changement proposé. ☐ 5 points
- Bon nombre de gens se regroupent autour d'individus plutôt favorables au changement proposé, mais des noyaux se forment autour d'individus peu favorables. ☐ 4 points
- Il y a des discussions entre les gens, et diverses opinions se font entendre, mais il ne s'est pas encore formé de regroupements. ☐ 3 points
- Bon nombre de gens se regroupent autour d'individus peu favorables au changement proposé, mais des noyaux se forment autour d'individus plus favorables. ☐ 2 points
- Beaucoup de gens se regroupent autour d'individus qui s'affichent comme peu favorables au changement proposé. ☐ 1 point
- Il n'y a pas de discussions entre les gens, et peu d'opinions s'expriment. ☐ 0 point

Tableau 8.3 ANALYSE DE LA POSITION DES DESTINATAIRES *(suite)*

Question 3 : Dans quelle mesure les gens s'efforcent-ils d'utiliser le langage correspondant au changement proposé (termes techniques, termes de référence, titres des fonctions) ?	
– La plupart des gens s'efforcent d'utiliser le langage correspondant au changement proposé.	☐ 5 points
– Une proportion significative de gens s'efforcent d'utiliser le langage correspondant au changement proposé.	☐ 4 points
– Il y a autant de gens qui s'efforcent d'utiliser le langage correspondant au changement proposé que de gens qui ne s'y efforcent pas.	☐ 3 points
– Une proportion significative de gens ne cherchent pas à utiliser le langage correspondant au changement proposé	☐ 2 points
– La plupart des gens ne cherchent pas à utiliser le langage correspondant au changement proposé, et bon nombre s'amusent à s'en moquer.	☐ 1 point
– La plupart des gens ne s'intéressent pas au langage correspondant au changement proposé.	☐ 0 point
Question 4 : Si vous examinez le langage employé lorsque les gens s'expriment au sujet du changement proposé, qu'est-ce qui le caractérise ?	
– Le langage contient presque uniquement des énoncés positifs ou des suggestions pour l'améliorer.	☐ 5 points
– Le langage contient passablement d'énoncés positifs, mais il contient néanmoins des critiques ou des réserves.	☐ 4 points
– Le langage contient autant d'énoncés positifs que négatifs.	☐ 3 points
– Le langage contient plusieurs énoncés négatifs ; cependant, il arrive à certains de faire des suggestions qui pourraient rendre le changement moins insatisfaisant.	☐ 2 points
– Le langage à l'endroit du changement contient surtout des énoncés négatifs ou du cynisme.	☐ 1 point
– Les gens s'expriment rarement sur le sujet ou feignent d'en ignorer l'existence.	☐ 0 point
Question 5 : Qu'est-ce qui caractérise les questions sur le changement proposé ?	
– La plupart cherchent à comprendre le changement proposé.	☐ 5 points
– Bon nombre cherchent à comprendre le changement proposé, bien que certains cherchent les sources possibles de problèmes.	☐ 4 points
– Il y a autant de questions visant à comprendre le changement proposé que de questions portant sur les sources possibles de problèmes.	☐ 3 points
– Bon nombre cherchent à soulever les sources possibles de problèmes, bien que certains cherchent à comprendre le changement proposé.	☐ 2 points
– La plupart cherchent à soulever les sources possibles de problèmes.	☐ 1 point
– Les gens ne posent pas de questions, même lorsque l'occasion leur en est fournie.	☐ 0 point

Tableau 8.3   ANALYSE DE LA POSITION DES DESTINATAIRES *(suite)*

Question 6 :   Quel genre de réactions les gens expriment-ils à l'endroit du changement proposé ?

- La plupart font état des gains ou avantages associés au changement proposé.   ☐ 5 points
- Bon nombre font état des gains ou avantages possibles, bien que certains relèvent davantage les difficultés prévues.   ☐ 4 points
- Il y a autant de gens pour relever les gains/avantages possibles que de gens pour soulever les difficultés prévues à cause du changement proposé.   ☐ 3 points
- Bon nombre font état des difficultés prévues à cause du changement proposé, bien que certains relèvent davantage les gains/avantages possibles.   ☐ 2 points
- La plupart font état des difficultés prévues à cause du changement proposé.   ☐ 1 point
- Les gens s'assurent que les conventions de travail seront respectées.   ☐ 0 point

Question 7 :   Quel ton caractérise les réactions des gens lorsqu'ils traitent du changement proposé ?

- Leur ton est en général conciliant.   ☐ 5 points
- Bien que leur ton soit en général conciliant, on y dénote certaines réactions agressives.   ☐ 4 points
- Le ton alterne entre la conciliation et l'agressivité.   ☐ 3 points
- Bien que leur ton soit en général agressif, on y dénote certaines réactions conciliantes.   ☐ 2 points
- Leur ton est en général agressif.   ☐ 1 point
- Leur ton est en général neutre, comme si la chose était banale.   ☐ 0 point

Pour obtenir le résultat, vous devez d'abord additionner les scores et ensuite diviser cette somme par le nombre de questions auxquelles vous avez répondu.

Résultat : _____ ÷ 7 = _____ / 5.

TABLEAU 9.1 BILAN DE L'AUTORITÉ DU GESTIONNAIRE

▶ **Pour chacun des énoncés, choisissez le qualificatif qui décrit le mieux votre situation.**

a) Les gens vous reconnaissent *le droit* (ou la responsabilité) de prendre des décisions qui touchent le fonctionnement du service.

Toujours	Souvent	À l'occasion	Rarement	Jamais
5	4	3	2	1

b) Les gens vous disent qu'ils apprécient la *nature de vos décisions*.

Toujours	Souvent	À l'occasion	Rarement	Jamais
5	4	3	2	1

c) Les gens vous disent qu'ils apprécient votre *façon de prendre des décisions*.

Toujours	Souvent	À l'occasion	Rarement	Jamais
5	4	3	2	1

d) Votre personnel dit qu'il apprécie votre *façon de diriger* l'organisation (vous ne faites pas l'objet d'une contestation ouverte ou dissimulée).

Toujours	Souvent	À l'occasion	Rarement	Jamais
5	4	3	2	1

e) Les gens acceptent facilement de *mettre en application* vos décisions.

Toujours	Souvent	À l'occasion	Rarement	Jamais
5	4	3	2	1

f) Votre supérieur hiérarchique vous accorde un *appui clair et explicite*.

Toujours	Souvent	À l'occasion	Rarement	Jamais
5	4	3	2	1

▶ **Additionnez les résultats et divisez par 6.**

Total _____ ÷ 6 = _____ / 5 → INDICE D'AUTORITÉ.

▶ **Inscrivez ce résultat dans le tableau 9.3 de la page 351.**

Tiré de *Le pilotage du changement – Une approche stratégique et pratique*, Pierre Collerette et Robert Schneider.
© Presses de l'Université du Québec, 1996.

Tableau 9.2 BILAN DU LEADERSHIP DU GESTIONNAIRE

▶ **Pour chacun des énoncés, choisissez le qualificatif qui décrit le mieux votre situation.**

a) La majorité du personnel adhère à votre vision de l'organisation.

D'accord	Plutôt d'accord	Plus ou moins d'accord	Plutôt en désaccord	En désaccord
5	4	3	2	1

b) Le personnel de votre organisation vous accorde beaucoup d'attention lorsque vous vous exprimez.

D'accord	Plutôt d'accord	Plus ou moins d'accord	Plutôt en désaccord	En désaccord
5	4	3	2	1

c) Le personnel, en général, apprécie votre façon de poser les problèmes et de les résoudre.

D'accord	Plutôt d'accord	Plus ou moins d'accord	Plutôt en désaccord	En désaccord
5	4	3	2	1

d) Le personnel de votre organisation vient souvent vous demander des conseils ou des opinions.

D'accord	Plutôt d'accord	Plus ou moins d'accord	Plutôt en désaccord	En désaccord
5	4	3	2	1

e) La majorité du personnel cherche à établir et à maintenir des relations positives avec vous.

D'accord	Plutôt d'accord	Plus ou moins d'accord	Plutôt en désaccord	En désaccord
5	4	3	2	1

▶ **Additionnez les résultats et divisez par 5.**

Total _____ ÷ 5 = _____ / 5 → INDICE DE LEADERSHIP.

▶ **Inscrivez ce résultat dans le tableau 9.3 ci-dessous.**

Tableau 9.3 BILAN DU POUVOIR DU GESTIONNAIRE

▶ **Inscrivez l'indice d'autorité et l'indice de leadership obtenus aux tableaux 9.1, page 349, et 9.2, ci-dessus.**

INDICE D'AUTORITÉ	+	INDICE DE LEADERSHIP	= INDICE DE POUVOIR
_____ / 5	+	_____ / 5	= _____ / 10
			Inscrivez ce résultat dans la figure 9.2, page 171, en traçant un carré autour du chiffre correspondant, vis-à-vis de la flèche du centre.

Tableau 11.1 GRILLE D'ANALYSE DE L'APPROCHE DE GESTION DE LA TRANSITION

1) Le gestionnaire s'implique activement durant la période d'implantation.

D'accord	Plutôt d'accord	Plus ou moins d'accord	Plutôt en désaccord	En désaccord
5	4	3	2	1

2) Le gestionnaire sollicite des réactions de la part des clients quant à l'impact du changement sur eux.

D'accord	Plutôt d'accord	Plus ou moins d'accord	Plutôt en désaccord	En désaccord
5	4	3	2	1

3) Le gestionnaire sollicite des réactions de la part des destinataires quant à l'impact du changement sur eux.

D'accord	Plutôt d'accord	Plus ou moins d'accord	Plutôt en désaccord	En désaccord
5	4	3	2	1

4) Le gestionnaire sollicite des réactions de la part des partenaires/pairs quant à l'impact du changement sur eux.

D'accord	Plutôt d'accord	Plus ou moins d'accord	Plutôt en désaccord	En désaccord
5	4	3	2	1

5) Le gestionnaire évalue périodiquement les résultats du changement.

D'accord	Plutôt d'accord	Plus ou moins d'accord	Plutôt en désaccord	En désaccord
5	4	3	2	1

6) Le gestionnaire informe régulièrement les destinataires, les clients, les pairs et les partenaires de l'évolution de la mise en œuvre.

D'accord	Plutôt d'accord	Plus ou moins d'accord	Plutôt en désaccord	En désaccord
5	4	3	2	1

7) Le gestionnaire est ouvert aux commentaires et s'efforce d'y donner suite pour faciliter l'implantation du changement.

D'accord	Plutôt d'accord	Plus ou moins d'accord	Plutôt en désaccord	En désaccord
5	4	3	2	1

8) Le gestionnaire s'efforce de corriger les problèmes au fur et à mesure qu'il en prend connaissance.

D'accord	Plutôt d'accord	Plus ou moins d'accord	Plutôt en désaccord	En désaccord
5	4	3	2	1

Tiré de *Le pilotage du changement – Une approche stratégique et pratique,* Pierre Collerette et Robert Schneider.
© Presses de l'Université du Québec, 1996.

Tableau 11.1 GRILLE D'ANALYSE DE L'APPROCHE DE GESTION DE LA TRANSITION (suite)

9) Le gestionnaire permet aux personnes touchées par le changement de participer activement à sa mise en œuvre.

D'accord 5	Plutôt d'accord 4	Plus ou moins d'accord 3	Plutôt en désaccord 2	En désaccord 1

10) Le gestionnaire rappelle régulièrement les objectifs du changement en cours.

D'accord 5	Plutôt d'accord 4	Plus ou moins d'accord 3	Plutôt en désaccord 2	En désaccord 1

11) Le gestionnaire assure une présence régulière auprès des destinataires.

D'accord 5	Plutôt d'accord 4	Plus ou moins d'accord 3	Plutôt en désaccord 2	En désaccord 1

12) Le gestionnaire apporte au personnel l'encouragement dont il a besoin pour traverser la période de mise en œuvre.

D'accord 5	Plutôt d'accord 4	Plus ou moins d'accord 3	Plutôt en désaccord 2	En désaccord 1

13) Le gestionnaire se montre compréhensif à l'égard des difficultés éprouvées par le personnel.

D'accord 5	Plutôt d'accord 4	Plus ou moins d'accord 3	Plutôt en désaccord 2	En désaccord 1

14) Le gestionnaire se montre tolérant devant les erreurs commises involontairement par le personnel.

D'accord 5	Plutôt d'accord 4	Plus ou moins d'accord 3	Plutôt en désaccord 2	En désaccord 1

15) Le gestionnaire souligne au personnel les succès obtenus.

D'accord 5	Plutôt d'accord 4	Plus ou moins d'accord 3	Plutôt en désaccord 2	En désaccord 1

16) Le gestionnaire exprime clairement ses attentes au personnel.

D'accord 5	Plutôt d'accord 4	Plus ou moins d'accord 3	Plutôt en désaccord 2	En désaccord 1

Tiré de *Le pilotage du changement – Une approche stratégique et pratique*, Pierre Collerette et Robert Schneider.
© Presses de l'Université du Québec, 1996.

Tableau 11.1 GRILLE D'ANALYSE DE L'APPROCHE DE GESTION DE LA TRANSITION *(suite)*

17) Le gestionnaire répond clairement aux questions du personnel sur le changement.

D'accord	Plutôt d'accord	Plus ou moins d'accord	Plutôt en désaccord	En désaccord
5	4	3	2	1

18) Le gestionnaire revoit l'organisation du travail dans l'unité pour tenir compte du changement.

D'accord	Plutôt d'accord	Plus ou moins d'accord	Plutôt en désaccord	En désaccord
5	4	3	2	1

19) Le gestionnaire clarifie le rôle de chacun en rapport avec le changement.

D'accord	Plutôt d'accord	Plus ou moins d'accord	Plutôt en désaccord	En désaccord
5	4	3	2	1

20) Le gestionnaire exprime clairement son opinion quant aux points forts et aux faiblesses du projet de changement en voie d'implantation.

D'accord	Plutôt d'accord	Plus ou moins d'accord	Plutôt en désaccord	En désaccord
5	4	3	2	1

21) Les moyens fournis par le gestionnaire pour faciliter l'implantation du changement (formation, soutien, information, participation, etc.) sont dans l'ensemble adéquats.

D'accord	Plutôt d'accord	Plus ou moins d'accord	Plutôt en désaccord	En désaccord
5	4	3	2	1

22) Les moyens fournis par le gestionnaire pour faciliter l'implantation du changement (formation, soutien, information, participation, etc.) sont dans l'ensemble suffisants.

D'accord	Plutôt d'accord	Plus ou moins d'accord	Plutôt en désaccord	En désaccord
5	4	3	2	1

23) Le rythme d'introduction est adéquat.

D'accord	Plutôt d'accord	Plus ou moins d'accord	Plutôt en désaccord	En désaccord
5	4	3	2	1

Pour déterminer si vous êtes actif ou passif dans la gestion du changement en cours, additionnez vos scores à chacun des indicateurs et inscrivez la somme ci-dessous:

Score total: _____ /115.

Tableau 12.2 QUESTIONNAIRE POUR DÉTERMINER LA CONFIGURATION ORGANISATIONNELLE PENDANT LE CHANGEMENT

▶ Pour chaque énoncé, encerclez la réponse qui s'approche le plus de la situation dans votre organisation (ou votre service).

1) Les objectifs poursuivis par l'implantation du nouveau mode de fonctionnement semblent-ils clairs pour les destinataires ?

1	2	3	4	5	6
Très clairs	Plutôt clairs	Parfois clairs, parfois ambigus	Plutôt ambigus	Très ambigus	Ils ne s'y intéressent pas

2) Dans quelle mesure les destinataires adhèrent-ils aux objectifs du nouveau mode de fonctionnement ?

1	2	3	4	5	6
Totalement	Partiellement	Avec certaines réticences	Avec beaucoup de réticences	Aucunement	Ils ne s'y intéressent pas

3) Le rôle de chacun dans le nouveau mode de fonctionnement semble-t-il clair pour les destinataires ?

1	2	3	4	5	6
Très clair	Plutôt clair	Parfois clair, parfois ambigu	Plutôt ambigu	Très ambigu	Ils ne s'y intéressent pas

4) L'organisation du travail dans le nouveau mode de fonctionnement semble-t-elle claire pour les destinataires ?

1	2	3	4	5	6
Très claire	Plutôt claire	Parfois claire, parfois ambiguë	Plutôt ambiguë	Très ambiguë	Ils ne s'y intéressent pas

5) À cette étape-ci de l'implantation, que pensent les destinataires de l'efficacité du nouveau mode de fonctionnement ?

1	2	3	4	5	6
Efficace	Plutôt efficace	Plus ou moins efficace	Plutôt inefficace	Innefficace	Ils ne s'y intéressent pas

6) À cette étape-ci de l'implantation, dans quelle mesure les destinataires maîtrisent-ils les nouvelles compétences requises ?

1	2	3	4	5	6
Très bien	Bien	Plus ou moins	Peu	Très peu	Pas du tout

7) À cette étape-ci de l'implantation, les destinataires considèrent-ils le nouveau mode de fonctionnement comme adapté à la mission du service ?

1	2	3	4	5	6
Adapté	Plutôt adapté	Plus ou moins adapté	Plutôt inadapté	Inadapté	Ils ne s'y intéressent pas

Tiré de *Le pilotage du changement – Une approche stratégique et pratique*, Pierre Collerette et Robert Schneider.
© Presses de l'Université du Québec, 1996.

Tableau 12.2 QUESTIONNAIRE POUR DÉTERMINER LA CONFIGURATION
ORGANISATIONNELLE PENDANT LE CHANGEMENT *(suite)*

8) Ces jours-ci, comment se manifeste le stress des destinataires vis-à-vis des exigences
du nouveau mode de fonctionnement?

1	2	3	4	5	6
Enthousiasme	Enthousiasme modéré	État mi-enthousiaste, mi-anxieux	Anxiété modérée	Anxiété	Apathie

9) Ces jours-ci, les destinataires semblent-ils détendus ou irritables par rapport
au nouveau mode de fonctionnement?

1	2	3	4	5	6
Détendus	Plutôt détendus	D'humeur inégale	Plutôt irritables	Irritables	Apathiques

10) Ces jours-ci, les destinataires du changement semblent-ils en forme ou fatigués?

1	2	3	4	5	6
En forme	Plutôt en forme	Fragiles	Plutôt fatigués	Fatigués	Abattus

11) Jusqu'à quel point les gens semblent-ils disposés à poursuivre l'effort de mise
en œuvre du nouveau mode de fonctionnement?

1	2	3	4	5	6
Très disposés	Plutôt disposés	Mi-disposés, mi-réticents	Plutôt réticents	Réticents	Ils ne s'y intéressent pas

12) Quelle est la participation actuelle des gens dans la mise en œuvre du nouveau mode
de fonctionnement?

1	2	3	4	5	6
Active	Modérée	Réservée	Passive	Négative	Nulle

Tableau 12.3 GRILLE DE COMPILATION POUR ÉTABLIR LA CONFIGURATION

Pour établir la configuration de votre organisation, vous devez d'abord faire la somme des scores obtenus aux questions du tableau 12.2, page 249. Ensuite, divisez cette somme par le nombre de questions auxquelles vous avez répondu. Enfin, encerclez dans la section grisée le chiffre s'approchant le plus de votre résultat.

▶ **Configuration**: (   ) ÷ *n* = _____ /6
somme des scores

1	2	3	4	5	6
adhésion marquée	adhésion limitée	polarisation, ambivalence	opposition limitée	opposition marquée	indifférence

▶ **Score cognitif**: (somme des questions 1, 3, 4, =) ÷ 3 = _____ /6

Ce score porte sur la compréhension que les gens ont du changement. Comprennent-ils les objectifs, les nouveaux rôles, le mode de fonctionnement?

♦ Si le score est près de 1, c'est une indication que les gens comprennent bien la nature du changement. Il vous suffit de maintenir l'approche de gestion actuelle par rapport aux clarifications sur le changement.

♦ Si le score est près de 6, c'est une indication que les gens comprennent mal la nature du changement ou ses modalités. Vous devriez revoir votre approche de gestion afin de mieux expliquer les objectifs et les modalités du changement. La grille « d'analyse de l'approche de gestion de la transition » (11.1) peut vous y aider.

▶ **Score idéologique**: (somme des questions 2, 11, 12 =) ÷ 3 = _____ /6

Ce score porte sur la réaction des gens au changement même. Sont-ils d'accord, le soutiennent-ils ouvertement, s'impliquent-ils?

♦ Si le score est près de 1, c'est une indication que les gens acceptent bien la nature du changement. Il vous suffit de maintenir l'approche de gestion actuelle relative aux motifs qui justifient le changement.

♦ Si le score est près de 6, c'est une indication que les gens acceptent mal le changement. Vous devriez revoir votre approche de gestion afin de rendre plus évidents les motifs qui le justifient. La grille « d'analyse de l'approche de gestion de la transition » (11.1) peut vous y aider.

▶ **Score fonctionnel**: (somme des questions 5, 6, 7 =) ÷ 3 = _____ /6

Ce score porte sur l'opinion que les gens ont de l'efficacité du changement. Est-il adapté, produit-il les résultats attendus, le maîtrise-t-on?

♦ Si le score est près de 1, c'est une indication que les gens trouvent le changement adapté et fonctionnel. Il vous suffit de maintenir l'approche de gestion actuelle quant aux correctifs à apporter pour accroître l'efficacité.

♦ Si le score est près de 6, c'est une indication que les gens trouvent le changement peu efficace ou inadapté. Vous devriez revoir votre approche de gestion afin d'introduire des ajustements qui en amélioreraient la fonctionnalité. La grille « d'analyse de l'approche de gestion de la transition » (11.1) peut vous y aider.

Tableau 12.3 GRILLE DE COMPILATION POUR ÉTABLIR LA CONFIGURATION *(suite)*

▶ **Score psychosomatique**; (somme des questions 8, 9, 10 =) ÷ 3 = _____ /6

Ce score porte sur la réaction affective et physique des gens au changement. Réussissent-ils à s'adapter à la nouveauté, quel niveau de stress vivent-ils?

◆ Si le score est près de 1, c'est une indication que les gens s'adaptent bien au changement. Il vous suffit de maintenir l'approche de gestion actuelle quant au soutien et à l'encadrement.

◆ Si le score est près de 6, c'est une indication que les gens s'adaptent mal au changement ou qu'ils vivent des tensions importantes. Vous devriez revoir votre approche de gestion afin d'intensifier les mesures de soutien et d'encadrement que vous offrez. La grille «d'analyse de l'approche de gestion de la transition» (11.1) peut vous y aider.

AGMV
MARQUIS
Québec, Canada
2000